LE TAVOLE D'ORO

DELLO STESSO AUTORE:
La spartizione del cuore

BAPSI SIDHWA

Il talento dei parsi

traduzione di
Luciana Pugliese

NERI POZZA EDITORE

Titolo originale:
The Crow Eaters
© 1978 by Bapsi Sidhwa

© 2000 Neri Pozza Editore, Vicenza
ISBN 88-7305-753-5

Il nostro indirizzo internet è: www.neripozza.it

Questo libro è dedicato ai miei genitori,
Tehmina e Peshotan Bhandara

Capitolo 1

Faredoon Junglewalla, detto Freddy, era un avventuriero dotato di bellissima presenza, di voce incantatrice e di così pochi scrupoli che riuscì non solo a scavarsi una confortevole nicchia nel mondo, ma si conquistò anche il rispetto e la gratitudine di tutta la sua comunità. Quando morì, a sessantacinque anni, maestoso patriarca dal capo brizzolato, aveva ottenuto l'eccezionale riconoscimento di essere inserito nel locale Calendario zoroastriano degli uomini e delle donne notevoli.

Nel corso delle importanti cerimonie parsi, quali celebrazioni di ringraziamento o anniversari di defunti, vengono invocati con gratitudine i nomi dei trapassati più importanti: antichi re e santi persiani e tutti coloro che si sono resi benemeriti della comunità fin dal momento in cui i parsi emigrarono in India.

Il nome di Faredoon Junglewalla viene invocato in tutte le più importanti cerimonie che si tengono nel Punjab e nel Sind: imperitura testimonianza del successo raggiunto dalla sua affascinante furfantaggine.

Nei floridi anni della sua maturità Faredoon Junglewalla amava lasciarsi andare spesso a rimembranze e a discorsi retorici. Sprofondato in una poltrona dallo schienale di bambù, dopo una giornata di arduo lavoro, le lunghe gambe stese sui braccioli obliqui della poltrona, intratteneva i giovani raccolti ai suoi piedi:

«Sapete, ragazzi, qual è la cosa più dolce della terra?»

«No, no, no». Alzando la mano con un gesto benevolo per far zittire una valanga di suggerimenti, lui sorrideva e scuoteva la testa. «No, non è lo zucchero, non è il denaro, e nemmeno l'amore di mamma!»

I suoi sette figli e i giovani amici che a sera andavano a fargli visita si protendevano con occhi sgranati e volti pieni di curiosità. La sua voce sonora e profonda aveva modulazioni che risultavano gradevolmente armoniose alle loro orecchie.

«La cosa più dolce del mondo è il *bisogno*. Proprio così, provate a pensarci. Il *bisogno*, cioè la sorgente dei vostri desideri, del vostro benessere e della vostra felicità».

A mano a mano che egli proseguiva, i termini "bisogno" e "desideri" travalicavano i loro consueti confini e si espandevano a comprendere nuovi immensi orizzonti, inondando la loro mente con la visione che ne aveva lui.

«Il bisogno trasforma un arrogante in un adulatore e ispira la gentilezza al più crudele degli uomini. Chiamatelo occasione, chiamatelo interesse, chiamatelo come vi pare, sempre del vostro bisogno si tratta. Tutto il bene di questo mondo deriva dal fatto che noi perseguiamo i nostri scopi. Che cosa vi fa sopportare quel tale a cui volentieri sputereste in un occhio? Che cosa fa sì che quel grande immenso "io", quel mostruoso ego, si moderi per diventare una persona? È il bisogno, ve lo dico io, che vi costringe ad amare il nemico come un fratello!»

Billy beveva le parole a una a una. Giovincello imberbe con quattro stenti peli al posto dei baffi, credeva fermamente che le affermazioni del padre fossero superiori persino alle sagge sentenze di Zaratustra.

I giovanotti erano particolarmente contenti allorquando non c'erano presenti le donne a condizionare lo stile di Faredoon. In quelle occasioni Freddy li affascinava con la libertà del suo modo di esprimersi. Una sera, mentre le donne erano occupate a preparare la cena, si lasciò andare a delle confessioni.

«Sì, ai miei tempi mi sono fatto apprezzare e amare da tutti. A Peshawar c'era per esempio quel presuntuoso d'un figlio di puttana del Colonnello William. Ero tutto zucchero e miele con lui – mi sono inchinato così profonda-mente da farmi venire un crampo alle palle – l'ho lisciato e incensato fino a quando non l'ho reso docile come un agnellino. In capo a un anno avevo nelle mie mani tutto il traffico delle merci tra Peshawar e l'Afghanistan!

«E quando avete i mezzi, non c'è limite al bene che potete operare. Io ho fatto un'offerta per la costruzione di un orfanotrofio e di un ospedale. Ho fatto installare una pompa per l'acqua intitolandola al mio amico, Mr. Char-les P. Allen. Era appena arrivato dal Galles e ricopriva un incarico nel Servizio Civile Indiano, posizione quanto mai utile ai miei affari. Era un *pakka sahib* allora – ma non sopportava il caldo. Stava comunque cento volte meglio della sua *memsahib*! La poveretta, tutta pelle e ossa, era uno sfogo dalla testa ai piedi a causa del sudore, e non faceva che grattarsi a sangue.

«Una volta Allen mi confessò che il suo uccello non si drizzava più. "La colpa è di questo dannato caldo", disse. Era gentile però, quel bastardo, per cui gli diedi una mano. Per prima cosa spedii sua moglie in montagna per farla guarire dallo sfogo. Poi mi diedi da fare in suo aiuto con una combriccola di appetitose ballerine e qualche bottiglia di Dimple Scotch. In quattro e quattr'otto guarì dalla sua tremenda malattia!

«Eh sì, non c'è proprio limite al bene che si può fare». E a questo punto quel sapiente dai vigorosi appetiti am-miccò furbescamente. Il dialetto di Faredoon era dissemi-nato di colte citazioni inglesi che pronunciava con un buffo accento molto ricercato.

«Oh miei piccoli cari innocenti», proseguì, «non ho mai aperto la porta all'orgoglio e all'arroganza. Dove mi trove-rei se avessi fatto con il mio orgoglio un delicato fiorellino, e ci avessi posato sopra il mio delicato didietro? Io ho ascoltato i consigli che mi davano i miei bisogni, i miei desideri: sono questi che rendono l'uomo flessibile, elasti-co, umile. "I miti erediteranno la terra", dice il Cristo. C'è un grande significato nelle sue parole. E c'è anche molta profondità nell'uomo che dice: "Ondeggia con la brezza, piegati col vento"», declamò alterando senza tanti complimenti la citazione.

«Nel mondo saremo sì e no centoventimila parsi, eppure continuiamo a conservare la nostra identità, e come? Buttati fuori a pedate dalla Persia al tempo dell'invasione araba 1300 anni fa, un gruppetto di nostri predecessori si rifugiò in India portando con sé i fuochi sacri. Qui gli fu garantita l'incolumità da parte del principe Yadav Rana, a condizione che non mangiassero carne di bue, che non portassero sandali di pelle non conciata e che non tentassero di convertire la gente che, si sa, è influenzabile. I nostri antenati erano orgogliosi ma non tanto da non piegarsi al suo volere. Ancora oggi noi non accettiamo le conversioni alla nostra fede, né i matrimoni misti.

«Mi sono fatto degli amici, che amo, per quelli che potrebbero essere definiti "secondi scopi", eppure le amicizie nate in questo modo sono tra le più care, le più durature e le più sincere. Voglio ancora bene a tutti loro».

Tacque sospirando e poi di punto in bianco aggiunse: «E non parliamo della nonna – benedetta quella sua animuccia brontolona – non avete idea di quanto fosse difficile. Che cosa non ho dovuto fare e che cosa non ha preteso da me! Ma ero sempre gentile con lei, per amore della pace domestica. Se non fosse stato per me, vi avrebbe fatto fuori tutto quello che c'era in casa, fino all'ultima briciola!

«Insomma, voi pensate ai vostri bisogni e Dio pensa a voi...»

La sua voce melliflua era così convincente, così priva di supponenza, che gli ascoltatori avevano l'impressione di essere i destinatari privilegiati di una rivelazione. Scoppiarono a ridere a questa sentenza alquanto terra terra e Faredoon (a quel momento persino la moglie non lo chiamava più Freddy) si compiacque del successo.

«E dove mai, se posso chiederlo, sorge il sole? No, non a oriente. Per noi esso sorge, e tramonta, nel culo degli inglesi. Sono loro i nostri padroni! Dove credete che saremmo, se non ci fossimo guadagnati delle simpatie? Dopo i viceré, i ragià e i signorotti, noi siamo i più grandiosi leccapiedi dell'Impero Britannico! Non sto mica dicendo bestialità, badate bene. Questi sono i dolci imperativi del nostro delizioso bisogno di esistere, di vivere e prosperare in pace. Dove mai saremmo altrimenti noi parsi? A pulire le fogne con gli intoccabili, briciole di una presa di tabacco eruttata dalle narici multirazziali dell'India! Proprio così, facendo i nostri interessi abbiamo conservato la nostra forza, la forza di portare avanti il grande cosmico disegno di Ahura Mazda, la profonda legge spirituale che governa l'universo, il Sentiero di Asha».

Quanto lo amavano. I volti raggianti, le bocche spalancate, bevevano con ardore l'eloquenza e i consigli del loro attempato guru. A dispetto di tutta la sua saggezza però e della scorrevolezza del suo discorso, egli aveva un avversario che non riuscì mai a sottomettere.

Faredoon Junglewalla, detto Freddy, si mise in viaggio verso la fine dell'Ottocento. A ventitré anni, forte e pronto all'avventura, non vedeva un avvenire nel villaggio paterno, sepolto nelle foreste dell'India Centrale, e decise quindi di andare a cercare fortuna nei sacri pascoli del Punjab. Delle sedici terre create da Ahura Mazda e menzionate nel Vendidad risalente a 4000 anni prima, una era il Septa Sindh, la zona che oggi comprende il Sind e il Punjab.

Caricati su un carro trainato da buoi tutti i suoi beni, che consistevano in una suocera vedova, che aveva undici anni più di lui, una moglie incinta che ne aveva sei di meno, e la piccola Hutoxi appena nata, si mise in viaggio verso il nord.

Il carro era costituito da un pianale di cinque metri per tre, montato su ruote di legno, almeno due terzi del quale erano occupati da una sovrastruttura di bambù e tela sotto la quale la famiglia dormiva e si riparava. Il resto del carro era stipato di tutte le loro masserizie.

I buoi procedevano lungo il ciglio della strada e avanzavano senza bisogno di una conduzione molto attenta. Di tanto in tanto la famiglia, avendo trascorso la giornata in una città, viaggiava di notte. Gli animali procedevano ora dopo ora, mentre a bordo tutti dormivano profondamente fino all'alba.

Oltre alle normali preoccupazioni e incombenze di un lungo viaggio con un carro trainato da buoi, Freddy si trovò ben presto a dover far fronte a due gravi problemi. Uno era rappresentato dal comportamento disdicevole di un gallo di forte temperamento, e l'altro dalla litigiosità di quella scansafatiche della suocera.

La moglie di Freddy, Putli, preoccupata di garantirsi un rifornimento giornaliero di uova fresche, all'ultimo momento aveva issato a bordo una gabbia di volatili. La gabbia di bambù conteneva tre grasse e panciute galline e un gallo molto esuberante.

La contrarietà di Freddy all'iniziativa di portarselo dietro non era stata presa in considerazione.

Freddy esercitava la sua autorità sulla moglie con "pugno di ferro e guanto di velluto", attenendosi a tre criteri. Se lei faceva o desiderava qualcosa che lui riteneva intollerabile o nefasto e pernicioso, vi si opponeva in modo reciso e irremovibile. Putli ben presto imparò a riconoscere e a rispettare le sue decisioni in simili frangenti. Se lei faceva o programmava qualcosa che lui considerava stupido e dispendioso ma non veramente nocivo, esprimeva la sua contrarietà ma gliela dava immediatamente vinta con benevola condiscendenza. In tutte le altre faccende lei era libera di fare come voleva.

Egli aveva incasellato la decisione di caricare i polli nella seconda categoria, e dopo avere espresso una debole protesta aveva acconsentito gentilmente al desiderio di lei.

Quel gallo era il favorito della moglie. Una bestia meravigliosa, dalle zampe slanciate, dalla maestosa cresta rossa e dalla coda che terminava con un vivace e variopinto riccio; detestava rimanere chiuso con le galline nel retro del carro. All'alba svegliava la famigliola con chicchirichì talmente acuti da perforare i timpani e non smetteva fin quando Putli non lasciava uscire tutti dalla gabbia. Il gallo allora si metteva a sbattere le ali multicolori prestando i suoi gentili servizi al proprio harem e trasmigrando poi nella parte anteriore del carro. Qui passava la giornata zampettando impettito su e giù per lo stretto spazio che usava come aia o occupando la sua postazione preferita sulla stanga destra, dove se ne rimaneva fermo come una sentinella. Negli incroci congestionati prendeva a lisciarsi le penne azzurre, brune e gialle e a cantare a squarciagola a beneficio dei presenti ammirati. Putli lo viziava con piccoli rimasugli di cibo e con briciole di *chapati*.

Il gallo, che dapprima si era dimostrato molto nervoso, in pochi giorni aveva finito con l'apprezzare l'avventura. Il ritmo monotono e cigolante del loro procedere lungo strade polverose lo colmava di piacere e ogni sobbalzo o movimento inaspettato entusiasmava il suo sensibile e allegro cuoricino. Non usciva mai dai confini del carro. Ogni tanto, mosso da un invincibile impeto d'avventura, svolazzava sui buoi e, bilanciandosi come un acrobata sulle lunghe zampe nere, saltava sulle loro corna. Freddy lo ricacciava benevolmente sul carro.

I guai di Freddy con il gallo ebbero inizio un paio di settimane dopo la partenza.

Freddy aveva già escogitato alcuni stratagemmi per eliminare gli ostacoli che si frapponevano alla sua vita amorosa. Una sera sì e una sera no, cammin facendo scovava qualche stupendo porto di salvezza e, entrando in estasi per la bellezza di una riva lungo un canale o di un campo di senape ondeggiante alla brezza, sospingeva la suocera nel cuore della campagna deserta. Jerbanoo, dissimulando appena la sua contrarietà, si lasciava depositare su una coperta stesa a terra dal genero. Lui le si sedeva accanto e le faceva notare questo o quell'elemento paesaggistico, o commentava la serena bellezza del luogo. Dopo qualche minuto, arrossendo sotto lo sguardo rassegnato e consapevole di lei, accampava qualche vaga scusa e la lasciava a godersi lo scenario da sola. Tornava allora di corsa al carro, chiudeva i due lembi della tenda e si gettava tra le accoglienti braccia della moglie impaziente.

Una sera, non si sa come, il gallo andò a finire nell'alcova. Con la testa piegata di lato, rimase a osservare con vivissimo interesse gli strani esercizi di Freddy. Unendo un tempismo quanto mai preciso a una buona dose di umorismo, all'improvviso spiccò un salto e con un solo colpo d'ali e senza quasi fare rumore, si piantò saldamente sull'amoreggiante didietro di Freddy. In quel momento non c'era nulla che potesse distrarre Freddy. Preda della passione, inconsciamente pensando che quella pressione fosse delle dita appassionate della moglie, Freddy fece godere al gallo la più straordinaria cavalcata della sua vita. Le splendenti ali aperte per mantenere l'equilibrio, il gallo si abbarbicò al suo trespolo galoppante come un espertissimo cavaliere di rodeo.

Fu solo quando Freddy sprofondò in un soddisfatto torpore, i nervi languidamente rilassati, che il gallo inarcando la coda e il collo cantò: «Chicchirichì!»

Freddy reagì come se gli fosse scoppiato un ordigno nucleare nelle orecchie. Si rizzò in piedi precipitosamente, e quando Putli tutta meravigliata si mise a sedere, fece in tempo a scorgere il gallo atterrito che se la dava a gambe tra le falde della tenda.

Putli si piegò in due dalle risa, fenomeno talmente raro che Freddy, dominando la collera omicida, si lasciò cadere ai suoi piedi con un sorriso imbarazzato.

Dopo di allora Freddy prese la misura di fissare bene i lembi della tenda, e per un po' di tempo tutto andò liscio. Il gallo però, che aveva gustato il sapore della felicità, non vedeva l'ora di averne un altro assaggio.

Alcuni giorni dopo scoprì sul retro del ricovero uno squarcio nella tela. Ficcandovi dentro il collo, colse il tramestio che stava avendo luogo sul materasso. Gli occhietti inquisitivi gli si accesero e gli si rizzò la cresta. Muovendosi a tempo con estremo acume, pian piano si infilò nel vano e fece in tempo a prendersi gli ultimi trenta secondi della cavalcata in un'orgia trionfante di penne in tumulto. Questa volta Freddy si accorse almeno vagamente della presenza sul proprio didietro nudo, ma dominato dall'ascesa vertiginosa del desiderio, non poté fare nulla.

Il suo corpo si rilassò, preda di un'invincibile prostrazione, e il gallo gli gettò nelle orecchie il suo verso. Freddy balzò in piedi. Se Putli non lo avesse trattenuto, avrebbe tirato il collo al gallo lì su due piedi.

Quando la settimana dopo la scena si ripeté, Freddy decise che doveva prendere qualche provvedimento, e in fretta. Per non scioccare la moglie, attese l'occasione giusta, la quale si presentò sotto le spoglie di un bufalo che mancò poco non incornasse la suocera.

Si erano fermati all'alba per una breve sosta alla periferia di un villaggio. Jerbanoo, costretta da necessità naturali, stava avanzando a fatica in un campo di mais con un recipiente di terracotta pieno d'acqua per lavarsi, quando da dietro un pagliaio sbucò un bufalo. Rimase fermo, la grande testa nera in cui brillavano due occhi rossi che la fissavano al di sopra della verde distesa di mais.

Jerbanoo rimase impietrita tra le spighe che le arrivavano al ginocchio. Il bufalo domestico è di solito un animale molto docile, ma questo aveva un'aria minacciosa, e lei lo capì dall'inclinazione aggressiva del capo e dal luccicore impressionante degli occhi feroci. Chinandosi cautamente sulle ginocchia, Jerbanoo cercò di nascondersi tra le spighe, ma il bufalo, abbassata d'impeto la testa, incominciò a caricarla.

«Aiuto!» urlò Jerbanoo, lasciando cadere il vaso e, alzando la gonna del sari con una mano, si diresse correndo verso il carro.

«Gettati di lato, cambia direzione!» urlò Freddy facendole ampi gesti con ambedue le braccia.

Istupidita dal terrore, Jerbanoo continuò a sfrecciare in linea retta davanti al bufalo.

«Da questa parte, da questa parte!» gridò Freddy, movendo le braccia a destra e a sinistra e andandole incontro.

In quel preciso istante saltò fuori dalle spighe di mais un uomo che, urlando a perdifiato e sventolando la camicia per attirare l'attenzione del bufalo, riuscì a far deviare l'animale lanciato nella corsa pazza. Era il padrone del bufalo e riuscì a riportarlo subito sotto controllo.

Sconvolta e scarmigliata, Jerbanoo si abbatté singhiozzando tra le braccia di Freddy. Fu l'ultima volta che egli ebbe un soprassalto di tenerezza e di preoccupazione per la suocera.

Putli era piena di gratitudine e di compiacimento per il cavalleresco slancio di Freddy nel correre in soccorso della madre. Approfittando di questi sentimenti, Faredoon si azzardò cautamente a proporre l'eliminazione del gallo. «Dio ci ha salvato oggi da una tremenda disgrazia», dichiarò dopo cena. «Gli dobbiamo rivolgere migliaia, anzi milioni di ringraziamenti per la sua bontà nell'impedire uno spargimento di sangue. Non appena ci troveremo vicino a un Tempio del Fuoco, ordinerò un *jashan* di ringraziamento nella nostra nuova casa. Sei *mobed* pregheranno e distribuiranno frutta, pane e dolci consacrati, sufficienti per cento mendicanti... ma potrebbe essere troppo tardi! Abbiamo ricevuto un avvertimento, la terra chiede sangue! Io penserei di sacrificare stasera stessa il gallo».

Putli rimase senza fiato e sbiancò in volto. «Oh, non potresti sacrificare invece una delle galline?» lo scongiurò.

«No, ci vuole il gallo, purtroppo», disse Freddy, lasciando pesare tristemente ancora più in basso la testa già china. «Le vogliamo tutti bene a quella splendida creatura, lo so, ma tu non puoi sacrificare una cosa che non ti sta a cuore: sarebbe inutile».

«Sì, sì», convenne con veemenza Jerbanoo. Dopotutto era il suo sangue che la terra chiedeva, era in gioco la sua vita!

Putli annuì pensosamente.

Il giorno dopo mangiarono un succulento piatto di pollo e cocco al curry.

Quella corsa a rotta di collo però si era dimostrata una prova troppo grave per i flaccidi muscoli di Jerbanoo. Aveva tutte le membra indolenzite e la sua gratitudine iniziale cedette il posto a un astioso rancore. Accusò Freddy di aver intrapreso un viaggio che l'aveva esposta alla carica del bufalo e a chissà quante altre future traversie.

Jerbanoo era stata contraria al viaggio fin dall'inizio. Provata dall'abbandono dei luoghi natii e dalla carica del bufalo, nonché dal contegno imperturbabilmente cortese del compassato genero, lei aveva protestato e si era lamentata, infine si era rassegnata al martirio. Le mani sui fianchi, lampi di vendetta che scoccavano dagli occhi neri, non perdeva mai un'occasione per rimproverarlo. E il viaggio, turbato continuamente da contrattempi e inconvenienti, di occasioni gliene aveva date a iosa.

Per esempio, quella notte nera come l'inchiostro quando si era staccata una ruota del carro, proprio sul limitare del deserto del Rajastan, e uno sciacallo si era messo all'improvviso a ululare nel silenzio.

Scesa con un balzo giù dal carro, le mani sui fianchi, Jerbanoo si era piantata davanti a Freddy. Le sopracciglia inarcate sparivano quasi nell'attaccatura dei capelli. «E ora dobbiamo farci divorare dai lupi! Perché? Perché sua maestà vuole così! Dobbiamo passare la notte in questo posto fuori del mondo, esposti alle belve! Perché? Perché per lui la vita semplice del villaggio non andava bene! Ma non credere che potrai sempre farmi fare quello che vuoi! Ti sono venuta dietro per amore di mia figlia ma non ho intenzione di sopportare più questa scempiaggine! Torna indietro! Mi hai capito?» aveva urlato, gli occhi incredibilmente brillanti alla luce della lanterna che dondolava dalla mano di Freddy.

Freddy le volse le spalle senza proferire verbo.

«Fanatico testardo, hai idea delle nostre sofferenze? Non

ti preoccupi di tua moglie e della bambina? Che vita fanno alla mercé dei tuoi capricci... mostro senza cuore!» gridò.

Putli continuava a dormire indisturbata. Le tirate stridule della madre erano diventate una cosa così normale che quel berciare praticamente non si apriva nemmeno un varco nei suoi sogni.

Ignorando Jerbanoo, Freddy si mise a riparare la ruota. La donna, vedendosi trascurata, tornò con un balzo sul carro e si mise a sedere tutta tremante sul materasso.

Lo sciacallo latrò, il lugubre verso amplificato dalla quiete notturna.

Jerbanoo si irrigidì tutta e, in preda all'orrore e alla frustrazione, ululò di rimando.

Lo sciacallo gettò un miagolio sinistro.

«Uhuuuu», fece Jerbanoo.

Eccitato dalla scoperta di un suo simile, lo sciacallo gettò un gemito orribile.

«Ihiiii!» ululò Jerbanoo, e tra i due si instaurò il più mostruoso dei duetti.

La pelle accapponata, gli splendidi denti bianchi digrignanti, Faredoon balzò sul carro e si infilò strisciando nel ricovero. Gettandosi a non più di due centimetri dal viso della suocera sibilò: «Basta... basta con questo verso orribile o ti pianto qua... te lo giuro!»

Jerbanoo si quietò subito, non tanto per quella sinistra minaccia quanto per lo scintillio impazzito negli occhi di lui.

Nel giro di due ore avevano ripreso ad andare, rabboniti e cullati dal grave risuonare del campanaccio appeso al collo di ognuno dei buoi.

Avvenne anche che la bambina avesse un attacco di dissenteria, che a Jerbanoo venissero i crampi mentre faceva il bagno in un canale e che Putli, punta da uno scorpione, rischiasse di cadere in un pozzo. In ognuna di queste occasioni, attirata dalle urla stridule e violente di Jerbanoo, tutta la popolazione di questo o quel villaggio venne informata senza pietà delle malefatte del genere.

Stufo di tutto ciò, Freddy rivolgeva la parola solo alla moglie attonita e solerte, e Jerbanoo sprofondò in un ostinato silenzio da martire.

Dopo due mesi all'insegna della polvere e delle zanzare, Freddy guidò i suoi animali esausti nella fertile terra dei Cinque Fiumi.

Attraversarono diversi villaggi, verdi di grano e gialli di senape. Trascorsero alcuni giorni nella città d'oro di Amritsar e infine giunsero a Lahore.

Faredoon Junglewalla si innamorò di Lahore a prima vista. L'espressione amara sul volto di Jerbanoo si accentuava di giorno in giorno: gli angoli della bocca erano scesi sempre di più con l'andare del viaggio e lei scrutava la città affaccendata e fumigante con occhi arcigni. Si astenne per il momento da qualsiasi commento, accontentandosi di poter riposare le membra sconquassate.

Freddy girò per Lahore tutto il giorno, e ogni ora che passava non faceva che rafforzare il suo iniziale amore per l'antica città. Quella sera fermarono il carro sotto un ombroso albero vicino alla Moschea di Badshahi. L'orizzonte accolse il sole in una matassa rosa, che colorò il leggiadro insieme delle bianche cupole con una pennellata di violetto, colmando di serenità i sensi di Freddy. L'alta voce del muezzin, supplichevole, lamentosa e sensuale, si alzò nell'aria silente tra le cupole. Campane risuonarono in un minuscolo tempio indù, rannicchiato nelle ombre della moschea. Un tempio sikh, rivestito d'oro, splendeva come un piccolo gioiello nell'ombra, e Freddy, sensibile a qualsiasi stimolo religioso, si lasciò andare alle emozioni del momento.

Il mattino seguente, avendo deciso di scegliere questa città per tentarvi la fortuna, Freddy si avvicinò alla moglie e le chiese di dargli il denaro. Putli, che aveva tirato fuori il foraggio per i buoi, gettò tutt'intorno sguardi circospetti.

«Anche i muri hanno orecchie», sentenziò severamente.

Mettendo una mano ammonitrice sul braccio di Freddy, lo tirò all'interno del ricovero sul carro.

La bambina dormiva in un angolo e Jerbanoo se ne stava seduta a gambe incrociate sul suo materasso, cercando di contrastare l'estenuante calore con un ventaglio di foglia di palma. All'ingresso di Freddy arricciò il naso per gli odori da bazar che assalirono le sue narici e, facendosi vento come una forsennata, manifestò senza parlare la sua ripulsa per la città.

Il cuore balzò nel petto di Freddy. La disapprovazione di Jerbanoo fu determinante agli effetti della sua istintiva decisione. La testa di Freddy, come una gallina che cova le uova, si mise a covare una soddisfatta manciata di lieti pensieri. Decise su due piedi, tra sé e sé, che non avrebbe più lasciato Lahore per tutta la vita.

Girando le spalle alle smorfie teatrali della suocera, Freddy osservò la moglie che si sbottonava il bustino aderente sotto il corpetto del sari. Putli gli arrivava sì e no al petto. Lei tolse il sacchetto dei denari che, sistemato al riparo da occhi curiosi e ladri, le aveva premuto la carne del seno fin dall'inizio del viaggio. Porgendo con gesto guardingo la borsetta a Freddy, cominciò a riabbottonarsi lo stretto bustino di cotone. Freddy gettò sguardi pieni di rammarico sui piccoli seni ben torniti che stavano per scomparire. Allungò una mano furtiva per toccarli di sfuggita, ma lo sguardo di rimprovero di lei, che gli rammentava la presenza della suocera, gli bloccò la mano.

C'era, negli occhi senza brio di Putli, piuttosto distanziati nel piccolo severo triangolo del volto, un che di fisso che spesso sconcertava e irritava Freddy. L'unica occasione in cui vedeva sciogliersi quel suo sguardo ostinato era quando si trovavano a letto. Allora le sue palpebre dalle lunghe ciglia si appesantivano di sensualità e compariva una tale tenace ed edonistica devozione nei suoi occhi puntati su di lui, una tale disposizione a soddisfare e a essere soddisfatta, che egli se ne sentiva soggiogato.

Non appena Freddy se ne fu andato, Putli si mise a sbrigare i lavori in una specie di frenesia. In men che non si dica aveva abbeverato i buoi, aveva acceso il fuoco nel braciere di carbonella e aveva messo un colino di verdure e lenticchie a cuocere sul vapore d'una pentola. Faceva tutto con una tale economia di gesti e con tanta efficienza che la madre se ne vergognò e si mosse per aiutarla. Prese il piatto di riso dalle mani di Putli e incominciò a imboccare la bambina.

Freddy andò a visitare sistematicamente a una a una le case delle quattro famiglie parsi residenti a Lahore: i Toddywalla, i Bankwalla, i Bottliwalla e i Chaiwalla. Nessuno di loro praticava il commercio che il nome suggeriva. I Toddywalla, una famiglia numerosa, erano proprietari di una fiorente bottega di tè, i Chaiwalla gestivano un bar, Mr. Bottliwalla faceva il cassiere in una banca e Mr. Bankwalla impartiva lezioni di ballo.

Un'affascinante caratteristica di questa microscopica comunità mercantile era il suo inalienabile senso del dovere e del reciproco sostegno. Come una grande famiglia molto unita, si prestavano assistenza, gioivano dei successi d'uno di loro e si stringevano attorno a chi pativa un insuccesso. In un paese che abbondava di mendicanti, non esistevano mendicanti parsi. Non appena un parsi diventa ricco, devolve un'ampia porzione delle sue fortune alla beneficenza: costruisce scuole, ospedali e orfanotrofi, provvede a che tutti abbiano casa, scuola e accesso a un prestito. Famosi per la loro taccagneria, di fronte a un fine preciso diventano incredibilmente generosi.

Le quattro famiglie si mostrarono felici della visita di Freddy, ed entusiaste all'idea che ci fosse un'altra famiglia a rimpolpare i loro ranghi.

Nel giro di due giorni Freddy aveva sistemato la sua famigliola in un appartamento sopra il suo nuovo esercizio di generi vari, in una delle zone più attive e commercialmente fiorenti della città.

La sera seguente, agghindato d'una giacca bianca inamidata che fermò al collo e alla vita con nastri, di un nuovo *pajama* bianco e d'un turbante, guidò il carro verso la Government House.

Lasciati i suoi magnifici buoi vicino agli irrequieti cavalli dei *tonga*, Freddy salì con grandi decise falcate fino alle sfolgoranti guardie ferme agli immensi cancelli di ferro. Le guardie lo fecero entrare quasi subito e Freddy segnò il proprio nome nel Registro dei Visitatori.

Reso così omaggio all'Impero Britannico, mostrate le sue credenziali e garantita la sua fedeltà a Regina e Corona, Freddy era libero di guardare in faccia il futuro.

Capitolo 2

Il portamento virile e le maniere suadenti di Faredoon fecero ben presto breccia nel cuore dei *punjabi*. Aveva un volto alquanto lungo, dai lineamenti nobili e dal mento fermo. Il naso sottile era leggermente arcuato subito sotto l'attaccatura e i suoi occhi color nocciola, grandi e dalle palpebre spesse, avevano qualcosa di misterioso e mistico che toccava il cuore della gente. La carnagione era chiara e luminosa. Tutto ciò, insieme col fatto che era un parsi, che significava per antonomasia un uomo onesto e corretto, fece di lui un uomo che contava in città. Le vendite si avviarono subito bene ed egli cominciò a godere d'un discreto benessere. Poteva persino mettere da parte qualcosa.

Faredoon non mancava mai di elargire piccole elemosine al venerdì, e la moglie e la suocera non apparivano mai in pubblico senza il *mathabana,* il fazzoletto bianco legato intorno alla testa in modo da sembrare uno zucchetto. Il sacro filo che portavano legato in vita era austeramente messo in mostra e, al di sotto del corpetto, la sottoveste fasciava pudicamente i fianchi avvolti nel sari. Il viso severo, la schiena ritta, le due donne si presentavano al mondo con tale autorevolezza morale che tutti, indù, musulmani e cristiani, nutrivano un profondo rispetto per l'uomo e la sua famiglia.

Putli era soddisfatta. Era appagata dal lavoro di casa e dalla cura dei bambini e del marito. Ma i suoi occhi fermi e apparentemente insignificanti vedevano più di quanto Freddy non potesse mai immaginare. Essi sondavano istintivamente il fondo del suo animo e spesso ne riemergevano con una certa inquietudine. Di una cosa però lei era sicura. Qualsiasi cosa egli potesse fare, non avrebbe mai deviato dalla sua strada. Soddisfatta di tale consapevolezza, nel corso degli anni avrebbe dato alla luce sette bambini. Dal gioioso entusiasmo del concepimento fino al parto, Putli traeva pieno godimento da questa esperienza.

Nonostante i costanti progressi di questo primo periodo a Lahore, la felicità di Freddy presentava un grosso punto nero. Jerbanoo era una vera e propria maledizione, una spina nel fianco che gli angustiava la vita. Non aveva mai smesso di lamentarsi, sospirare, brontolare e litigare per un solo momento. Sua moglie sopportava le esplosioni della madre stoicamente, attribuendole al fatto che era stata strappata dal paese natio e che era vedova. Ma Freddy, la cui anima sensibile era meno disposta a sopportare le violente escandescenze, trovava sempre più intollerabile quella presenza sempre rigurgitante di collera.

Lei, da parte sua, provava una maligna soddisfazione nel punzecchiarlo, ne era sicuro. Protestava, aveva mal di testa, russava, piangeva e farneticava al solo scopo di irritarlo. Spesso lui scrollava la testa disperato, lamentandosi del proprio fato e chiedendosi quale mostruosità poteva avere commesso nelle vite precedenti per meritare una punizione del genere.

Non riusciva a tollerare quel modo che aveva lei di arraffare le porzioni più grandi e migliori delle vivande quando sedevano a tavola. Ogni volta che la vedeva gettarsi sul piatto di portata del pollo, afferrando pezzetti di ventriglio e di fegato con le dita e ficcandoseli in bocca, lui aveva un soprassalto. Quanto più violenta era la sua reazione, tanto più lei si divertiva a sgraffignare queste delizie sotto il suo naso e a ficcarsele nella bocca vorace. Poi si appoggiava indietro sulla sedia e tirando vicino a sé tutti i piatti di portata procedeva con ghiottoneria a servirsi una seconda volta di quelli che le piacevano di più.

Ma la pazienza di qualsiasi uomo ha un limite. Un giorno a tavola Freddy esplose. Afferrando con decisione la mano che si era appena impadronita d'un fegatino di pollo, la guidò al di là di Putli verso Hutoxi che aveva ormai tre anni. Ordinando alla bambina stupita: «Mangia!» egli riportò quindi tranquillamente la mano, ormai privata del suo bottino, verso la stralunata proprietaria.

Menando in segno di rimprovero il lungo dito all'indirizzo della suocera che le sedeva davanti, alterando senza pietà il testo tuonò: «Dalla bocca di bambini e lattanti! Sì, tu stai cavando il pane di bocca a una bambina!»

Non comprendendo le parole ma tuttavia colpita, la tavolata attese col fiato sospeso che egli continuasse. Jerbanoo si agitò nervosamente sulla sedia, traboccante di odio e consapevole del significato di quegli occhi accusatori e severi e di quel dito che si agitava al suo indirizzo. Qualsiasi cosa egli avesse detto, nella sua mente era sicura che le frasi pronunciate con quel tono non potevano che mortificarla, condannarla e frustrarla.

Un momento dopo lui chiese solennemente: «Sei forse una bambina nell'età della crescita? Devi proprio portar via il fegato e il burro dalla bocca dei miei bambini? Guardali, guarda come sono patiti!» e puntò il dito tremante verso Hutoxi e il fratellino di un anno, Soli. Erano robusti e avevano un bel colorito rosato.

«Come zoroastriano non mi è consentito assistere a un crimine e considerarmi innocente. I miei bambini vengono uccisi davanti ai miei occhi e...»

Putli interloquì per ammonirlo: «Non lasciarti prendere dal Demone della Collera».

«Il Demone della Collera! Un delitto viene commesso sotto i miei occhi e tu vuoi che io stia lì senza far niente? Agli occhi di Dio sarei colpevole quanto questa golosaccia! Dovrebbe esserci una legge per fustigare nonne ingorde come lei», sentenziò.

«Freddy!» guaì la moglie scioccata.

«L'hai sentito! L'hai sentito che cosa mi ha detto!» urlò stridula la madre. «Oh, ma devo vivere per ascoltare *lui* che dice queste cose a *me*! Oh Dio, fa' che la terra si apra e mi inghiotta viva!»

Jerbanoo si alzò di scatto, solennemente, ma facendo

cadere la sedia con fragore. Per un momento Putli temette che Dio, dando ascolto alla preghiera della madre, avesse fatto spalancare il pavimento della loro sala da pranzo.

Scostando con un calcio la sedia caduta, Jerbanoo uscì furiosamente e si chiuse nella sua stanza con un assordante frastuono di porte sbattute e di paletti tirati. Si stese supina, ansimando furiosamente.

Un'ora dopo andò in punta di piedi in cucina e fece piazza pulita della cena preparata per la sera.

Per due giorni Jerbanoo mangiò con moderazione. Poi la sua fame divenne insaziabile e lei, imperterrita, si abbuffava sotto lo sguardo fulminante di lui. Sembrava diventare sempre più grassa sotto i suoi stessi occhi. E quanto più lei ingrassava tanto più lui dimagriva, e quanto più lui dimagriva tanto più Jerbanoo mangiava per vendicarsi, finché ambedue finirono con l'ammalarsi.

Il repentino ingrassamento stupì tutta la famiglia. Jerbanoo si portava in giro il suo peso di recente acquisizione con piacere vendicativo. Non sapendo come comportarsi con lei, Putli, la servitù e i bambini lasciarono che si arrogasse tutto il potere. Se ne andava in giro per la casa tutta baldanzosa, impartendo ordini con tracotanza e distribuendo consigli. Si prese carico di tutta la loro vita, e Freddy, troppo debole e sconcertato per contrastare la boria di lei, si lasciò sfuggire di mano la situazione.

Allargando il cerchio delle conoscenze, Jerbanoo incominciò a invitare frotte di grasse signore di mezz'età a lunghe sedute mattutine di chiacchiere e di confidenze sentimentali. Annuendo con comprensione, queste signore indù, musulmane, cristiane e parsi esortavano Putli ad affrontare a viso aperto il tirannico marito e a prendersi più cura della madre. Freddy capiva che gettavano pubblicamente fango sul suo buon nome e sulla sua reputazione e ne era estremamente risentito, ma quanto più ne era offeso tanto meno era capace di far fronte alla situazione.

Non soddisfatta di esercitare la sua autorità sulla casa, Jerbanoo la estese al negozio. Non appena Freddy si allontanava, ignorando senza riguardo gli scrupoli del commesso, Jerbanoo arraffava grandi quantità di cioccolata, biscotti, profumo e vini. Questi ultimi erano consumati da lei e dalle sue amiche senza riguardi, oppure venivano generosamente regalati. Harilal, il contabile, e i due commessi non facevano che andare dentro e fuori dal negozio a sbrigare commissioni. Mentre consegnavano vassoi delicatamente decorati e portavano doni, inviti e messaggi avanti e indietro, Freddy si ritrovava a dover condurre il negozio da solo.

Una sera, dopo un'intera giornata passata a servire i clienti, a controllare i libri mastri e a scaricare un carro di scatoloni di biscotti senza alcun aiuto, si trascinò esausto in presenza di Putli e le disse: «Questa corsa a staffetta olimpionica deve finire».

«Che corsa a staffetta?» chiese lei stupita.

«Questo correre su e giù del mio personale. Io devo fare da solo il lavoro di tre uomini. Harilal torna e il commesso se ne va, il commesso non fa in tempo a comparire che Krishan Chand è bell'e scomparso: a portare i miei cioccolatini, le mie nocciole, le mie patatine e i miei biscotti alle sue amiche! Ma che cosa sta combinando insomma!»

«Ma suvvia, non puoi negarle un po' di vita sociale, ti pare?» lo rimbrottò la moglie col suo solito senso pratico. «Dopotutto non puoi pretendere che vada lei su e giù a sbrigarsi da sola le sue commissioni».

Faredoon avvertì un preoccupante violento pulsare del sangue nelle tempie. Ultimamente aveva avuto la triste impressione che la moglie avesse fatto comunella con la madre.

Più tardi quella stessa sera, alzandosi faticosamente in mezzo al letto, fece sobbalzare Putli gridando all'improvviso: «E visto che siamo venuti sull'argomento, lascia che ti metta in guardia: questo saccheggio del mio negozio deve finire! Te lo dico chiaro e tondo, non ho più merce in magazzino. Ma chi crede di essere quella, una dannata principessa?» chiese, sul punto di scoppiare in lacrime.

«Ma che cosa diavolo ti è preso in questi ultimi giorni?» chiese di rimando la moglie, scendendo dal letto per accendere una lampada a olio. «Non mi ero mai accorta che fossi così meschino e spilorcio. Che male fa se ogni tanto prende qualcosina per ricevere le sue amiche? Dopotutto, non te lo dimenticare, noi l'abbiamo trascinata via dal suo paese».

«Qualcosina?» urlò Freddy interrompendola. «La chiami qualcosina quella? Ma sì, a tavola mangia come un cavallo e poi ingurgita frutta candita e in conserva, e liquori in misura tale che farebbe venire la diarrea a un elefante, o non ti sei accorta di come è diventata grassa ultimamente?» farfugliò lui con sarcasmo.

«Non grassa», corresse Putli, «ma solo un po' più in carne. È diventata solo un po' più in carne dal dispiacere».

«Sarebbe a dire?» esclamò Freddy al colmo dell'incredulità.

«Si sa bene che può succedere», ribatté lei con aria di sfida. «Si sa che la gente può metter su ciccia per il dispiacere. E Dio solo sa se lei non ne ha ragione, per come la tratti tu».

«Quella specie di bue che scoppia di salute si è gonfiata per il dispiacere?» ripeté Freddy non sapendo più che pesci pigliare.

«Senza contare», lo corresse la consorte, «che lei non scoppia di salute come sembra. Nonostante sia grassa, è fragile come un giunco. Non sta affatto bene, te lo dico io».

«Devo immaginare che tutta la carne che si vede è solo aria», borbottò Freddy debolmente, sentendosi cadere il mondo addosso.

In effetti Jerbanoo era davvero ammalata. L'uno dopo l'altro i reni, il fegato, la cistifellea e le articolazioni si ribellavano e rinunciavano per qualche tempo all'impari lotta contro strati e strati di grasso. Alcuni anni dopo anche l'utero, a causa delle continue baldorie, dell'eccesso di cibo e della vita troppo agitata, si capovolse. Jerbanoo era afflitta da un male che solo un "dottore inglese" avrebbe potuto curare.

«Andate a chiamare un dottore inglese. Ohi ohi, sto morendo. Andate a chiamare un dottore inglese», ululò per un'ora intera scartando qualsiasi altra proposta. Freddy, sbiancando al pensiero della spaventosa parcella che avrebbe dovuto pagare, fu costretto ad andare a cercarlo.

Il medico, un inglese piccolo e scorbutico, dai baffi color sabbia e dal cranio pelato, si guadagnò l'eterna gratitudine di Freddy dichiarando: «Lei non ha niente, le ci vuole solo un po' di dieta: la smetta con questa follia del "burro genuino, panna genuina, grasso genuino"».

Cinque minuti dopo Freddy si trovò in fondo a un pozzo di disperazione da cui praticamente non riuscì più a emergere.

«Dottore», chiese Jerbanoo con lamentevole esitazione, «non l'ho ancora detto alla mia bambina, ma spesso sento un male qui nel petto, proprio qui. Lo so che è il mio povero cuore... lo so da un sacco di tempo. Che cosa devo fare? Ah, dottore devo morire così giovane?» singhiozzò mentre i suoi irresistibili affascinanti occhi luccicavano di lacrime.

«Su, su mamma, ooooh la mia povera mamma!» intervenne Putli per darle coraggio. Freddy cercò di non far trapelare la felicità che la rivelazione di Jerbanoo gli aveva procurato. Abbassando le palpebre fissò con aria truce il punto in cui batteva il debole cuore di Jerbanoo.

Dopo aver picchiettato sull'ampio petto e averlo auscultato con lo stetoscopio, il dottore inferse un colpo mortale alla felicità di Freddy:

«Dev'essere stato un attacco di acidità di stomaco, per aver esagerato nel mangiare. Il suo cuore è saldo come una macchina a vapore. Vivrà più di ottant'anni, signora, se non interviene qualche altro malanno».

Quando più tardi ci ripensò, Freddy si rese conto che le sue stelle erano state particolarmente avare con lui in quel periodo. Tutto andava storto. La salute dava segni di debilitazione, la testa era confusa e la sua energia si era ammosciata. Così potente era l'ostilità di Saturno nel suo oroscopo, che egli osservava Jerbanoo sottrargli l'autorità in tutti i settori senza reagire, incapace di opporre una qualsivoglia resistenza all'assurda evoluzione degli eventi domestici.

Jerbanoo se ne andava in giro con andatura decisa e un trionfale sguardo di sfida negli occhi esultanti, in cui Freddy aveva sempre più paura di fissare i propri. Al minimo accenno di protesta, alla controproposta più pacata, lei si scatenava in una furia irosa, e sbraitava con la voce più acuta di questa terra, a beneficio dei vicini. Oppure, stralunando gli occhi pieni di risentimento, sprofondava in un accesso di pianto così sconsolato e insistente che Freddy, terrorizzato dalle possibili conseguenze sulla moglie eternamente incinta, era costretto a calmarla e a placarla con regali.

Tiranneggiato e ricattato, Freddy si sentiva sprofondare in un vortice melmoso.

Una volta, battendosi la mano sulla fronte dalla disperazione, protestò: «Per amor di Dio, abbassa quella voce! Ma devi sempre ragliare come un asino? Non puoi tenere un tono un po' più umano? Che penseranno i vicini?»

La reazione a questa inaspettata rampogna fu così dura che egli non cadde più in quell'errore.

«Ed ecco che ora mio genero mi dà dell'asina!» strepitò Jerbanoo. Il nodo di capelli crespi sulla nuca le si sciolse e la treccia sottile e tremante le ricadde sulle spalle. «Mi si proibisce persino di parlare, in questa casa! Ah, Putli, riportami al paese. Ah, bambina mia, riportami al paese della mia infanzia. Non rimarrò un attimo di più in questa casa. Basta... basta!» urlò gettando le braccia intorno a Putli e singhiozzando sul suo seno.

Putli rivolse lo sguardo a Freddy, le labbra serrate in

muto rimprovero. Avendo le esortazioni delle amiche della mamma sortito il loro effetto, ecco che ora si mette anche lei a ripetere la stessa solfa: «Come osi dare dell'asina a mia mamma? Come osi! Voglio vedere chi è che si prova a impedirle di parlare in questa casa!»

«Guarda che io non le sto dicendo di non parlare», spiegò Freddy debolmente. Nei suoi occhi c'era un'implorazione di disperata inanità. «Le sto solo chiedendo di non alzare tanto la voce».

«Chiedendo? Chiedendo?» reagì Jerbanoo sbuffando e alzando la testa dal seno di Putli come un cobra. «Mi insulti di continuo. Non far questo non far quell'altro, non toccar questo non toccar quell'altro. Non la smetti un momento, e io ho ormai paura persino di aprire la bocca, persino di bere una goccia d'acqua in questa casa!»

Freddy era ammutolito dalla rabbia. Quelle accuse erano assurde e ingiuste. Era lui che doveva strisciare per casa di nascosto, che non osava aprir bocca per la paura di scatenare un pandemonio. Quanto all'affermazione di lei, e cioè che non osava nemmeno bere l'acqua in quella casa, egli se ne sentì particolarmente colpito. Ansimando per la rabbia rattenuta, disse: «Certo che non bevi acqua. Non ti ci starebbe nemmeno una goccia d'acqua in quella pancia. Con tutto quel Porto, quel latte, quello *sherbet* e quel cognac che ci hai ficcato dentro!»

Sarebbe andato ben oltre se non fosse stato per lo sguardo gelido e stralunato che gli scoccò Putli. Tremando disperato sotto quell'occhiata, la testa bassa, egli sgattaiolò giù per le scale.

E le sue stelle, non soddisfatte del disastro domestico che stavano combinando, si accanirono in maniera strabiliante, colpo dopo colpo, anche sui suoi affari. Perse un contratto di rifornimento di vino al Gymkhana Club di Lahore. Una mensa dell'esercito all'improvviso preferì fare le sue provviste settimanali di zucchero e di farina integrale presso un negozio dell'acquartieramento. L'afflusso giornaliero di clienti scemò a favore di negozi i cui commessi, non dovendo vedersela con qualche suocera, erano liberi di stare ai loro ordini senza fiatare. Una trattativa per la rappresentanza esclusiva della birra della Murree Brewery, in cui Freddy aveva posto le sue deboli speranze, andò a monte all'ultimo momento.

Infine Freddy fece una scoperta incredibile. La disposizione malevola e ostinata della sua fortuna era direttamente collegata con i litigi tra lui e la suocera. L'odio di lei era palpabile e lui si era ormai convinto che la donna attirasse sul suo capo tutto il male di questa terra. Quando scoprì che le maledizioni e le scenate di pianto della suocera coincidevano con colpi di sfortuna sul suo lavoro, fu preso dal terrore. Schiacciato dall'immane peso di questi sospetti, cadde nella disperazione più nera.

Erano passati cinque anni da quando Freddy era arrivato a Lahore.

Capitolo 3

Le guance scavate, gli occhi febbricitanti, ridotto all'ombra di se stesso, Freddy decise di consultare un indovino.

Sul tardi di un gelido pomeriggio (Lahore può essere tanto fredda d'inverno quanto torrida d'estate), uscì di soppiatto dal negozio. Rabbrividendo nel pastrano, in preda a lugubri pensieri, si avviò verso lo squallido casamento in cui abitava l'indovino. Si diceva che il fachiro fosse in contatto con gli spiriti ed esperto in tutti i metodi della professione esoterica.

Freddy attraversò i cupi corridoi dell'edificio, troppo abbattuto persino per chiedere dove doveva andare. Salì una rampa di scale buie, che lo portò al primo piano. Vagando qua e là, alla fine scorse l'indovino attraverso la porta aperta della sua abitazione. I capelli incolti e la barba lunga, vestito solo d'un perizoma, se ne stava seduto a gambe incrociate su una lurida stuoia stesa sul pavimento.

Freddy si coprì la testa con un fazzoletto e si fermò in atteggiamento rispettoso sulla soglia della piccola stanza sguarnita, odorosa di incenso.

L'indovino se ne stava in trance yogica. Freddy osservò il viso scuro dai lineamenti marcati: era cosparso di cenere e teneva gli occhi chiusi. Aveva le braccia adorne, nella parte superiore, di braccialetti d'argento, il petto irto d'una quantità di amuleti e perline colorate. Sedeva all'interno di un semicerchio formato da ampolle, piccoli mortai e ritagli di pergamena contrassegnati da simboli astrologici. Impressionato da tutto quell'apparato, Freddy cadde in una specie di contemplazione estatica.

All'improvviso l'indovino spalancò gli occhi grandi e neri. La sua faccia si contrasse in un cipiglio torvo e minaccioso e, fulminando Freddy con un'occhiata, tuonò: «Vieni avanti, assassino!»

Freddy, nello stato in cui si trovava, non fu in grado di protestare per tale accoglienza. Trasalì, si raddrizzò sulla schiena battendo la testa contro la trave della porta, infine entrò, incespicando, nella stanza.

Si lasciò cadere in ginocchio e toccò l'alluce sporco del mago. Il fachiro si ritrasse come una monaca pizzicata da un ubriaco. Tirando a sé le punte dei piedi, rimettendo a posto con cura un brandello di pergamena che era stato spostato, ricacciò Freddy da sé con un vivace gesto delle dita.

Freddy si ritirò barcollando, e in preda a un tremito si sedete a terra. Il semicerchio delle ampolle e dei piccoli mortai costituiva una specie di muro che segnava decisamente i limiti dei rispettivi territori.

«Allora, assassino?» chiese l'indovino invitando benevolmente Freddy a esporgli il motivo della sua visita.

Freddy impallidì e si fece piccolo piccolo. Migliaia di pensieri gli si affollarono nella testa. Che l'uomo vedesse nel futuro? No, pensò. Il pensiero di un omicidio non gli aveva nemmeno sfiorato la mente. Forse il fachiro vedeva al di là – nel futuro di un uomo – azioni che dovevano ancora realizzarsi. «Dio non voglia», disse tra sé e sé, con un brivido. Prendendo il coraggio a quattro mani, farfugliò: «No, non sono un assassino ma solo il tuo umile servitore che sta passando dei guai».

L'indovino sollevò le braccia ingioiellate e volse al cielo gli occhi tenebrosi. Questo comportamento ebbe molto effetto su Freddy, che si convinse degli incredibili poteri dell'uomo e si prostrò, ben attento a non oltrepassare i confini del proprio spazio, e singhiozzando: «Oh santo, mi devi aiutare. Abbi pietà di me!»

«Sta' su», ordinò il fachiro. E Freddy, fissandone le pupille dilatate e fisse come quelle di un serpente, si sentì travolgere da un violento impulso a vuotare il suo animo, a scavare e riversare i cocenti e mostruosi segreti che talvolta si aggiravano nel profondo della sua coscienza. Nella mente stordita si fece strada un vago allarme. Poteva succedere che l'uomo gli rubasse l'anima...?

L'indovino aveva ottenuto su Freddy il risultato che si era prefisso. Esperto in psicologia e nei comportamenti a effetto della sua professione, si affidava a tattiche di sorpresa per intimidire il cliente e condurlo a muovere il delicato passo dall'incredulità alla fede. I clienti dall'aspetto più decoroso li accoglieva con epiteti quali assassino, canaglia, delinquente e adultero. I ruffiani e gli assassini di professione li riduceva a imperitura devozione chiamandoli santi misconosciuti o reincarnazioni di maghi defunti. In ambedue i casi la sua tattica sortiva l'effetto voluto. Va dunque a onore di Freddy che l'avesse chiamato assassino.

Freddy nel frattempo era impegnato in una lotta disperata per non farsi derubare dell'anima. Con coraggio, con determinazione, guardava fisso in quegli occhi spaventosi, diffidandoli dal privarlo dell'anima. Opponendo la sua volontà ai poteri ipnotici dell'altro, combatteva una battaglia campale maledettamente solitaria.

Il fachiro, incurante di tutto meno che del profumo di denaro che l'uomo portava indosso, non aveva la più lontana idea dei timori del suo cliente a proposito della propria anima. Continuava a fissarlo inesorabile, il volto spaventosamente butterato incoronato da una fitta massa di incolti capelli neri.

Dopo un buon minuto, colmo per Freddy di indicibili paure, il fachiro mise fine a quella scomoda situazione ordinando: «*Bolo*! Parla!»

La voce di Freddy, che se ne stava accovacciato e in preda a brividi, suonò tremula: «Ho motivo di sospettare che mia suocera si è venduta al diavolo. Non fa che perseguitarmi con maledizioni e io non riesco più a far fronte alla rovina dei miei affari. Ha gettato un incantesimo anche su mia moglie e sulla bambina, che si sono rivoltate contro di me. Oh Fachiro, mi devi aiutare!» lo scongiurò, in preda a indicibile angoscia.

Allungando la mano oltre il confine segnato dalle ampolle, l'indovino gli porse un bruciatore di incenso. Sollecito, Freddy si cosparse la fronte con un po' di cenere. Estraendo con discrezione dalla tasca un frusciante biglietto da dieci rupie, lo depositò nel vassoio dell'incenso.

Gli occhi ipnotici del fachiro ebbero un rapido guizzo di soddisfazione. Il suo comportamento subì un leggero cambiamento. Senza praticamente mutare il fare brusco e arrogante, cercò di creare un'artificiosa atmosfera di compassione e simpatia.

«Va'», disse burbero, puntando un dito nocchiuto verso l'uscita. «Adesso va' a prendermi una ciocca dei suoi capelli».

Freddy si levò in piedi e inchinandosi pieno di gratitudine retrocesse verso la porta.

«Guarda che devi tagliarla tu la ciocca», raccomandò il fachiro con una voce inaspettatamente complice.

Non appena Freddy si trovò fuori dall'umido maleodorante casamento, in mezzo alla strada su cui calava il crepuscolo, la sua entusiasta sicurezza nella competenza dell'indovino svanì. Era come se la gelida aria della sera avesse spazzato via dalla sua testa imbambolata il fumo dell'incenso e della magia. Per un istante prevalse il suo solito buon senso e si chiese come gli fosse venuto in mente di andare a consultare il ciarlatano. Ma poi si ricordò dello sguardo truce e ipnotico di quell'uomo seminudo. Accidenti, gli aveva quasi sgraffignato l'anima, l'individuo! Chissà come si troverebbe adesso, se non se la fosse tenuta ben stretta con tutta la sua volontà! No, indubbiamente c'era qualcosa in quel lurido fachiro. Sarebbe stato sciocco non dargli almeno un po' di fiducia.

Stranito e tutto assorbito dalle sue preoccupazioni, Freddy andò a sbattere contro una vacca coperta di ornamenti che gironzolava pigramente per la strada. Il bramino che conduceva l'animale sacro gli urlò: «Guarda dove metti i piedi, *babuji*», e si fece da parte con un agile salto per evitare il contatto contaminante del parsi distratto.

Il fachiro non era un impostore, decise Freddy, rivedendosi davanti agli occhi l'enigmatica disposizione delle ampolle, delle polverine e delle pergamene. Lui era sicuramente in comunione con degli spiriti, certo malevoli, quando Freddy aveva gettato il suo primo esitante sguardo nella stanza dalla soglia della porta. Non aveva mai dubitato dell'esistenza della magia e della stregoneria nera, e ora era convinto che un poco di "magia" innocente non sarebbe stata inopportuna, date le disgraziate contingenze del momento. Dall'altra parte comunque, per non mettere a repentaglio i suoi buoni rapporti con Dio, avrebbe provveduto a pregare di più e a fare più opere di beneficenza.

Si chiese quali misteriosi riti sarebbero stati eseguiti sui capelli della suocera una volta che lui avesse consegnato la ciocca all'indovino. Forse sarebbe stata ridotta in un pugnetto di cenere grigia nel bruciatore di incenso, con l'accompagnamento di opportuni canti e formule magiche, oppure, avvolta in abominevoli intrugli magici, sarebbe stata bruciata in qualche luogo sacrilego. Gli era ben capitato di vedere delle *cose* legate con limoni tagliati a metà e con peperoncini verdi a forma di daga, che pendevano dai rami di un baniano protesi su una tomba.

Che fare? Freddy fu percorso da un brivido, sebbene la sua parte in quell'affare sarebbe stata assolutamente innocente. Tutto ciò che doveva fare era tagliare un ciuffo di capelli – scherzo da bambini – e darlo all'indovino. Che cosa ne avrebbe fatto in seguito il mago, non era affare che lo riguardasse.

Nell'attraversare la strada alla volta del negozio, mancò poco che non venisse infilzato dalle stanghe di un *tonga* quando il conducente tra imprecazioni mandò a sbattere il carretto trainato da cavalli contro un assordante carro dei pompieri trainato da buoi.

Assorto nell'esame di tutti gli aspetti e particolari della spedizione, Freddy arrancò su per le scale di casa e si trovò faccia a faccia con l'oggetto delle sue elucubrazioni.

«Ciao, Mamma», la salutò, col soprassalto del colpevole colto in flagrante.

Jerbanoo sbatté gli occhi, sorpresa da quel saluto insolitamente caloroso.

«Ciao», bofonchiò perplessa. Quando, girandosi, gli mostrò il voluminoso deretano, la codina di topo dei capelli crespi dondolò davanti agli occhi di Freddy, tentandolo malignamente.

Capitolo 4

Freddy era un uomo paziente e meticoloso. Rimase in attesa del momento opportuno, e da lì a tre giorni la sua pazienza fu ricompensata: si presentò l'occasione per portare a compimento la missione.

Era venerdì. Putli avrebbe passato il pomeriggio a fare il bucato nella piccola lavanderia che si trovava sul tetto dell'edificio. Il garzone che rimaneva di guardia all'appartamento mentre Jerbanoo faceva la siesta pomeridiana si era licenziato su due piedi. Quella mattina lei lo aveva preso a schiaffi perché lo aveva pescato con le mani nella scatola dei suoi confetti.

Freddy era sicuro che la sua vittima se ne stava beatamente a russare a tutto vapore nella propria camera.

Giù nel negozio l'impiegato indù scorreva pigramente alcuni conti. A quell'ora i clienti erano rari e Freddy, sapendo che era giunto il momento atteso, chiamò a raccolta tutte le proprie forze per mettere in pratica il piano. Avvisò l'impiegato che sarebbe tornato subito e salì le scale di legno.

Passò rapido davanti alla cucina, che si apriva direttamente sul pianerottolo, e attraversò in punta di piedi la sala da pranzo per andare nella propria camera. Senza far rumore aprì il mobiletto di legno di noce scolpito che conteneva l'occorrente per cucire, in un cassetto scelse un paio di forbici che gli sembravano ben affilate e le provò su un filo della frangia del copriletto. Si tolse le scarpe e rimase con le calze.

Camminando cautamente sui pavimenti che tremavano al passo più leggero, si fermò davanti alla porta di teak della camera di Jerbanoo. Rimase lì trattenendo il respiro, in ascolto del rassicurante ronfare che proveniva da dietro il massiccio teak. Freddy aveva preso la misura di oliare tutti i cardini il giorno dopo la sua visita all'indovino. Con pazienza, senza far rumore, alzò il saliscendi. Quando si aprì uno spiraglio, trasse un respiro. Per fortuna Jerbanoo non aveva tirato il chiavistello. La porta girò facilmente sui cardini ben unti e lui, richiudendosela con prudenza alle spalle, si portò in punta di piedi vicino al letto. Le stringhe ben tese della branda erano affossate come un'amaca sotto il peso della suocera.

La camera quadrata, immersa nel buio, era arredata solo con un traballante appendiabiti, un grande *almirah* e il *charpai*. Su una sedia dall'alto schienale vicino al guardaroba era gettato il sari che Jerbanoo si era tolta prima di coricarsi. Un fuoco di carbonella sibilava debolmente in un piccolo braciere ai piedi del letto.

Jerbanoo giaceva supina, la preziosa codina di capelli intrecciati sepolta sotto montagne di carne pesante e ronfante.

Freddy si chinò con circospezione, come affascinato da quel corpo abbandonato nel sonno. Nella camera c'era caldo e la coperta di cui Jerbanoo si era liberata scalciando era ammucchiata dalla parte dei piedi. Aveva addosso un corpetto scollato e dalle maniche strette, e una sottoveste da sari (una lunga gonna di cotone fermata in vita con un nastro). Tra le pingui pieghe del collo luccicava un velo di umido. Freddy esaminò con attenzione l'odiato volto. Le sopracciglia, dal disegno netto e fortemente inarcato che si stagliavano sulla fronte stretta, riassumevano ai suoi occhi la minacciosità e la falsità del suo carattere. Chiunque altro estraneo alla situazione avrebbe trovato la mascella arrotondata e i minuti lineamenti di Jerbanoo piuttosto gradevoli o interessanti. La pelle era liscia, la bocca dischiusa e palpitante era piccola e aveva labbra morbide. La treccia che interessava a Freddy non era visibile da nessuna parte.

Chinandosi scoraggiato su di lei, Freddy si stava chiedendo che cosa fare quando gli esplose in faccia uno sbuffo iroso. Era semplicemente successo che Jerbanoo aveva riportato all'ordine un indisciplinato filo d'aria che cercava di uscire dalla narice sbagliata. Seguì un altro sbuffo e Freddy, che spesso era stato rimproverato da Putli quando guardava i bambini addormentati perché ne disturbava il sonno, si ritrasse con uno scatto impaurito. Come una goccia d'acqua nel deserto, egli si dileguò sotto il *charpai*. Il pavimento di nudi mattoni era gelido.

Gli sbuffi e i soffi si interruppero. Si udì un gemito. Sulla brandina sopra di lui si verificò una faticosa sollevazione mentre Jerbanoo si rivoltava. I quattro esili piedi del lettino di corda cigolarono e gemettero.

Un sudore gelido pervase il corpo di Faredoon. E se lei fosse scesa dal *charpai?* Sotto il lettino dagli esili piedi si sentiva allo scoperto come un ippopotamo impaurito che aveva creduto di nascondersi dietro un fuscello. Per la prima volta nella sua vita desiderò di essere più piccolo. Aveva l'impressione che le sue membra pur rattrappite spuntassero da tutte le parti. Da un momento all'altro la sua elefantiaca suocera avrebbe gettato un urlo assordante.

Trattenendo il respiro e intrecciando le dita tremanti, Freddy pregava. Il *charpai* cigolò di nuovo. Freddy trasse un respiro solo quando il vulcano ricominciò a brontolare.

Poco dopo, mettendo fuori il naso per una rapida ricognizione, gettò un'occhiata al di là della sponda del letto. Jerbanoo giaceva su un lato, e l'immensa bianca distesa dei fianchi e delle spalle si ergeva come una muraglia davanti al suo sguardo.

Ecco giunto il momento! Lunga e sottile come un serpentello, la treccia nera se ne stava nel solco tra il dorso e la profonda fossa del materasso. Misere ciocche di capelli trattenute da un nastro rosso si arricciolavano come ghirigori disegnati sul corpetto. Tutto rannicchiato, le forbici pronte, Freddy ne afferrò le punte e con estrema cautela le staccò dalla stoffa.

Freddy avrebbe giurato che le sue dita non avevano fatto movimenti inconsulti, che le radici dei capelli non erano state in alcun modo sollecitate, eppure all'improvviso Jerbanoo ebbe un trasalimento ed emettendo un verso simile al "qua" di un'oca, rivoltandosi nell'incoscienza del sonno, assestò un potente ceffone sul viso di Freddy. Lui vacillò e si ritrasse. La mascella di Jerbanoo si spalancò. Sbarrando gli occhi insonnoliti, stupefatta oltre ogni dire, fissò Freddy.

Estraendolo da qualche misterioso anfratto del suo animo perso, Freddy esibì un sorriso melenso, come per scusarsi. Sarebbe stato giusto che scoppiasse in lacrime, per la verità. Sfregandosi la guancia con la mano sinistra, tese con esitazione la destra in un gesto inteso a rassicurare la donna sbalordita. «Va tutto bene, va tutto bene, sono io», disse mellifluo, temendo che Jerbanoo si mettesse a strillare.

Ma Jerbanoo aveva colto il fulmineo gesto con cui lui aveva nascosto qualcosa nella cintura dei pantaloni. Non aveva visto che cosa aveva in mano: forse un coltello dalla lama sottile destinato alla sua gola... Era sul punto di mettersi a strillare quando le forbici scivolarono giù per il cavallo dei pantaloni di Freddy e, piombando veloci giù lungo la gamba, caddero tintinnando sul pavimento.

Nella testa di Jerbanoo si scatenò un carosello di pensieri sinistri. Ripensò a quando aveva sentito quella leggera sollecitazione della cute, e un'intuizione improvvisa si fece strada dentro di lei. L'uomo aveva fatto qualcosa sui suoi capelli, e lei sapeva benissimo che cosa ciò volesse dire. Portandosi la treccia sotto gli occhi, ne scrutò terrorizzata le punte sfilacciate. Fu percorsa da un brivido di trionfo.

«Su, su, non metterti strane idee in testa», le raccomandò precipitosamente Freddy, di nuovo tendendole una mano amichevole. «Guardavo solo se stavi bene e...»

Ma prima ancora che Freddy potesse spiegare i motivi della sua visita, dettati da premura nei suoi confronti, Jerbanoo aveva gettato un grido da far gelare il sangue nelle vene, che si propagò per tutta la casa. L'impiegato e il commesso si precipitarono su per le scale e Putli scese a volo dalla terrazza.

Nel putiferio che seguì, Freddy cercò disperatamente di giustificarsi.

«Faceva un tale fracasso! Come potevo sapere che stava solo russando? Ho pensato che non stesse bene, che le mancasse il respiro, o che so io. Sono venuto semplicemente a vedere se aveva bisogno di qualcosa, ed ecco come mi ringrazia. Tanto valeva che la lasciassi morire sola come un cane!»

Diede questa spiegazione a Putli, poi ai dipendenti del negozio e a un cliente ficcanaso, mentre Jerbanoo sbraitava lanciando maledizioni a tutti senza distinzione.

«Ah Dio, non ce la faccio più! Prendimi tra le Tue braccia e portami lassù nel Tuo cielo!» gridava in una furia parossistica, spianando due occhi accusatori e pieni di odio su Freddy.

Putli rispedì il cliente e i commessi giù nel negozio, cacciò via Freddy sospingendolo verso la sua camera, e prodigandosi in frasi e versi di commiserazione riuscì a calmare la madre in preda a un attacco isterico.

Questo episodio segnò la fine della felice dominazione di Jerbanoo. Putli capì che la situazione si era troppo deteriorata. Già da un pezzo si era accorta dell'umore cupo e triste di Freddy, ma la scena nella camera della madre mise in evidenza la gravità dei cambiamenti che si erano verificati nel marito. Il suo comportamento non era certo normale, ormai, e lei era preoccupata del suo equilibrio mentale. Nonostante desse a vedere di non dare credito alla versione dei fatti data da Jerbanoo, Putli sospettava che il marito, portato all'esasperazione, avesse messo in atto quella trovata per spaventarla a morte. Per il benessere del marito, Putli prese prudentemente in mano le redini domestiche. Troncò le stravaganti sedute di chiacchiere di Jerbanoo e pose freno con decisione al saccheggio del negozio.

Jerbanoo si aggirava, arrancando muta, per quello che era stato il suo regno, il viso torvo e arcigno come un monarca spodestato. Freddy era riuscito se non altro a terrorizzarla. Lei adesso si gettava rapidi sguardi nervosi alle spalle, come chi teme di essere punto da un'ape. Aveva sempre addosso il *mathabana*, persino durante il riposino pomeridiano. Ogni millimetro dei suoi capelli, raccolti sulla nuca in una stretta crocchia, era racchiuso dal fazzoletto bianco quadrato come in uno scrigno di acciaio. Si tingeva gli occhi di nero e si faceva due chiazze di nerofumo sulle tempie per proteggersi dagli occhi invidiosi e malevoli. Putli, che pure tingeva sempre di nero gli occhi dei bambini, la redarguì: «Mamma, chi vuoi che ti getti il malocchio alla tua età!»

«Non si può mai dire», replicò Jerbanoo, e assicurandosi che Freddy la potesse vedere, porse a Putli un pezzetto sbrindellato di carne intinta nella curcuma, ordinandole: «Ecco, mettimi al sicuro dal malocchio!»

Putli rassegnata portò in cerchio il pezzetto di carne per sette volte sulla testa della madre, quindi lo gettò ai corvi, fuori dalla finestra.

Freddy capì che la sua missione era disperata. Si chiese che cosa sarebbe successo se fosse riuscito veramente a tagliare a Jerbanoo una ciocca di capelli, e il risultato terrificante dei suoi ragionamenti lo consolò per non esserci riuscito. Intanto lei aveva assunto un certo modo di comportarsi. Freddy non poteva arrivare nel suo raggio visivo senza provocarne il più tetro, sospettoso e implacabile sguardo negli occhi pieni di accusa. Non appena entrava in una stanza, lei ne usciva con la sua andatura da papera. Quando era costretta a tollerare la sua presenza, come per esempio ai pasti, Jerbanoo si avvicinava camminando furtivamente, gli occhi guardinghi e il naso arricciato, come se entrasse nel reparto malattie infettive dell'ospedale.

«Ti sembra che puzzi come una carogna di topo?»

«No», disse Putli perplessa, annusando Freddy sotto l'ascella che odorava di talco Johnson per bambini.

«E allora perché quella vecchiaccia storce il naso tutte le volte che mi vede?»

«Ma suvvia», disse la povera piccola Putli, chiedendosi se mai sarebbe finita quella stupida storia.

E per Freddy divenne consueto riferirsi a lei come alla "vecchia", così come per Putli divenne consueto sentirglielo dire, perché Jerbanoo, non tocca dall'usurpazione del suo impero, aveva duttilmente cambiato tattica e nel giro di qualche mese aveva assunto il ruolo della proverbiale "cara vecchietta".

Questo cambiamento di strategia politica si adattava alla natura indolente di Jerbanoo come una seconda pelle. Eccola là: ingenua, debole, non più al passo coi tempi. Come diventò vulnerabile, delicata. Il più piccolo movimento la stancava. Non era più capace di svolgere quelle piccole mansioni, per sé o per gli altri, che aveva sempre svolto. All'improvviso fare il bagno alla bambina le spezzava la schiena. Se solo metteva piede nella piccola e fumosa cucina, le venivano improvvisi giramenti di testa, e se tentava di pulire la sua camera o lo stanzino del guardaroba, veniva assalita da spaventose palpitazioni. Il massimo che poteva fare era imboccare i bambini, pulire i piselli e mondare il riso e le lenticchie.

Naturalmente, quando ciò piaceva al suo capriccioso cuoricino, poteva andare velocemente su e giù per le scale e spostare mobili pesanti. Se qualcuno commentava queste manifestazioni di energia o lodava la sua vitalità, lei spiegava come tutto ciò avesse conseguenze negative sul suo fisico. Dopo tutto stava andando verso i sessanta, aveva lavorato duro tutta la vita e non si era ancora rassegnata alla fragilità del suo vecchio corpo.

Jerbanoo era vicina ai sessanta quanto qualsiasi altra donna di quarantadue anni. Ma sono ben pochi quelli che in India tengono conto della loro età. Le persone sono giovani o vecchie a seconda del loro capriccio, a seconda della salute e delle circostanze. Ci sono gentili nonnette di trent'anni e virili giovani padri di settanta. E se Jerbanoo aveva deciso di attribuirsi sessant'anni, li aveva e basta! Non era più in grado di fare il bagno da sola, così ogni mattina veniva ad aiutarla per due ore una ragazza: le versava caraffe su caraffe di acqua sul corpo ormai irrigidito, raccoglieva il sapone quando le cadeva e insaponava quelle parti che Jerbanoo non riusciva più a raggiungere. La strofinava con l'asciugamano, la cospargeva di talco, e poi, sostenendola per un braccio, l'accompagnava a stendersi sul *charpai*. Dopo aver messo tutto a posto, la ragazza si accovacciava vicino al letto, massaggiava e sollevava sul letto le gambe grassottelle e inerti di Jerbanoo, la quale passava buona parte del giorno nel nido del suo *charpai*, concentrata come una gallina in cova.

Il ruolo di "vecchietta" offriva un certo numero di ulteriori piaceri. Jerbanoo divenne religiosa fino al fanatismo. All'improvviso incominciò a ricordarsi gli anniversari di morte dei suoi parenti e a ordinare costose cerimonie in memoria di ciascuno di essi. Pregava cinque volte al giorno e tutte le volte, sull'esempio dei sacerdoti del tempio, alimentava il fuoco della cucina con legna di sandalo. Ogni mattina e ogni sera se ne andava arrancando piamente da una stanza all'altra con l'altare del fuoco, profumato con abbondanti offerte di legno di sandalo e di incenso. Freddy non dubitava che tutto ciò tornasse a beneficio della famiglia, ma per quanto lo concerneva tale beneficio era ottenuto a scapito del suo portafoglio.

Altro interessante aspetto del ruolo che Jerbanoo si era scelta fu il martirio, che emergeva e spumeggiava in superficie. Se Freddy si azzardava a guardarla, lei si rattrappiva visibilmente. Se lui la fissava con occhio critico, lei ricorreva anche a un vistoso tremolio della mano verso il petto contratto dalla paura, e se lui osava rimproverarla lei si accasciava al suolo, maldestramente fingendosi svenuta.

Freddy, terrorizzato che potesse farsi male sul serio con quei clowneschi capitomboli, le parlava il meno possibile. Quando però si decideva a darle un suggerimento o a farle un rimprovero, Jerbanoo si metteva di buzzo buono a obbedirlo.

Esagerò tanto in questa sua cieca ubbidienza e in questa docilità da martire che persino Putli ne fu irritata.

E poi aveva sempre un asso nella manica: Pericolo di Morte! Gli anni l'avevano portata più vicino al cielo e la prospettiva della morte apriva nuove deliziose visioni alla fantasiosa virtù di Jerbanoo. E allora diceva sempre: «Ah, bene, visto che devo morire presto, che cosa importa?» oppure: «Potrai fare quello che vorrai quando sarò morta. Ti libererai ben presto di me. Tutto quello che voglio è un po' di pace e di rispetto nei pochi anni che mi rimangono».

Freddy osservava tale lugubre trasformazione con meraviglia. Fu come spostare un fardello dalla spalla sinistra alla spalla destra.

Che Jerbanoo non lo avesse perdonato era evidente. Ora lo perseguitava con un'astuzia nuova e perniciosa. Lui fu costretto a far mostra di una preoccupazione e di una commiserazione che non sentiva. Jerbanoo parlava tanto di morte e di tristezze che Freddy finì col sentire una specie di timore superstizioso corrergli per la spina dorsale e incombere su tutta la sua esistenza.

Nel giro di un mese Freddy si trovò a guardare con nostalgia ai giorni passati. La rompiscatole rumorosa e festaiola dell'epoca precedente al tentato taglio della ciocca era preferibile a questo mostro lacrimoso e iettatore.

Capitolo 5

I parsi sono una piccola comunità che deposita i defunti in edifici scoperti, situati in cima a qualche collina, dove vengono divorati dagli avvoltoi. Gli inglesi hanno dato un nome romantico a questo strano cimitero: "Torre del Silenzio".

Ecco qualche particolare a proposito di questa torre: il pavimento di marmo è inclinato verso il centro, dove c'è una profonda buca nella quale vanno a finire le ossa e il sangue. Canali sotterranei conducono da questa buca verso quattro profondi pozzi fuori della torre. Tali pozzi sono pieni di calce, carbone e zolfo, e rappresentano dunque eccellenti fosse biologiche.

La fascia esterna del pavimento è coperta di lastre di marmo ed è abbastanza larga per accogliere una cinquantina di cadaveri di maschi, poi c'è la fascia interna, dove possono stare cinquanta cadaveri di femmine, e infine c'è la fascia intorno alla buca, riservata ai bambini. Gli uccelli ci mettono pochi minuti a spolpare un cadavere.

L'altezza della torre è calcolata con precisione. Gli avvoltoi, sollevandosi in volo quando sono satolli, riescono a malapena a superare il muro ma, se cercano di andarsene tenendo qualcosa tra gli artigli o nel becco, inevitabilmente vanno a schiantarsi contro la parete.

Come ben si capisce, solo i becchini di professione possono assistere al truculento spettacolo che si svolge all'interno della torre.

Nell'epoca in cui la terra coltivabile era troppo preziosa per destinarla a camposanto, questo sistema era pratico e igienico: è quindi un'usanza dettata dal carattere roccioso del territorio persiano. In seguito i parsi emigrarono nel subcontinente indiano, in città come Bombay e Karachi. Bombay, dove vive una nutrita comunità di parsi, vanta quattro torri. I parsi che vanno a stabilirsi in aree lontane da una torre devono rassegnarsi a essere semplicemente seppelliti.

Non appena giunti a Lahore, Jerbanoo era rimasta solo un po' turbata dalla scoperta che in città non c'era una Torre del Silenzio. Ma ora che l'età che si era attribuita la faceva sentire così tragicamente prossima alla morte, questo pensiero molesto divenne un'ossessione. Che cosa sarebbe stato dei suoi resti dopo la morte? I parenti non dovevano assolutamente permettere che venisse sepolta come un musulmano o un cristiano! Comunicò loro categoricamente che si rifiutava di essere ficcata sotto montagne di terra infestata di larve! Conducendola a Lahore, Putli e Freddy avevano condannato la sua anima a un eterno barbecue nell'inferno. Non avrebbe permesso, lei, che la sacra terra venisse infettata dai suoi resti; e nonostante fosse pronta a morire per loro, non avrebbe permesso che la sua anima si perdesse, né per loro né per altri! Sarebbe saltata fuori dalla tomba, promise a Freddy, e, formicolante di vermi e larve, se ne sarebbe andata fino alla più vicina torre!

La visione di questa suocera obesa e pullulante di vermi a spasso per la campagna era un'immagine così grottesca che Freddy rabbrividiva di raccapriccio e giurava che avrebbe portato il suo cadavere a mille miglia di distanza, fino a Karachi, per deporlo con le sue stesse mani nella torre.

Freddy preferiva qualsiasi discorso a questo argomento odioso, ma Jerbanoo, con inventiva e ostinazione degne di miglior causa, riportava sempre la conversazione su di esso.

«Ti ricordi quanto piacevano le melanzane a tuo padre, Putli?» poteva per esempio chiedere innocentemente. «Ma no, non è possibile. A pensarci bene avevi solo otto anni quando lui morì. Non era certo un bell'uomo, ma era straordinario!

«Le sue spoglie le hanno portate a Sanjan. Che splendida Torre del Silenzio hanno là! La bellezza dell'edificio ce l'ho ancora qui stampata negli occhi. Aah! Aah!» e sorrideva nell'estasi del ricordo. «Un pergolato verde. Tutta la collina appartiene alla *Dungarwadi*... fitta di manghi, eucalipti e *gulmohar*. Era come un paradiso, un luogo ideale per la torre, che s'innalza come un gioiello di granito tra gli alberi. Un vero anticipo di paradiso! E quegli avvoltoi, grassi e splendidi, posati sugli alberi come angeli!»

Il povero Freddy non riusciva, pur con tutti i possibili sforzi della sua immaginazione, a trasformare gli avvoltoi in angeli. Quel paragone era decisamente di cattivo gusto, tanto che il cibo gli si trasformò in cenere nella bocca.

Né poteva mettere in opera una qualche manovra diversiva, poiché il defunto in questione era una persona alquanto speciale. Il viso di Putli si illuminava di venerazione ogniqualvolta si citava il padre, e se Freddy avesse mancato di rispetto a quel santo nome l'avrebbe fatto a proprio rischio e pericolo.

«Quello fu il suo ultimo gesto di beneficenza! Ogni parsi è impegnato a offrire i propri resti mortali in pasto agli avvoltoi. Potete ingannare loro ma non Dio! Come diceva il mio adorato marito, "la nostra fede zoroastriana si basa sulla carità"».

Una sera, dopo che era stato servito il pesce con maionese e Putli era andata in cucina a dare una mano per la portata successiva, Freddy si affrettò a liberarsi di qualcosa che gli stava sull'anima da tempo. Adeguandosi al tono triste e all'aspetto devoto di Jerbanoo, disse: «Ricordo quando morì il tuo caro marito. La mia zia materna morì un mese dopo e io andai a Sanjan per assistere alle cerimonie funebri. Quegli avvoltoi erano così grassi che non riuscivano quasi a volare. Uno dei becchini mi disse che la gamba destra del tuo adorato Jehangirjee Chinimini era ancora lì, puntata verso il cielo, con tutta la sua carne intatta un mese dopo che lo avevano deposto nella torre!

Alla fin dei conti c'è anche un limite alla capienza di quegli uccelli pieni fino al collo!»

Jerbanoo, che aveva mangiato a quattro palmenti il pesce e non amava particolarmente l'*okra* che sarebbe stata servita subito dopo, si alzò da tavola e scappò in preda alle lacrime.

«Dov'è Mamma?» chiese Putli rientrando nella sala.

«Ho idea che non le piace l'*okra*», spiegò placidamente Freddy.

Putli, sapendo che ci doveva essere dell'altro, dopo che fu servito il dessert e che i resti furono messi al sicuro sottochiave, andò a indagare sul mistero.

Freddy si preparò per la notte, si mise il pigiama e aspettò tranquillo che lei tornasse. Non era molto preoccupato. Putli ogni tanto tollerava che il povero Freddy mollasse i freni inibitori.

Anche l'antica aggressività di Jerbanoo tornava di tanto in tanto a saltare fuori. Davanti a Freddy e a Putli si tratteneva, ma si sfogava sul garzone e sulla donna che due volte al giorno puliva il loro rudimentale gabinetto.

Capitolo 6

Si era all'inizio dell'autunno e gli abitanti di Lahore ricominciavano a sorridere. Fuori, al sole faceva ancora piuttosto caldo, ma in casa l'atmosfera era deliziosa. L'ottobre può anche dare delle sorprese tuttavia, e quel sabato in particolare era torrido. Verso l'una l'aria divenne greve per l'umidità. Jerbanoo decise allora di mettere il garzone a tirare le corde della grande ventola mentre lei faceva la siesta. La ventola consisteva in un telo di stoffa rigido e trapuntato, lungo quanto il letto. Era fissato al soffitto e il ragazzo, seduto sul pavimento, avrebbe azionato il tirante del congegno su e giù, su e giù, fin quando Jerbanoo si fosse addormentata. Dopo, anche lui, vinto dalla monotonia dell'incombenza, avrebbe incominciato a ciondolare.

Con quel suo modo di camminare ondulante, Jerbanoo andò in cucina a chiamare il ragazzo, che sorprese intento a fumare una *biri*. L'ambiente era invaso dal fumo pungente del tabacco. Era lo stesso ragazzo che lei aveva preso a schiaffi due anni prima, quando lo aveva trovato a sgraffignare i suoi confetti.

Tirandolo per un orecchio, Jerbanoo gli assestò un ceffone e strillando chiamò Putli perché constatasse la malefatta. Ne seguì un gran trambusto e si fece venir su anche Freddy dal negozio per punire il ragazzo di quella grave infrazione. Anche lui rimase sconvolto.

In una casa profumata di legno di sandalo e d'incenso, l'odore del tabacco è un abominio. Il fuoco, considerato dal Profeta come il simbolo visibile della sua fede, è oggetto di venerazione. Esso rappresenta la Divina Scintilla presente in ogni uomo, una scintilla della Divina Luce. Il fuoco, che ha la sua origine nella luce primordiale, simboleggia non solo la Sua cosmica creazione ma anche la natura spirituale della Sua Eterna Verità. Fumare tabacco, che equivale a sputare sul sacro simbolo, è un tabù assoluto, un delitto sacrilego. La loro era una casa in cui le candele venivano spente stringendone rispettosamente lo stoppino acceso tra le dita. Il fuoco della cucina non veniva mai lasciato morire: a sera lo si ricopriva accuratamente con la cenere, e la mattina dopo lo si riattizzava con qualche colpo di ventola. Spegnere il fuoco soffiando è mancanza di rispetto. I sacerdoti responsabili del fuoco nel tempio si coprono la bocca con mascherine di stoffa per evitare di spruzzarvi goccioline di saliva, che inquinerebbero l'*atash*.

Il comportamento oltraggioso del ragazzo offese profondamente tutti. E tutti, l'uno dopo l'altro, lo ripresero aspramente.

Più tardi, per placare lo spirito turbato dei familiari, Faredoon propose di fare un giro col *tonga* variopinto che aveva sostituito il carro da buoi. Con placida andatura, il cavallo portò il calesse a due ruote e i suoi occupanti lungo il ponte sul Ravi, inoltrandosi poi nella campagna.

La serata era fresca e gradevole con quel presagio d'inverno. Piatte distese di grano verde appena spuntato palpitavano leggiadramente nel venticello carezzevole. Ai viaggiatori sul *tonga* la brezza recava la fragranza del riso e delle spezie, della nuova vita nelle piantine tenere e germoglianti.

Era da un pezzo che Freddy non si sentiva così tollerante verso la suocera. Quel pomeriggio si erano coalizzati per una stessa causa e si erano trovati d'accordo sugli stessi principi. Alla fin fine non era una meschina vecchia mezza calzetta, stava ragionando lui con improvvisa magnanimità, quando improvvisamente Jerbanoo esclamò: «Guarda laggiù», e in preda all'entusiasmo indicò un albero. I rami rinsecchiti dell'albero di *shisham* erano letteralmente coperti di avvoltoi.

Contagiati dalla sua eccitazione, i bambini chiacchieravano animatamente ed entusiasti scoprivano torme e torme di sgraziati uccelli appollaiati in alto.

Schioccando la lingua con affettuosa benevolenza, Jerbanoo fece degli apprezzamenti sul loro aspetto piuttosto macilento e rognoso. Animandosi sull'argomento, scrollò mestamente la testa e disse: «Che peccato. Mi fanno pena. Si lasciano questi poveri uccelli a morir di fame nonostante tutti i parsi che ci sono a Lahore».

Putli obiettò che uno o due cadaveri all'anno ben difficilmente avrebbero potuto far ingrassare quella miriade di uccelli.

«Insomma», sospirò Jerbanoo scuotendo la testa, «tutti quegli avvoltoi sono destinati a una brutta fine, peccato».

Freddy sentì accapponarsi la pelle, che divenne ruvida come una coperta militare.

Jerbanoo contemplava gli avvoltoi come avrebbe contemplato un poetico tramonto. Dondolava la testa, piegandola di qua e di là, e con strizzatine sulle braccia sollecitava i bambini ad ammirare lo spettacolo che si vedeva oltre le sponde del calesse.

Freddy andò alla disperata ricerca nella sua memoria di un'appropriata citazione in inglese.

«Acqua, acqua dovunque e non una goccia da bere!» infine esclamò, dando sfogo al suo disappunto. I familiari, abituati a queste inquietanti e colte esternazioni, si volsero a guardarlo, in attesa di una spiegazione.

Freddy premette furiosamente il pedale della campanella. Quindi si rizzò in piedi e rivolgendosi a Jerbanoo ripeté di nuovo a gran voce: «Acqua, acqua dovunque e non una goccia da bere!»

«Eh?» fece con tono interrogativo Jerbanoo.

«Avvoltoi, avvoltoi dappertutto e non un cadavere da spolpare!» tradusse accompagnando le parole con un gran frastuono delle campanelle azionate tramite il pedale.

«I tuoi resti li metterò in cima a quella collinetta», disse indicando uno scuro montarozzo nel piatto paesaggio, con l'ardente desiderio di andare a depositarvela lì su due piedi.

«Lasciali dove ti pare, i miei resti. Alla prima beccata degli avvoltoi gli angeli accorreranno per scortarmi e portarmi al sicuro al di là del ponte». Faredoon si sentì pervadere da un senso di nausea. La vecchia megera sta diventando ogni giorno più macabra, morbosa e bizzarra, pensò.

«Accorreranno per gettarti nell'inferno, piuttosto!» disse ad alta voce.

«Il poveretto sta uscendo di senno», borbottò Jerbanoo, stringendosi ancora di più a Putli. «Sta diventando pericoloso. Mica si sa che cosa può fare da un momento all'altro. Te lo dico io, faresti bene a tenere gli occhi aperti».

Il viaggio di ritorno verso casa non fu dei più sereni.

La mania di Freddy di citare frasi inglesi non solo gli permetteva di dare stura alle sue emozioni, ma costituiva un motivo di orgoglio per lui e la sua famiglia. Ricordava a memoria dei proverbi – anche se non sempre in maniera esatta – e li tirava fuori come genietti da una bottiglia.

In quale considerazione egli tenesse queste sentenze lo si poteva capire dalla privilegiata posizione che occupava il libro intitolato *Famosi proverbi inglesi*. Stava su un ripiano proprio al di sopra del tavolo delle preghiere, ben incastrato tra la Bibbia e il Bhagavad-Gita. Altri libri sistemati sullo stesso ripiano comprendevano una traduzione del Sacro Corano e l'Avesta (il libro sacro dei parsi), le opere complete di Shakespeare, le favole di Esopo, *Das Kapital* e vari testi sacri di altre religioni: sikh, jainista e buddhista.

Sotto al ripiano, sul tavolo delle preghiere, bruciava la sacra lampada con un'immagine del profeta Zaratustra stampata sul paralume di vetro. Il profeta teneva alto e ben visibile un dito per ricordare ai suoi seguaci il Solo e Unico Dio.

Anche l'altarino rispecchiava il suo rispetto per tutte le religioni, tradizione che contava 2500 anni, risalendo ai tempi dei re persiani Dario e Ciro il Grande, i quali non solo avevano incoraggiato la tolleranza religiosa ma, dopo aver liberato gli ebrei dalla prigionia dei babilonesi, ne avevano ricostruito il Tempio. La Torah, scritta a quell'epoca, è testimonianza dell'influenza dello zoroastrismo sul giudaismo, così come a quello stesso periodo può essere fatto risalire l'influsso dell'antica religione dei parsi su altre religioni semitiche. Uno studioso indù dice che «il Vangelo di Zaratustra, le Gatha, coprì nel breve spazio di una sola generazione tutto il periodo tra il Rig-Veda e la Bhagavad-Gita, che durò almeno 1500 anni... Lo zoroastrismo dunque sta al centro di tutte le grandi religioni del mondo, ariane e semitiche...»

Altri studiosi, europei e americani, dicono pressappoco la stessa cosa, per cui non c'è da meravigliarsi se il trepido cuore di Faredoon Junglewalla avesse scoperto un'affinità con tutte le altre concezioni religiose.

In un'immagine della Vergine Maria era inserita una figurina della dea Laxmi dai capelli neri, con quattro braccia. Buddha se ne stava beato tra una voluttuosa statua di Sita, di cui fissava sfacciatamente la chioma, e una croce con tanto di Cristo crocifisso. Il tavolino era gremito di fotografie di santoni indiani. C'era inoltre l'argenteria sacra: un aspersorio per l'acqua di rose, un *pigani* a forma di piramide e boccette per le unzioni sacre. Noci di cocco fresche, bastoncini profumati, fiori, fichi, rosari e ghirlande di zucchero cristallizzato completavano l'insieme.

Freddy, che come norma si accostava al tavolino delle preghiere una volta al giorno per una rapida benedizione, vi si trovò sempre più attirato a mano a mano che aumentavano le sue avversità.

Il fardello che gli era ricaduto dalla spalla destra sulla spalla sinistra divenne insopportabile. I suoi affari andavano sempre peggio, perché come ci si poteva aspettare che qualcosa andasse bene in una casa dove non si parlava che di morte, malattie e avvoltoi? Era sicuro di avere addosso il malocchio. Jerbanoo aveva tanto detto e tanto fatto che persino i bambini ritenevano quegli argomenti normali e adatti a chiacchierate briose e divertenti.

In preda alla disperazione, Freddy tornò a consultare degli indovini. Portava il proprio oroscopo da un cartomante all'altro per farsene dare l'interpretazione. La nascita di un neonato parsi viene annotata con la precisione di una gara olimpionica: cronometro in mano, nonne o zie molto scrupolose segnano il minuto esatto del parto. Questo consente ai *pandit* indù di stilare l'oroscopo con estrema precisione. Si tratta di un misterioso diagramma di cerchi e simboli, assolutamente incomprensibile per i profani, da cui la necessità di un'interpretazione.

Freddy venne così a sapere della devastante influenza di Saturno sui suoi astri. I sussiegosi personaggi schioccavano la lingua in segno di partecipe solidarietà e lo incitavano a farsi coraggio. Saturno stava per uscire dal suo segno e si prospettavano giorni migliori. «La tua vita rifiorirà in maniera inaspettata», gli dissero. «E una volta che avrà preso l'avvio, tutto andrà a gonfie vele». Tra le varie predizioni ce ne fu una che lo colpì particolarmente. Seduta sul pavimento e maneggiando uno strano mazzo di carte, una zingara gli disse: «Presto ti imbatterai in una persona magra e affascinante. Questa persona avrà un influsso molto positivo su di te e cambierà il corso della tua vita».

Chi può condannare Freddy per i sogni che questa profezia destò nel suo animo depresso? Si vedeva davanti un'esile creatura angelica dai dolci occhi neri e le labbra color carminio, che arrivava in cento modi diversi e da cento diversi luoghi: veniva dalle remote montagne dell'Iran, o dalle profondità dell'Oceano Indiano. Si incontravano per caso in una circostanza in cui Freddy compiva un atto di drammatico eroismo e la creatura celestiale risplendeva di gratitudine. Colma di simpatia e di affetto, toccava il cuore di tutti: di Freddy, di Putli e dei bambini, ma non quello di Jerbanoo. No, quel cuore duro come la pietra non era sensibile all'amore.

La creatura angelica vedeva tutto, sapeva tutto, comprendeva l'intera difficile e dolorosissima situazione. Piena di benevolenza nei riguardi di Freddy, la voce tremante di emozione, faceva conoscere al mondo il valore e la gentilezza di Faredoon, le prove estenuanti sopportate in silenzio, il coraggio di fronte a indescrivibili torture inferte dalla suocera, un essere satanico, malevolo, folle e ipocrita.

E in un gesto finale di immolazione, la creatura dei suoi sogni invariabilmente strangolava Jerbanoo con le proprie mani e volava via, col cuore spezzato nel doversi separare da Freddy, fino a una sua remota e misteriosa dimora. Inutile dire che la scura e affascinante straniera compariva in un'orgia di fantasie sessuali. Le sue mani gli cingevano il collo come ghirlande profumate... poi incominciavano a spostarsi di qua e di là...

Ma nella foresta più cupa brilla sempre un lumicino, e quando la situazione toccò l'apice del disastro, da Karachi giunse un agente di assicurazioni dalla pelle scura e dotato di un lungo naso e di una grande parlantina.

Mr. Dinshaw Adenwalla, alto e sottile, arrivò in visita a Lahore in dicembre e mutò il corso del destino di Faredoon Junglewalla. Senza che questi se ne accorgesse, la creatura incantatrice della profezia era entrata nella sua vita.

Era raro che arrivassero dei parsi in città. Quando giungevano in treno alla stazione, tutta la comunità entrava in un'eccitazione festosa. I Toddywalla, i Bankwalla, i Chaiwalla, i Bottliwalla e i Junglewalla entravano in gara per allietare il soggiorno degli ospiti. Questi venivano trascinati di casa in casa per colazioni, merende, pranzi, tè, aperitivi e cene. I festeggiamenti si concludevano con un grande ricevimento di addio, una specie di baldoria a cui partecipava tutta la comunità. Il mattino seguente, forniti di corroboranti polli arrosto e uova sode che sarebbero bastati per tutto il treno, i sopravvissuti a quei bagordi venivano accompagnati in stazione. Nonni, zie, zii e bambini agitavano in aria le mani fin quando l'ultimo svolazzante fazzoletto scompariva alla vista.

Una calorosa accoglienza era riservata anche ai parsi che erano solo di passaggio. Non era assolutamente necessario che tali viaggiatori fossero conosciuti da qualcuno. Se si spargeva la notizia, e questo accadeva sempre, che su un treno in transito c'era un parsi, almeno una famiglia andava a salutarlo e, recando in dono cibo e bevande, procurava di intrattenerlo per tutto il tempo della sosta in stazione.

Non c'è dunque da meravigliarsi che Mr. Adenwalla venisse ricevuto a braccia aperte e intrattenuto con grande magnificenza.

Questo agente assicurativo dalla parola melliflua e faconda, faceva piroettare in aria i bambini, estasiandoli. Con l'adulazione faceva scendere dal loro piedistallo le sussiegose mamme e si rivolgeva alle nonne chiamandole "fanciulline". Jerbanoo gli gironzolava intorno come una grassa marionetta, e Putli sembrava una monella, il respiro mozzo e le guance congestionate. Se non proprio una monella, per la verità, quanto meno una ragazzina affascinante nella sua vivacità. Lui intanto rallegrava tutta la pittoresca compagnia con storielle moderatamente sboccate, mentre gli uomini li faceva quasi morire dalle risate con storielle molto più spinte.

Mr. Adenwalla distribuiva le sue grazie a tutti, dando la stessa importanza a Mrs. Chaiwalla, che era una signora quasi calva, e a Mrs. Bankwalla, allegra signora dagli occhi verdi. Dava manate sulle spalle al contegnoso Mr. Bottliwalla con la stessa energia con cui le dava al disinvolto e spiritoso Mr. Toddywalla. Tutti se ne innamorarono. Non facevano che parlare e ridere, e Freddy, come tutti, aveva letteralmente perso la testa per lui.

Mr. Dinshaw Adenwalla, con la sua bella parlantina e la sua cordialità, rimase a Lahore un'intera settimana: arrivò una domenica e ripartì quella seguente. Lo scongiurarono di rimanere più a lungo, ma lui doveva proprio tornare a casa per il Capodanno, capite. Che peccato! Lo avrebbero lasciato andare solo a patto che, la volta seguente, fosse rimasto più a lungo!

I parsi, che festeggiano qualsiasi solennità della terra con tutte le annesse tradizioni e disposizioni di spirito, capivano benissimo la necessità che egli si riunisse alla famiglia per il Capodanno.

Il sabato, la vigilia della partenza di Mr. Adenwalla da Lahore, fu una giornata molto intensa. Gli uomini, l'uno dopo l'altro, apposero la firma sulle righe punteggiate. Anche le donne firmarono, con volti compresi e penne stentate. Jerbanoo preferì limitarsi all'impronta del pollice. Tutti insieme seguirono Mr. Adenwalla fino in stazione per vederlo partire, e lui se ne andò agitando energicamente il lungo e sottile braccio, nella mano uno sventolante fazzoletto bianco.

Partito il treno, i parsi si raccolsero in un serrato capannello scambiandosi animati pareri su Mr. Adenwalla. Attirarono così un fuoco di fila di sguardi curiosi mentre sciamavano accalcandosi verso l'uscita. Un gruppetto di sikh che sfoggiavano spade ricurve e le mazze da hockey che ricordavano i loro gloriosi successi nella World Cup, se ne stavano lì a guardarli a bocca aperta. Le donne parsi che essi fissavano con desiderio si strinsero addosso i sari di seta tirandosene sul volto una falda triangolare dai bordi deliziosamente ricamati. Le nappe annodate del *kusti* (il filo di lana dell'agnello sacro che i parsi portano in vita) dondolavano come stringhe di pantaloni legate sulla schiena, e un bianco *mathabana* faceva capolino modestamente dal sari che copriva loro la testa. Gli uomini indossavano pantaloni fruscianti, larghe giacche bianche allacciate con eleganti fiocchetti, e bassi turbanti. Erano quanto mai caratteristici.

Freddy gettò un'occhiata ai sikh. I muscoli della mascella gli si contrassero quando si accorse qual era l'oggetto dei loro occhi libidinosi. Non sopportava che le sue donne venissero guardate a quel modo. Per la verità in India nessun uomo ha piacere che gli estranei guardino con insistenza le sue donne. Fissò i sikh con cipiglio ostile. Gli uomini distolsero gli sguardi e si allontanarono, trascinando le mazze da hockey sul marciapiede della stazione. Un bramino, con un codino di capelli che gli pendeva dalla sommità della testa per il resto rapata, passò oltre con passo strascicato salutando Mr. Bankwalla. Che rapporti potevano mai esserci tra un sacerdote bramino e un maestro di ballo? chiesero gli amici scherzosamente, ma Mr. Bankwalla, divertito dalle battute, riuscì a evitare di rispondere. Un venerando musulmano, con una barba simile a un bavaglino, passò oltre con lo sguardo educatamente rivolto altrove. Era seguito da un codazzo di bambini e di donne velate con i *burqa*. Due bambini si fermarono e saltellando si misero a cantare un motivetto: «Parsi, parsi mangia-corvi! Parsi, parsi mangia-corvi!»

Jerbanoo mosse un passo verso di loro per spaventarli, e quelli se la diedero a gambe. I parsi del capannello sorrisero con tollerante indulgenza. Questo motivetto era una giustificata allusione alla loro ben nota capacità di parlare all'infinito con toni di voce acuti come quelli di un'assemblea di corvi.

Il marciapiede ormai era quasi deserto quando, sia pur di malavoglia, i convenuti alla cerimonia d'addio si dispersero.

Il buonumore però continuò per tutto il tragitto fino a casa, e Freddy riprese il suo posto alla cassa con animo lieto.

Si appoggiò allo schienale, ragionando pigramente e calcolando che cosa gli sarebbe potuto venire dalle sue polizze di assicurazione. Le labbra gli si dischiusero in un sorriso sognante e le sue dita tamburellarono allegramente sul tavolo. Sarebbe diventato ricco... forse in età avanzata... quando il denaro sarebbe stato più necessario che mai. Eccitato da una sensazione di sicurezza e di successo, si abbandonò a sogni a occhi aperti. Dopo un po', quando Harilal si avvicinò al tavolo, Freddy si raddrizzò e sorridendo imbarazzato fece scomparire dal proprio volto quell'espressione soddisfatta. Si sporse in avanti e, con aria indaffarata, afferrò una matita. Non sapendo che cosa fare, trascrisse le cifre del premio che avrebbe dovuto pagare. Sommò distrattamente i numeri: e a questo punto rimase fulminato! Era come se, camminando su una crosta di ghiaccio che sembrava sicura, fosse invece piombato nelle gelide profondità dell'Oceano Artico. Pian piano veniva alla luce l'enormità del suo debito verso lo straniero dalla bella parlantina. Cifre astronomiche incominciarono a girargli davanti agli occhi, e accartocciando il foglio si appoggiò al banco, la testa nascosta tra le braccia.

«Qualcosa che non va, signore?» chiese preoccupato Harilal. Freddy scosse il capo e l'impiegato se ne andò via senza fiatare.

Indubbiamente anche Mr. Toddywalla, Mr. Chaiwalla, Mr. Bottliwalla e Mr. Bankwalla erano nello stesso identico stato di shock.

Sbattendo le palpebre per ricacciare le lacrime, Freddy si chiese come diavolo avesse fatto a prendere decisioni tanto dissennate. Le sue modeste finanze non bastavano a far fronte nemmeno a una piccola parte del premio. L'uomo tutto zucchero e miele lo aveva spinto in un ginepraio. Senza saperlo essi avevano scaldato una serpe in seno!

Freddy aveva assicurato tutto l'assicurabile. I bambini, la moglie e la suocera, quest'ultima in base all'età che lei continuava a sbandierare sotto il naso di tutti. L'uomo aveva vagamente accennato alla ricca messe che Freddy avrebbe potuto raccogliere alla sua dipartita, e aveva insinuato che il volo di Jerbanoo verso il cielo fosse cosa imminente. «Ah!» bofonchiò amaramente Freddy. Si sarebbe mangiato le mani per la sua imbecille impulsività. La sentenza del dottore inglese continuava a risuonargli lugubre nelle orecchie. La donna avrebbe potuto sopravvivergli, per quanto ne sapeva...

Riguardo al negozio, non c'era la più lontana possibilità che prendesse fuoco, che venisse saccheggiato o che crollasse. Freddy si morse le labbra esangui e tremanti ed emise un gemito.

Capitolo 7

Lo sconforto di Freddy andò aggravandosi nel corso della settimana. Non si accorgeva nemmeno della presenza di Jerbanoo. Lasciava che arraffasse tutte le cosce e i fegatini di pollo senza fare alcun commento. Putli si impensierì. Cercò di cavargli qualcosa di bocca, ma lui reagì secco e iroso. Freddy era già pieno di debiti, condizione che i parsi condannano e aborriscono. Sebbene l'ammontare fosse veramente insignificante, questo suo segreto assumeva le dilanianti proporzioni dell'accattonaggio, del disonore e del disastro. Si vedeva già citato in giudizio e gettato in prigione per insolvenza, le sue proprietà e i suoi beni pignorati, la famiglia ridotta all'indigenza e sballottolata dall'una all'altra casa di amici impietositi...

Jerbanoo non era certo d'aiuto: le sue lugubri dichiarazioni aumentavano catastroficamente le dimensioni della rovina da lui paventata. Era sicuro che la malevolenza e i discorsi funebri di lei stessero alla radice di tutte le loro sfortune. Forze maligne stavano operando per minare tutti i suoi sforzi. Era lei la iettatrice. Lui si trovava ancora una volta infognato senza via di uscita in un acquitrino, con una differenza: questa volta su di lui gravava anche il peso di una montagna.

Le traversie di Freddy trovarono una via di uscita. Come sempre, l'elemento catalizzatore fu Jerbanoo. Prima di cena se n'era andata girando per casa col fuoco di legno di sandalo in mano, e il *mathabana* teso e austeramente fissato dietro le orecchie come un copricapo egiziano. Quando si sedette a tavola, non si preoccupò di annodarlo sulla nuca. Guardandola, Freddy pensò che sembrava una mummia.

Questa fu una digressione momentanea. Subito dopo scivolò nel suo mondo di premonizioni e calamità incombenti. Piluccava distrattamente dal piatto, in silenzioso malumore.

La mummia egiziana intanto ingurgitava il cibo e al contempo parlava, dando prova di un'invidiabile abilità. Il suo monologo cadeva in orecchie sorde, perché Freddy aveva smesso di ascoltarla. Non lo disturbava più delle mosche che ronzavano intorno alla tavola. Putli prendeva e portava piatti, versava acqua nei bicchieri e serviva i bambini.

Il soliloquio di Jerbanoo continuava infinito, monotono, ma dopo un quarto d'ora disse qualcosa che penetrò persino nell'angustiato torpore di Freddy.

Aveva detto: «... ti immagini come mi sento. Forse non rivedrò mai più le mie sorelle e i miei fratelli! Moriranno a uno a uno e io non potrò rivederli in faccia! Ma che cosa gli interessa, a lui? Guardatelo: rumina tutto beato come una vacca. Povero caro innocente, non sente nemmeno una parola di quello che dico, e volete che si preoccupi se io vivo o muoio?»

Vivere o morire! Vivere o morire! Le parole echeggiarono pazzamente nella testa di Freddy. E questa vibrazione seminò il germe di un'idea che lo fece sussultare sulla sedia. Impallidì. Le gambe sotto la tavola gli diventarono di pietra. Le mani gli tremarono con tanta violenza che, sopraffatto dall'angoscia, gettò il tovagliolo sulla tavola e, fingendo di essere stato offeso da quanto Jerbanoo aveva detto, uscì determinato e orgoglioso dalla stanza. Non aveva mai fatto una cosa del genere. Jerbanoo lo aveva provocato in maniera molto più plateale, in altre occasioni. Putli e la madre si scambiarono sguardi straniti e non aprirono più bocca.

Freddy si chiuse nella propria stanza e si gettò sul letto tremando come una foglia. Lo sconquasso causato da quella detonazione senza suono nella sua testa aveva scosso le fondamenta del suo essere. Si sentiva minato e stordito.

Un'ora dopo apriva la porta all'insistente picchiare di Putli. Indietreggiando come uno zombie verso il letto, nascose la testa sotto il cuscino. Dopo alcune domande ansiose, che si scontrarono con un silenzio di granito, Putli cadde addormentata e Freddy trascorse una notte inquieta lottando con la propria coscienza.

Il dado era tratto.

Nei mesi seguenti Freddy fu preda di un atroce sconvolgimento psicologico. La mente gli ribolliva di idee bizzarre e di lancinanti dubbi. La sua coscienza di volta in volta ruggiva, dileggiava, applaudiva e disprezzava. Non aveva mai ragionato con tanta intensità, e la testa gli martellava dal dolore. Mandava giù manciate di aspirine e si aggirava con un fazzoletto legato stretto come una fascia intorno alla testa dolorante. L'idea partorita quella sera fatale sulla tavola da pranzo, quell'insidioso germe, si andava gonfiando sempre più. Alimentata dalla sua infelicità, dalle ristrettezze economiche e dal disgusto per Jerbanoo, gli avvelenava l'anima.

Per quanto ci si provasse, non riusciva a pensare a nient'altro. Pregava, cercando di mettere a zittire gli infiniti discorsi della sua mente. Ma l'instancabile cervello lavorava suo malgrado, scegliendo, combinando e dominando i suoi pensieri. Cadde preda dell'insonnia, definendo principi e direttive che dovevano guidarlo per tutto il resto della vita.

Freddy non ci mise molto a collegare la profezia della zingara con la visita dell'agente assicurativo. Se era destino che quell'uomo influenzasse positivamente il corso della sua esistenza, chi era lui che voleva mettere i bastoni tra le ruote della sua stessa fortuna? L'idea gli era piombata addosso con un impatto devastante, e Dio avrebbe pensato al resto.

Tutto sommato Freddy superò questa crisi psicologica abbastanza bene. Era arrivato a patti con la propria coscienza e nella sua testa ora non c'era posto che per l'attuazione del piano. Dopo due estenuanti mesi di incertezza, adesso guardava di nuovo al mondo con fiducia.

Il piano era raffinatissimo nella sua semplicità. Ne studiò i particolari con molta cura, lo esaminò da tutti i punti di vista e con atteggiamento di autocompiacimento si meravigliò della propria intelligenza. Come al solito, nella sua coscienza si fece strada un modo di dire che dalle pagine dei suoi voluminosi testi consigliava: «Due piccioni con una fava... prendere due piccioni con una fava...» Con questo viatico, sapeva che il successo era assicurato.

Capitolo 8

Mr. Adenwalla era partito alla volta di Karachi in dicembre, e verso la fine di febbraio Freddy era pronto a entrare in azione. Il piano doveva essere attuato la domenica 15 marzo 1901. Egli incominciò un complicato conto alla rovescia. Aveva a disposizione solo ventuno giorni. La complessità dell'operazione richiedeva un lavoro preparatorio e Freddy diede il via al programma con un discreto cambiamento nei suoi atteggiamenti verso Jerbanoo.

Giorno dopo giorno, senza darlo troppo a vedere e con molto garbo, prese a dimostrare sempre più premura verso le indisposizioni e il benessere della suocera. Gli sguardi affettuosi di Freddy ora abbracciavano anche lei quando si rivolgeva alla famiglia. Era un'impresa ardua e imbarazzante, dato che da tempo aveva elaborato un raffinato sistema per evitare i suoi occhi. Operò tuttavia con tanta gradualità che ci volle quasi una settimana prima che Putli si accorgesse che i rapporti tra il marito e sua madre avevano subìto qualche mutamento. Era più di quanto non avesse mai sperato. Tuttavia avvertiva una certa apprensione. Scrutando il viso di Freddy con i suoi occhi ingenui e sapienti, talvolta coglieva uno sguardo che la allarmava. Si chiedeva quali potessero essere le intenzioni del marito.

Un giorno Freddy bloccò la figlioletta più grandicella mentre usciva precipitosamente dalla propria camera. La rimproverò aspramente dicendo: «Non senti che la nonna sta ancora parlando con te? Nessuno ti ha insegnato a rispettare i grandi? Va' da lei e senti che cosa ti deve dire. Fa' quello che ti ordina».

Putli, che stava giusto entrando nella camera, rimase così stupefatta che si fermò di botto. Freddy volse il capo

67

e ne colse al volo lo sguardo. Le parole, di per sé così lodevoli come contenuto, fecero presagire a Putli qualcosa di sinistro quando intravide lo sguardo sornione, vendicativo e trionfante sul volto del marito.

La mattina seguente egli disse a Putli: «Cerca di far stare tranquilli i bambini nel pomeriggio. Disturbano la nonna con il loro rumore».

«Come mai tanta attenzione da un momento all'altro?» chiese lei con fare scettico.

«Be', dopo tutto è anziana. Mi fa un po' pena. Penso che senta la mancanza dei suoi parenti, non credi?»

Parlava con tanta sincerità, si sarebbe detto, che Putli abbassò gli occhi inquisitivi.

E anche in seguito, quando Freddy disse: «Le mando su una bottiglia di porto. Vedi che la mamma ne beva un po' prima di pranzo; ha bisogno di un tonico», Putli chinò la testa imbarazzata e accantonò ogni sospetto: aveva parlato con tale modesta reticenza che aveva fatto breccia nel suo tenero cuore.

Desiderosa di farsi perdonare dal premuroso consorte dei dubbi che aveva avuto su di lui, non appena Freddy se ne andò, si precipitò da Jerbanoo.

«Faredoon ti manda una bottiglia di porto», le annunciò col fiato mozzo. «Lo vedi quanto ti vuole bene? È solo che è troppo timido per dimostrarlo. Penso proprio che alcuni uomini siano fatti così. Guarda, si preoccupa tanto di te che si è accorto che non stavi molto bene. E lui capisce – capisce *davvero* – quanto ti sia penoso stare lontano dai tuoi parenti. Oh caro, quante premure ha per tutti noi... Non me n'ero accorta prima».

Jerbanoo lanciò alla figlia tutta emozionata uno sguardo arcigno e per nulla commosso. Non riusciva a sopportare che Putli tessesse le lodi di quell'uomo abominevole.

«Si direbbe che sia un po' cambiato», ammise prudentemente, «ma vediamo quanto dura».

«Oh Mamma! Dagli fiducia. Ha un modo tutto suo di

dimostrarti il suo affetto. Prova a passar sopra ai suoi difettucci... Lo farai?»

Jerbanoo volse altrove lo sguardo. «Il merito non sta mai tutto da una parte», sentenziò solennemente lei. «Se tuo marito all'improvviso è gentile con me, il merito è anche mio che ho fatto un grande sforzo per compiacerlo. Ho fatto tanti sacrifici per voi tutti, ho tanto sopportato per vostro amore. Forse alla fine Dio ha ritenuto bene di ricompensarmi per tante fatiche».

«Dio è giusto. Egli ricompensa sempre coloro che lavorano per Lui», disse la figlia, facendo eco alle nobili espressioni di Jerbanoo. E su questa pia nota madre e figlia si separarono, la prima per andare a fare un bagno e l'altra a cucinare.

Freddy, acutamente consapevole dei propri limiti, non si arrischiò a cambiare troppo il suo modo di fare. Si comportava in modo gentile e amichevole solo quando Jerbanoo non era in preda ai suoi attacchi di acidità e di depressione. In quelle circostanze, invece, assumeva un'espressione burbera e qualche volta riusciva ad arginare la piena dei funerei discorsi di lei con un'occhiata severa.

Secondo passo preliminare: il gusto di Freddy per l'aria aperta divenne una passione ossessiva.

All'improvviso scoprì che i suoi quattro figli, Putli e Jerbanoo erano troppo pallidi. Promettendo solennemente: «Vi farò venire io un po' di colorito sulle guance», spalancava porte e finestre, insegnava loro esercizi di respirazione, e tutte le volte che poteva li caricava sul *tonga* e li conduceva a fare lunghe passeggiate.

Una domenica Jerbanoo, illanguidita dal vino di Porto, rifiutò cortesemente di unirsi a loro nell'uscita. «Verrò con voi di sera, ma nel pomeriggio devo fare il mio sonnellino. Tutte queste gite sono un po' troppo per me. Ricordatevi che non sono più tanto giovane, mentre per voi giovani vanno benissimo. Dovete stare all'aria aperta. Andate. Non preoccupatevi per me. Starò benissimo da sola».

Putli cercò di protestare: «Su, vieni Mamma. Non la faremo lunga. Dopo ti massaggerò la schiena».

Ma non insisté più quando Freddy intervenne, con voce bassa e comprensiva: «Non ti preoccupare, Mamma. Fa' come vuoi. Usciremo insieme domani sera».

Putli, che aveva protestato perché temeva che Freddy si offendesse per il rifiuto della madre, disse ai bambini di salutare la nonna con un bacio. Passato in rivista l'appartamento per accertarsi che tutto fosse in ordine, Putli spinse fuori la famiglia, garzone compreso, e li fece salire sul *tonga*. Jerbanoo rimase completamente sola in casa.

Passo numero tre: in pochi giorni il magazzino venne riempito di merce nuova. Scatole di caffè, miele, olive italiane e generi in salamoia facevano bella mostra di sé in file ordinate sugli scaffali chiusi da vetri. Lussuose scatole di quercia piene di sigari Avana, di cioccolatini al liquore, di zafferano e caviale vennero sistemate in bell'ordine nelle vetrine. La maggior parte dello spazio era occupato da scatole di metallo contenenti biscotti, tè e altri generi di largo consumo. In un angolo vennero accatastate a terra con cura le cassette sigillate.

Il negozio di Freddy era situato all'estremità di una lunga serie di esercizi commerciali che davano tutti sulla via principale, da cui però erano separati da un vialetto di ghiaia e da una lunga aiuola ornamentale, tenuta a erba e alberi dalla municipalità. L'esercizio confinante con quello di Freddy apparteneva a un mediatore. Poi c'erano un negozio di giocattoli, uno di calzature, uno di sari, e così via lungo tutto il caseggiato; in ciascuno si vedeva dall'ingresso il rispettivo gestore.

Girato l'angolo, al di là di un'arteria di grande traffico, c'era l'immenso isolato dei Mercati Generali, il più grande bazar di carni, pollame e verdure.

Il vicino di Freddy, il sensale, una sera entrò da lui.

«Che cosa sta succedendo?» chiese con un sorriso allegro e insinuante.

«Oh, si direbbe che le cose incomincino ad andare meglio. Il lavoro sta aumentando di giorno in giorno».

«Insomma gli affari stanno decollando?»

«Sì, discretamente», disse Freddy con modestia.

«Bene bene», disse con un radioso sorriso il sensale.

Un altro giorno, il negoziante di giocattoli che se ne stava sulla porta del suo negozio fece un ampio inchino a Freddy che passava lì davanti.

«Come vanno gli affari?» gli chiese.

«Si direbbe che incomincino ad andare per il verso giusto. Ho stipulato nuovi contratti di rifornimento, ringraziando Iddio. Ho preso anche nuove esclusive».

«Bene. Dio ti assista», disse il negoziante di giocattoli con tono incoraggiante mentre lui si allontanava.

Uno alla volta tutti si congratularono con Freddy per il suo apparente successo.

Dietro, tra lo stabile dei negozi e il retro di un grande casamento, correva uno stretto vicolo lastricato. Il pianerottolo dell'interrato si apriva direttamente su questo vicolo. Carri trainati da cavalli scaricavano merci all'ingresso e cassette venivano trasportate nel magazzino sotterraneo dal retro del negozio.

Un giorno, inoltre, sulla porta principale arrivò un incredibile carico di merci. Il carro trainato da buoi era così grande che non passava per il vicolo. Vicini invidiosi accorsero ad assistere allo scarico di costosi cognac delle migliori marche, liquori, whisky e vini di pregio.

I rifornimenti presero ad arrivare anche di notte. I conducenti dei carri gridavano dal vicolo: «Junglewalla *sahib*, Junglewalla *sahib*», fin quando Freddy non si affacciava alla finestra del soggiorno che dava sul retro. Ficcando lo sguardo nella viuzza immersa nel buio rispondeva: «Aspetta, sarò giù tra un minuto».

Preso un piccolo mazzo di chiavi appeso a un chiodo, armato della lanterna della cucina, Freddy si precipitava alla porta del pianerottolo esterno. I vicini di ambedue i lati del vicolo si abituarono a questi trambusti notturni. In tali occasioni Freddy lavorava fino a notte inoltrata, registrando con cura tutti gli articoli nell'inventario. Passava anche lunghe ore nel magazzino aprendo silenziosamente le casse di imballaggio e svuotandole del loro contenuto. Sfinito dalla fatica, saliva poi quatto quatto su per le scale, spegneva lo stoppino della lanterna stringendolo rispettosamente tra le dita, e piombava in un sonno profondo e soddisfatto accanto alla moglie già addormentata.

Il 9 marzo Freddy prese in affitto un deposito vicino alla stazione ferroviaria, spiegando al proprietario, per nulla interessato ai suoi affari, che stava aspettando l'arrivo di una grossa fornitura di merci dall'Inghilterra. Pagò in anticipo tre mesi di affitto.

Quella notte di nuovo uomini gridarono per richiamare l'attenzione della famiglia già immersa nel sonno. Freddy si avvicinò pian piano al letto di Putli e sussurrò: «Può darsi che faccia tardi. È arrivato un grosso carico».

«Bene», borbottò nel sonno Putli.

Freddy scese senza far rumore per le scale e aprì la porta. La notte incombeva sul vicolo come una pesante coltre. Solo in una finestra lontana, in fondo al vicolo, si vedeva baluginare una fioca luce. Fece cenno agli uomini di entrare. Sul pavimento del magazzino vennero posati grandi sacchi di juta, di quelli usati dalla birreria del luogo. Le casse da imballaggio impilate nel retrobottega erano quasi invisibili nell'alone pallido della luce gettata dalla lanterna. Due uomini sollevarono insieme un sacco e, barcollando sotto il peso, lo portarono fin sul pianerottolo. Freddy dava una mano a issare cautamente i sacchi sul carro.

Nessuno si accorse o si meravigliò che il carro non consegnasse merce, ma la caricasse per portarla via. Saltando in cima al carico, Freddy conduceva il carro al magazzino preso in affitto vicino alla stazione. Quella notte fecero tre viaggi e Freddy si infilò a letto verso le due del mattino.

Questa operazione venne ripetuta per tre notti, fin quando le casse da imballaggio che erano nel magazzino e su cui erano stampati i marchi di merce di lusso, rimasero completamente vuote.

Capitolo 9

Rimanevano solo tre giorni.

Freddy era stato troppo occupato per provare angoscia. Ma ora che il lavoro preliminare era compiuto, incominciò a contare le ore che mancavano all'atto finale. All'improvviso si sentì contratto come la molla di un orologio caricato al massimo. Alla fine della terza delle sue notturne incursioni clandestine, mentre arrancava faticosamente su per le scale, si sedette a riprendere fiato. Nel tentativo di quietare la propria agitazione, riesaminò una per una tutte le cose che aveva sin lì fatte. La tattica psicologica di assalto nei confronti di Jerbanoo aveva funzionato come meglio non avrebbe potuto aspettarsi dato il tempo a disposizione, e le operazioni che si era prefissate riguardo al negozio erano state realizzate in modo soddisfacente. Ora rimanevano solo i libri contabili, il libro mastro e quello degli introiti. Li avrebbe portati sabato ai suoi consulenti contabili. Quello era comunque il momento della revisione e, cosa ancora più importante, in tal modo i libri sarebbero stati al sicuro. Rimase seduto sui gradini per un'ora buona prima di entrare in punta di piedi in camera da letto.

Dormì profondamente, ma ciononostante al risveglio si sentiva affranto dalla fatica. Erano le otto passate e il letto di Putli accanto al suo era vuoto. Freddy si diede un'occhiata nello specchio, si passò le mani sulle guance ispide ed ebbe il sospetto che il suo viso rivelasse in modo inequivocabile il senso di colpa e la tensione che aveva dentro. Si lavò energicamente in un catino, fin quando il violento impatto con l'acqua non gli placò i nervi e non ridiede vigore al suo spirito: rinfrescato e ben desto, si mise un paio di brache pulite e uno spolverino di mussola inamidata.

Chiamò Putli senza però ricevere alcuna risposta. Uscendo dalla camera, puntò diritto verso l'altarino. Si coprì la testa con uno zucchetto nero e prese a salmodiare sottovoce. Mentre stava accostando un fiammifero acceso al lucignolo della lampada sacra, nel soggiorno entrò Jerbanoo, a cui egli chiese: «Dov'è Putli?»

«Si è ritirata nell'"altra stanza"».

«Come! Quando?» fece lui con voce rotta.

«Questa mattina. Non lo sapevi?»

Egli scosse la testa senza profferir parola. Sentì che le forze lo stavano abbandonando. La fiamma dello zolfanello gli stava bruciando le dita e lui, emettendo un piccolissimo singulto, lo gettò via. La stanza si annebbiò e incominciò a ondeggiare davanti ai suoi occhi. Vedeva la grassa figura di Jerbanoo girare attorno al tavolo come attraverso una foschia. Cercando disperatamente di reggersi in piedi, brancolò verso la propria camera.

Freddy chiuse la porta a chiave e cadde a sedere come un sacco vuoto sulle lenzuola spiegazzate del letto. Si mise a fissare la parete che aveva davanti. Una lucertola guizzò lungo il muro e carpì al volo un moscerino. Premendosi con le mani intrecciate lo stomaco in subbuglio, prese a dondolarsi avanti e indietro e a lamentarsi: «Oh mio Dio! Oh mio Dio!» Quello che aveva detto Jerbanoo, tradotto in termini chiari, voleva semplicemente dire che Putli, trovandosi per caso non gravida, aveva le mestruazioni. Ora vi potreste chiedere perché mai lui fosse caduto in un tale stato di angoscia a causa di un evento quanto mai naturale per una donna in buona salute. Questo comportava uno slittamento dei suoi progetti.

Debilitato com'era, il fatto gli apparve come un segno della fine di tutto. Era un intoppo inaspettato. No, pensò, passandosi una mano sulla fronte, in preda alla nausea. No, non un intoppo ma un'imperdonabile leggerezza. Nonostante tutte le sue elucubrazioni, la sua pianificazione fino all'ultima virgola, egli non aveva tenuto conto di questo unico quanto ovvio fattore. Tutti i suoi programmi saltavano, e non poteva dare la colpa che a se stesso. Putli non sarebbe uscita di casa per cinque giorni, a incominciare dal 13... e la domenica, che era il 15 di marzo, sarebbe arrivata e sarebbe passata via per sempre.

«Maledetto imbecille, bestia d'un asino!» sibilò infuriato, insultandosi in inglese. Freddy si era preparato un piano preciso fin nei minimi particolari, per cui questo imprevisto lo spiazzò. Aveva vissuto tutto quel tempo con gli occhi fissi a una meta. Solo il giorno dopo riuscì a riprendere padronanza di sé. Il piano doveva essere rimandato di una settimana. Ma la spasmodica settimana di attesa fu per lui come un anno di cottura a fuoco lento.

Putli rimase chiusa per cinque giorni nell'"altra stanza". Si trattava di uno stanzino stretto, senza finestre e arredato solo con un lettino di ferro, una sedia pure di ferro e un tavolino di acciaio. Il minuscolo locale dava direttamente sul pianerottolo, di fronte alla cucina.

Tutte le case parsi hanno l'"altra stanza", riservata alle donne, dove rimangono segregate per tutto il tempo del loro periodo impuro. Persino il sole, la luna e le stelle vengono contaminate da questa vista immonda, secondo una superstizione che affonda le sue radici nella paura dell'uomo primitivo di fronte al sangue.

Putli era ben contenta di queste peraltro poco frequenti permanenze nell'"altra stanza". Erano le uniche occasioni in cui poteva prendersi un po' di riposo. E siccome questa reclusione era imposta dalla religione, riusciva a godersi tale inattività senza sentirsi in colpa. Putli passava il tempo lavorando all'uncinetto o facendo pizzi. Lasciava la camera solo per andare in bagno. Quando ne aveva la necessità, annunciava ad alta voce la sua intenzione, gridando: «Sto uscendo. Devo andare a fare un goccio d'acqua». Oppure, secondo i casi: «Devo andare a lavarmi».

Nell'uno come nell'altro caso, se Jerbanoo o Freddy erano davanti all'altarino, gridavano allarmati: «Aspetta!»

Concludendo in fretta e furia le preghiere, essi uscivano di corsa dalla stanza e gliene davano avviso.

«Va bene, ora puoi venire».

Un volta assicuratasi che la via era sgombra, Putli puntava direttamente verso il bagno, nascondendo con cura il viso sotto uno scialle quando passava davanti all'altare.

I pasti le venivano serviti nel suo sgabuzzino. Il garzone le passava un piatto e un cucchiaio di stagno, che erano utilizzati solo in queste occasioni. Lei sapeva che non poteva servirsi da sola da vasetti di sottaceti o conserve perché solo toccandoli li avrebbe fatti andare a male. Era noto che anche i fiori appassivano se entravano in contatto con una donna nelle sue condizioni. Il resto della famiglia poteva parlarle attraverso la porta chiusa. Per eventuali casi urgenti, lo potevano fare direttamente, purché subito dopo avessero cura di lavarsi dalla testa ai piedi e di purificarsi.

Freddy passò cinque giorni allucinanti. Senza Putli, la fatica di comportarsi gentilmente con Jerbanoo era quasi insostenibile. Ma la testa aveva ripreso a funzionargli e la fase acuta del suo scoramento era passata. Si fissò un'altra data per la realizzazione del progetto: domenica 22 marzo. In tal modo c'era il vantaggio che avrebbe potuto passare la festa dell'anno nuovo in santa pace. Il Capodanno era il 21.

Quando infine Putli emerse dall'"altra stanza", Freddy si era ormai convinto che quel rinvio aveva avuto effetti positivi. Con altri sette giorni a sua disposizione, i disegni che aveva avviato avevano avuto tempo di prendere meglio corpo. Sì, si disse, il 15 forse sarebbe stata una data un po' prematura.

Freddy avvisò prudentemente i suoi consulenti contabili che i libri non erano pronti, che glieli avrebbe portati lui stesso il venerdì seguente. Il 21 trascorse serenamente. Essi iniziarono il nuovo anno con una visita al Tempio del Fuoco, pranzarono con i Chaiwalla e, dopo un lungo giro in carrozza, si recarono dai Bankwalla per la cena.

La mattina seguente la famiglia, sfiancata dai bagordi del giorno precedente, dormì fino a tardi. Era domenica 22 marzo.

Capitolo 10

Solo Freddy si alzò di buon'ora. Scese nel negozio e, dandosi da fare al riparo delle imposte chiuse, in fretta e furia riempì due scatoloni di cartone con tutti i sigari, il caviale e gli altri generi di lusso che riuscì a racimolare. Sistemò gli scatoloni vicino alla porta che dava sul pianerottolo più basso, risalì e fece un bagno. Solo in quel momento sentì muoversi gli altri membri della famiglia. Ora che si trovava nell'imminenza dell'ora fatale, era calmo. Più che calmo, lo si sarebbe potuto dire in un leggero stato di esaltazione. Immediatamente prima che venisse servito il pranzo, annunciò con allegria:

«Nel pomeriggio andiamo dai Toddywalla. Ci aspettano per una partita a carte. Ci porteremo dietro anche il ragazzo... per dare un'occhiata ai piccoli».

I bambini erano al colmo della felicità. Giocare con la nidiata dei Toddywalla era una delle cose che gradivano di più.

«Bene», assentì Putli.

«Io non vengo», annunciò Jerbanoo.

«Ma se ti piace tanto giocare a carte! Vieni, ti divertirai», insisté Putli.

«Mi sono stancata troppo ieri. Voi andate pure. Mi rimetterò in sesto con una bella dormita».

«Oh, solo per questa volta, Mamma! Ti rimetterai in sesto domani, con una bella dormita. Siamo ancora in atmosfera di festa. Su, vieni con noi».

Freddy, indifferente alle insistenze di Putli, colmò di nuovo il bicchiere di Jerbanoo col Porto. Sapeva per certo che Jerbanoo non sarebbe andata con loro.

Freddy aveva brigato per farsi invitare da Mr. Toddywalla perché sapeva che Jerbanoo non andava d'accordo con Soonamai, la suocera di Mr. Toddywalla. Non conosceva la ragione precisa della ruggine che c'era tra di loro, ma aveva calcolato tutto.

In un primo momento le due suocere erano andate d'amore e d'accordo. I rapporti di Soonamai con il genero erano eccezionalmente cordiali. Prendendo spunto da ciò, Jerbanoo aveva fatto notare a Putli e Freddy con quanta gentilezza e rispetto Mr. Toddywalla trattasse la suocera, e non aveva perso nemmeno un'occasione per prendersi tutte le soddisfazioni possibili umiliando Freddy. Poi aveva fatto ampio resoconto delle proprie tribolazioni a Soonamai, che l'aveva ascoltata con pazienza e solidale partecipazione.

In seguito Jerbanoo commise il fatale errore di attribuire tutto il merito dei meravigliosi rapporti tra la suocera e Mr. Toddywalla a quest'ultimo. A un certo punto Soonamai non ce la fece più e cercò di far capire all'amica che era stata lei a prodigarsi per il genero: in realtà la prosperità dei loro affari era tutto merito suo.

Jerbanoo non diede segno d'aver recepito il messaggio. Soonamai allora, infuriata dalle ciarle sciocche e poco generose di Jerbanoo, incominciò a darle piccoli suggerimenti. È dovere delle donne entrare nelle grazie degli uomini di casa. Naturalmente loro sono stanchi e nervosi dopo un giorno di duro lavoro, e a contare sono le piccole cose, come preparare con le proprie mani la prima colazione per il genero, massaggiargli le spalle alla sera, portargli il tè in camera, dimostrare di condividere le sue opinioni. Jerbanoo doveva provare a mettere in atto un po' di furbizia... poteva provare a fare quelle piccole cose che gli uomini apprezzano tanto... mettere da parte per Faredoon qualche bocconcino prelibato, dimostrargli un particolare rispetto, dare a lui più importanza che alla figlia e a se stessa in qualsiasi circostanza. Dopotutto è lui che mantiene la famiglia...

Alla fine Jerbanoo capì dove voleva andare a parare

l'amica. Lei, Jerbanoo, era praticamente ritenuta responsabile dei cattivi rapporti con Freddy! Non credeva alle proprie orecchie.

«E tu vorresti che io danzassi alla musica di quel rospaccio infernale?»

«Be', perché no? Se così sono contenti tutti...» confermò Soonamai.

«Se vuoi, falla *tu* l'ipocrita e la leccapiedi – è una scelta tua e un affare della tua famiglia – ma non pensare che io faccia come te!» disse Jerbanoo, battagliera e senza peli sulla lingua. Le due donne rimasero sedute in un silenzio astioso, evitando di guardarsi negli occhi, fin quando Freddy non ricondusse Jerbanoo a casa. Da quel momento non si erano più parlate.

Non appena i bambini ebbero finito di mangiare, Putli si affaccendò per prepararli all'uscita. Freddy versò generosamente dell'altro vino nel bicchiere di Jerbanoo che stava quasi ciondolando sulla tavola. Freddy guardò l'orologio. Era l'una e dieci.

«Siamo pronti», annunciò Putli spingendo i bambini davanti a sé verso le scale. «Faresti meglio ad andare a letto prima di cadere addormentata qua», disse alla madre.

«Sì, sento che potrei addormentarmi per l'eternità».

«Via, via, non sono cose da dire in un giorno di festa», l'ammonì affettuosamente Putli.

Freddy si sentì drizzare i peli in tutto il corpo. Quella maledetta donna era una strega! Si passò una mano sulla schiena per riportarli nella loro naturale posizione e si alzò.

«Incominciate pure ad andare, io sarò giù tra un minuto», disse a Putli, che a sua volta ordinò ai bambini di scendere e aspettare nel *tonga*. Freddy andò a lavarsi le mani e, annodando per bene i fiocchi della giacca, seguì la famiglia giù per le scale. Sul pianerottolo fece un cenno al garzone e insieme issarono i due scatoloni sulla parte anteriore del *tonga*.

«Devo fare questa consegna, oggi», spiegò.

Il ragazzo montò sulle scatole. Due dei bambini più piccoli si sedettero davanti vicino al padre. Putli, stringendo al seno con affetto il più piccolo, prese posto dietro con Hutoxi. Il cavallo dimenò la coda: il ciuffetto finale passò oltre la sponda di legno e solleticò il viso dei bambini. I piccoli squittirono divertiti. Freddy si curvò per far abbassare la coda al cavallo.

Il vento li pungeva in volto e portava la fragranza dei fiori sbocciati in tutta Lahore. Un quarto d'ora dopo erano in casa Toddywalla. I bambini si precipitarono a raggiungere gli amichetti in giardino e Mr. Toddywalla condusse i Junglewalla nel suo studio. Un gruppetto di amici era già raccolto intorno al grande tavolo a giocare a carte. Freddy e Putli furono accolti con calorosa simpatia. Ci fu un grande trascinare e stridere di sedie che vennero inserite nel circolo. Freddy fece accomodare Putli e, rimanendo in piedi dietro di lei, le mani leggermente posate sulle sue spalle, disse: «Tornerò subito. Devo fare una consegna urgente. Gli scatoloni sono già sul *tonga*».

«Ma via, vieni qua», disse Mr. Toddywalla tirando Freddy per un braccio verso una sedia. «Accomodati. Non devi lavorare di domenica. Che direbbero i fratelli del Sant'Antonio se sapessero che traffichi in un giorno di festa? Cacceranno i tuoi figli dalla scuola!»

Si udirono delle risatine. Freddy si liberò con garbo dalla presa dell'amico e, sgusciandogli tra le mani, fece un cenno di saluto. «Torno subito».

Freddy corse senza indugio al magazzino che aveva affittato e vi depositò gli scatoloni. Si diresse quindi verso casa. Per le strade c'era pochissimo traffico. Lasciò il *tonga* in un vicolo a due isolati dal retro di casa sua, che raggiunse a piedi. La stradina era deserta. Infilò la chiave nella serratura, aprì con mossa lesta la porta ed entrò. Per quanto poteva dire, nessuno lo aveva visto. Ora doveva fare tutto in pochi secondi. Si era ripassato mentalmente questi momenti tante volte che si accorse di agire come un robot.

Prese due taniche di cherosene da un gallone ciascuna,

un paio di guanti di gomma e un vecchio impermeabile di cerata da un ripostiglio sotto le scale. Si rimboccò velocemente le maniche, si infilò guanti e pastrano. Svitò i tappi delle taniche e ne versò il liquido sulle pile di giornali vecchi del bugigattolo. Aprì quindi uno a uno i vari locali del negozio e spruzzò cherosene su cassette e sacchi, facendo assegnamento sulle scorte di alcolici e rum di poco prezzo per la parte decisiva dell'operazione.

Entrando nel locale principale del negozio, venne colto da un'improvvisa fitta di dolore. Non doveva lasciarsi andare ai sentimenti. Costringendo la propria mente a concentrarsi sul compito che si era prefissato, versò il liquido sul vecchio tavolo e sul bancone. Sparse cherosene sugli scaffali, distogliendo con sofferenza gli occhi dalle etichette che andavano scolorendosi sulle scatole di biscotti, sui vasi di tè e di miele a mano a mano che venivano raggiunti dal liquido.

Tracciò una scia dal tavolo, lungo il corridoio, fino al bugigattolo.

Salì pian piano su per le scale di legno, continuando a far sgocciolare con regolarità il cherosene. Quando giunse al pianerottolo dell'ultimo piano, rimase in ascolto. In casa regnava il più assoluto silenzio. La porta della sala da pranzo era chiusa. Trattenne il respiro. Gli sembrò di udire il debole ronfare del rantoloso respiro di Jerbanoo che arrivava dalla parte posteriore della casa, dietro l'"altra stanza". Veloce, sicuro, si precipitò giù per le scale.

Freddy entrò in uno dei locali umidi e bui del negozio. Strofinò un fiammifero e lo tenne per un attimo acceso vicino a un sacco imbevuto di cherosene. La stanza si illuminò di un improvviso bagliore. Si sollevò un'immensa nuvola di fumo che gli irritò gli occhi. Fece uno scarto, uscì, richiuse la porta. Di corsa, a passi precipitosi, con movimenti concisi e precisi, eseguì la stessa operazione negli altri due locali e ne richiuse le porte. Con gli occhi che gli lacrimavano, sparse il resto del cherosene sul pavimento e scaraventò le taniche vuote nello stanzino del sottoscala. Vi gettò sopra un fiammifero acceso e mentre il piccolo vano esplodeva con una fiammata accecante, chiuse la porta e vi si gettò contro in un folle attacco di panico, mentre il cuore gli batteva all'impazzata. Udì un ruggito soffocato, sibilante. Strappandosi di dosso il pastrano di cerata e i guanti, li lanciò sul pianerottolo. Ricompostosi, uscì nel vicolo e richiuse la porta con dita tremanti.

Pochissimo tempo dopo, eccolo lì a distribuire le carte, a bluffare e a conquistarsi una piccola pila di gettoni.

Ma perché mai Freddy, indubbiamente intelligente e previdente, si imbarcò in una cosa così banale come un rogo e un omicidio per arricchirsi grazie all'assicurazione? Espediente arcinoto – ma non nell'India nel 1901, in una popolazione afflitta dalla fame e succube della superstizione. Gente fatalista e condizionata dalla religione, assolutamente rassegnata agli alti e ai bassi della vita. Erano una razza sottomessa e sensibile all'aspetto spirituale della vita, abituata a essere comandata, a rimanere sottomessa ai padroni, alla legge, alle regole e alla disciplina. In altre parole, un popolo orientale ancora ignaro delle abitudini dell'Occidente e delle sue pratiche politiche, industriali e criminali.

Le assicurazioni in India avevano appena incominciato a muovere i primi passi. Le possibilità che esse offrivano si presentarono a Freddy come un'idea nuova, geniale e senza precedenti. A modo suo, l'ispirazione di Freddy fu qualcosa di straordinario, come la scoperta della ruota.

Capitolo 11

Jerbanoo si girava e rigirava sul *charpai*. Un qualche rumore venne a disturbare i suoi sogni. Rombava, lontano, una specie di tuono. Ora capì di che cosa si trattava: un bufalo, nero, minaccioso, con due grandi corna, galoppava, galoppava e galoppava verso di lei che però non riusciva a scorgerlo. Sapeva che o prima o dopo l'avrebbe scovata. Lei scappava in preda a un terrore inane e senza speranza, con un penoso dolore, a lei familiare, nel più profondo dello stomaco. Lungo uno stretto sentiero, attraverso un intrico di stanze... ma il rombo era sempre più vicino, inesorabile. Con uno schianto tremendo, il bufalo irruppe dalla porta della stanza spoglia in cui lei se ne stava nascosta. Orrendi occhi assetati di sangue la fissavano. Avventandosi su di lei con le narici fumanti, la smisurata demoniaca bestia la incornava, inchiodandola alla parete.

Jerbanoo era mezza sveglia adesso, e si sforzava disperatamente di riprendere conoscenza. Ancora in preda all'incubo, sbarrò gli occhi atterriti. Il cuore le batteva furiosamente. Giaceva in un torpido stupore. Lentamente il mondo fisico riprendeva corpo intorno a lei. Rumori si fecero strada nella sua coscienza. Che cos'erano quelle urla e quelle strida nelle vie? Un incidente? Una processione religiosa? Una strana foschia le annebbiava la visione. Il soffitto sembrava allontanarsi. Rimanendo in posizione supina, si strofinò gli occhi. La foschia non se ne andava. Prese coscienza d'un rumore nelle orecchie, come un ruggito rauco e crepitante.

Annusò più e più volte, cercando di riconoscere la natura del puzzo acre. Fumo, pensò, la camera era invasa dal fumo! Quell'imbecille del ragazzo aveva lasciato qualcosa

sul fuoco. Non riusciva a capire perché mai Putli soppor-
tasse quel furfante.

Buttando a fatica le gambe fuori del *charpai*, si rizzò a
sedere. I piedi arrancarono in cerca d'un paio di pantofole.
Una nube di fumo, densa e giallastra, scaturì alle sue spalle.
Jerbanoo volse la testa: del fumo stava filtrando da uno
spiraglio sotto la porta in volute ondeggianti. La porta, che
separava la sua dall'"altra stanza", era chiusa col chiavistello
da ambedue le parti perché non veniva mai usata. Davanti
a essa c'era un traballante appendiabiti. La cena doveva
essersi ormai bruciata tutta, ne era sicura. Il fumo, era
chiaro, veniva dalla parte della cucina. Affrettandosi con
passi strascicati attraverso la camera dei bambini e l'andito
invaso dal fumo, aprì la porta che dava nella sala da pranzo.

Il fumo si riversava in nembi nerastri fuori dalle finestre
aperte nella parete davanti a lei, provenendo dal pianerottolo in fiamme alla sua sinistra. Rimase impietrita sulla
soglia, gli occhi sbarrati, la bocca spalancata. Si udì il fracasso di qualcosa che andava in schegge e la porta verso il
pianerottolo si spalancò, lanciando frammenti infuocati in
tutta la stanza, sulle sedie, sull'armadio, sul tappeto della
tavola, sullo scaffale dei libri. Un fuoco rosso-sangue, accecante e rovente, irruppe nel locale come la fiamma di
un'immensa saldatrice. Un furioso turbine di fumo le tolse
il respiro.

Jerbanoo chiuse con violenza le porte, tirò i chiavistelli
e, alzando la sottoveste fin sopra le grosse ginocchia, attraversò di corsa le camere. La casa vibrava tutta sotto il suo
peso e i passi dei suoi piedi piatti. Tossendo, girando e
svoltando per la casa, si avventò nella camera di Putli e
Freddy. Qui c'era solo un leggero velo di fumo. Spalancan-
do una porta, uscì d'impeto su un balcone semicircolare,
all'altezza di sei o sette metri dal marciapiede.

Non aveva mai visto tanta gente. Una marea brulicante
e ondeggiante di umanità si stendeva sotto i suoi occhi.
Aggrappandosi alla ringhiera di ferro battuto, gettò una
serie di spaventosi acutissimi urli.

In quel momento straordinario, la moltitudine strabiliata si volse verso il balcone. Allora un possente grido si levò dalla folla che fino a quel momento aveva pensato che in casa non ci fosse nessuno. Sudici monelli di strada guardarono in su sorridendo. Le loro divinità preferite, dispettose e fiammeggianti, stavano regalando loro l'entusiasmante spettacolo di una grassa signora, che si esibiva in portentosi urli dall'alto di un balcone.

Capitolo 12

Su una bicicletta che oscillava paurosamente, l'impiegato pedalava lungo il vialetto tutto buche. Il suo viso dalla pelle scura, sempre serio e preoccupato anche nei momenti più lieti, in quell'occasione era in uno stato da far pena. Rischiando di cadere dalla bicicletta, si fermò davanti al lungo portico stracarico di buganvillea.

«Junglewalla *sahib*, Junglewalla *sahib*, Junglewalla *sahib*!» gridò, tutto sudato e affannato.

Gli occhi sempre vigili di Putli cercarono quelli di Freddy attraverso il tavolo da gioco.

«Junglewalla *sahib*, Junglewalla *sahib*!» continuava a chiamare quella voce.

«Accidenti! Ma non mi possono lasciare in pace almeno la domenica?» imprecò Freddy senza scomporsi. Tornando a occuparsi delle carte, disse al domestico che gli stava versando il tè: «Di' a quell'uomo di aspettare».

«È Harilal», disse Putli riconoscendo la voce dell'impiegato. «Secondo me dovresti andare a vedere che cosa c'è».

«Sarà qualche importante nobile inglese che è rimasto senza whisky. Che cosa vuoi che sia! Non potrebbero andare a scocciare qualcun altro? No, da me devono venire. Be', oggi non apro bottega per nessuno».

In quello stesso momento l'impiegato, seguito dal domestico, irruppe nel locale.

«*Sahib*», ansimò, gli occhi stralunati, il corpo scosso da un tremito. «Il negozio sta bruciando. Deve venire immediatamente».

Costernazione.

Freddy si alzò di scatto dal tavolo rovesciando, nella furia, la sedia. Afferrò l'ometto per le spalle e lo scosse come una bottiglia di sciroppo: «Parla più forte, uomo! Parla più forte!» ruggì.

Putli cercò di moderare il marito, dicendogli sottovoce: «Non ti agitare, cerca di calmarti per favore, cerca di calmarti per favore».

I giocatori intorno al tavolo si affrettarono a raccogliere ciascuno i propri gettoni mentre l'impiegato, stravolto dalla furia del padrone, cercava di sottrarsi alla sua presa. «Mi lasci, *sahib*, per favore. Venga, andiamo al negozio. Dobbiamo spicciarci. Ah Bhagwan, proteggici...»

Assumendo il controllo della situazione, Mr. Toddywalla ordinò al proprio domestico: «Porta il *tonga* di Junglewalla *sahib* davanti a casa. In fretta, fa' in fretta».

Il domestico se ne andò battendo le piante dei piedi nudi lungo tutto il portico e poi, superata con un salto la siepe, corse verso il retro della casa. Freddy, con una mano sulla tasca della giacca per evitare di farne uscire le monete che conteneva, lo seguì di corsa. L'impiegato, Mr. Toddywalla, Mr. Gibbons, sovrintendente di polizia anglo-indiano, Mr. Azim Khan, professore maomettano, e gli altri uomini parsi, si buttarono a inseguirli, l'uno dietro l'altro. Il cavallo, che se ne stava in paziente attesa scacciandosi le mosche di dosso col fremito della pelle e i colpi della coda, venne slegato in fretta e furia. I servi tirarono in posizione la leggera carrozza e gli uomini, aiutandosi l'un l'altro, bardarono il cavallo. Freddy con un salto montò a cassetta e gli amici si accalcarono sul veicolo, quattro davanti e tre di dietro. Lasciandogli le briglie sul collo e battendolo sui fianchi con la frusta dai fili d'oro, fece girare il cavallo fin sul davanti della casa. Putli scese i gradini del portico gridando: «Vengo con te, aspettami!»

«È meglio che tu rimanga qua!» le urlò Freddy.

«Vengo, Mamma, Mamma cara», gridava lei, correndogli dietro per il vialetto.

Freddy tirò le redini, facendo fermare il *tonga*. Con uno scatto, mostrando senza volere un tratto della gamba ben tornita e issandosi agilmente sulla parte anteriore della carrozza, Putli finì seduta in grembo a Mr. Bottliwalla. Non c'era posto per lei. Mr. Bottliwalla, un tipo timido, pallido, dagli occhi lustri, arrossì e cercò di assumere un'espressione disinvolta e innocente. Freddy frustò l'animale per metterlo al galoppo e Mr. Bottliwalla, le mani una di qua e una di là sulla sottile vita di Putli, la sosteneva con gentilezza piena di riguardo.

I lembi della giacca al vento, Freddy sfrecciava per le strade. Quando svoltò per immettersi nella via principale, si trovò in una corrente di traffico più intenso. Biciclette, carri e carrozze gremivano la strada, ma gli occhi di tutti coloro che erano sul *tonga* erano puntati sull'immenso fungo nero del fumo che si innalzava in lontananza davanti a loro.

Freddy superò un'unità antincendio formata da tre carri trainati da buoi, che scampanellava a tutto spiano. Il primo veicolo era carico di vigili del fuoco nelle loro eleganti uniformi e di grosse manichette attrezzate con ugelli di ottone. Dietro venivano due carri cigolanti sotto il peso di immense cisterne d'acqua.

Il traffico era sempre più intenso. Gli uomini sul *tonga* annusavano preoccupati l'aria carica di fumo, lacrime scorrevano lungo il volto di Putli. Spostandosi appena di poco, Mr. Bottliwalla ficcò una mano nella tasca dei pantaloni e porse a Putli un fazzoletto.

Con una leggera deviazione nella strada, il *tonga* si portò in corrispondenza degli edifici commerciali. Si trovavano ancora sulla via principale, al di qua della corsia di verde pubblico davanti alla fila di negozi. L'incendio era alla fine del Mercato Generale, circa quattrocento metri più avanti. Tra gli alberi si intravedeva un immenso bagliore rosso.

La folla gremiva la strada. Cenciosi e a piedi nudi gli uomini se ne stavano appoggiati sulle biciclette, o in piedi sui carri fermi, o si aggiravano pigramente tra i veicoli bloccati.

Col piede premuto sul pedale della campana, Freddy

cercò di portarsi più avanti possibile. Poi abbandonarono il *tonga* e cercarono di aprirsi un varco nella folla.

Freddy, seguito da Mr. Toddywalla, si affrettò ad attraversare la striscia di erba polverosa e calpestata. Gli altri si persero nella folla. All'improvviso, guardando in alto tra un albero e l'altro, videro chiaramente il balcone: Jerbanoo, con quei suoi capelli ricci, in sottoveste, scomposta, con al fianco due vigili del fuoco evidentemente incerti e smarriti. Appoggiata al muro, c'era una scaletta di acciaio che sembrava un giocattolo. Mentre stavano assistendo alla scena, un getto d'acqua indirizzato dal basso inondò le tre figure.

Quasi contemporaneamente, con la coda dell'occhio, Freddy intravide un *bania* indù dal volto glabro e a torso nudo. «Per amor di Dio», implorò, «per amor di Dio, speriamo che quello non faccia una scenata».

Nello stomaco sentì le viscere brontolare e fu assalito da un quasi incontenibile bisogno di liberarsi.

Freddy aveva preso a prestito da lui la maggior parte del denaro necessario a finanziare il progetto e rifornire di merce il negozio. Il grasso usuraio, assistendo all'incendio che mandava in fumo i soldi dati a credito, non poteva non esplodere in escandescenze. Tutta la credibilità, così faticosamente costruita da Freddy riguardo al recente mutamento di rotta della sua fortuna, sarebbe miseramente crollata. Gettò un altro sguardo di sottecchi all'uomo. L'usuraio fissava l'incendio senza dar segno di nervosismo. Non sembrava affatto turbato. Freddy decise di tenersi il più possibile lontano da lui. Non era certo questo il momento di discutere della faccenda.

Nel frattempo sul balcone si stava svolgendo un piccolo concitato dramma. Un vigile salì sulla scala di acciaio e, raggiunta la balaustra, piazzò uno sgabello di legno sul balcone. Ridiscese di qualche piolo e rimase in attesa. Due colleghi, afferrando con mani salde Jerbanoo, in corpetto, da sotto le ascelle l'aiutarono a montare sullo sgabello. Aggrappandosi alla scala con una mano, Jerbanoo scavalcò con una delle grosse e tozze gambe la ringhiera e la piazzò con grande cautela su un piolo. Gli uomini la sostenevano. Jerbanoo sollevò l'altra gamba. Per un breve angosciante istante lei rimase lassù, sospesa a cavallo della ringhiera, ma un attimo dopo aveva riportato ambedue le gambe sullo sgabello.

Respingendo con violenza le braccia che la trattenevano, e urlando: «Andate! Filate via!» ridiscese dallo sgabello. Gli uomini la presero per le mani, cercando di farla risalire sullo sgabello, ma Jerbanoo opponeva resistenza con tutto il suo peso. Il sedere ostinatamente incollato sull'impiantito fumante, li fulminò con sguardi colmi di rabbia. Un altro pietoso getto d'acqua li inondò e gli uomini lasciarono la presa. Il fondo schiena di Jerbanoo rimbalzò sul pavimento. Incrociando le braccia sul petto in posa di sfida, rimase seduta. Gli uomini, bruciacchiati e ansimanti, la fissavano, le mani penzoloni lungo i fianchi.

Il vigile che era sulla scala ridiscese a terra.

Capitolo 13

Lo spazio antistante la casa in fiamme era stato transennato. I poliziotti tenevano indietro la folla mentre il confine della zona, tenuta sgombra con delle barriere, si modificava a ondate secondo le spinte che arrivavano da dietro. Tap tap, tamp tamp! I manganelli dei poliziotti rimbalzavano sui crani e sui gropponi di coloro che si trovavano in prima fila.

Nel mezzo dello spazio sgomberato, i vigili del fuoco correvano di qua e di là con una pezza bagnata legata intorno al viso. Due o tre squadre reggevano la manichetta antincendio da cui uscivano getti d'acqua sottili e potenti diretti verso il rogo. Uomini protetti da caschi lavoravano nell'ufficio del sensale e nel negozio di giocattoli spaccando infissi e mobili e buttando fuori i pezzi di legno già attaccati dal fuoco.

Il comandante dei pompieri, un irlandese di mezz'età dal volto paonazzo e sudato, dirigeva le operazioni. Quando il vigile saltò giù dalla scala a pioli, l'irlandese gli andò incontro.

«Ma che diavolo sta succedendo lassù?»

«Si rifiuta di scendere dalla scala».

«Ma è scema? Non sa che nel giro d'un quarto d'ora sarà ridotta a un tizzone? Ed è ancora fortunata che il vento sta soffiando nell'altra direzione».

«È troppo terrorizzata per venir giù dalla scala a pioli, senza contare che è una signora indiana molto per bene e non vuole che le si veda sotto la gonna».

«Accidenti a lei! Cosa volete che ci sia da vedere sotto la gonna? Un paio di mutandoni, tutt'al più! Ma non c'è tempo da perdere! Caricatevela sulle spalle, datele uno sculaccione e portatela giù».

«Ci si provi lei, signore», fu la laconica riposta. Il vigile appena sceso dalla scala, scoraggiato e col viso nero di fuliggine, si allontanò. Il sole rosso incombeva sull'edificio in fiamme. Toddywalla non era più vicino a Freddy, il quale tentava di aprirsi un varco tra la folla pronunciando la formula magica: «Questa è casa mia, lasciatemi passare».

Giunto al cordone di polizia, un manganello gli rimbalzò sul cranio coperto dai capelli neri. Lui, incredulo, rimase lì a bocca aperta mentre il poliziotto preparava un nuovo colpo. «È casa mia! Questa casa è mia!» protestò con voce rotta. E allora la mazza, cambiando direzione a mezz'aria, calò sulla testa dell'uomo che si trovava vicino a Freddy, e che rimase allibito.

«Lasciatemi passare», diceva Freddy con voce autoritaria, superando il cordone di polizia e correndo diritto fin quasi dentro al rogo. Tre vigili lo rincorsero e lo condussero, recalcitrante e in preda alla disperazione, davanti al comandante. Aveva i capelli bruciacchiati e i vestiti immacolati erano costellati di buchi orlati di nero.

«Lei è il proprietario, allora... poveretto», fece l'irlandese con tono compassionevole.

La folla fu zittita da un urlo che avrebbe strappato lacrime anche ai sassi.

«Oh, mamma! Oh, mamma!» gridò Putli irrompendo nello slargo.

La folla, in preda alla commozione, indietreggiò d'un passo. Lacrime spuntarono negli occhi delle donne presenti. Se le asciugavano con l'orlo sgualcito del sari.

La terra tremò sotto i loro piedi quando l'angosciato urlo di Jerbanoo trapassò l'aria.

«Ooooh! Ooooh, figlia mia! Aiutami, figlia mia!»

«Oh, che cosa posso fare? Ma non preoccuparti, mamma, non preoccuparti!» gridò Putli torcendosi le mani esili, sciupate dai lavori.

Freddy si sentì in dovere di prendersi la parte che gli spettava.

«Mamma! Oh povera mamma!» esclamava. Lacrime di

commiserazione (stimolate dal fumo) gli scendevano copiose dagli occhi.

Il sensale del locale vicino a quello di Freddy, si materializzò sbucando fuori dalla folla, e abbracciando lo sfortunato amico mormorò: «Junglewalla *sahib*, fatti coraggio... gli dèi non ci abbandoneranno». Persuase Freddy ad allontanarsi dalla zona dell'incendio.

Arrivò quindi lo stuolo delle donne che dalla casa dei Toddywalla avevano seguito a piedi i loro uomini partiti a bordo di carrozze di piazza.

Una di loro distolse Putli dall'avvincente, quanto monotono, scambio di frasi con la madre. Stringendosela al petto l'una dopo l'altra, tubavano: «Se la caverà... Oh, povera cara... vedrai che la porteranno giù in quattro e quattr'otto. Suvvia, suvvia, non ti preoccupare».

Non appena avvistarono Freddy gli sciamarono incontro, lo circondarono e, data la loro non più giovane età, se lo strinsero sui prosperosi seni.

Erano già stati evacuati sette tra negozi e appartamenti, a destra di quello in fiamme. Quasi certamente il fuoco si sarebbe propagato all'ufficio del sensale e al negozio di giocattoli. Il comandante dei vigili del fuoco ne aveva ordinato l'evacuazione, assicurando però i proprietari che si trattava solo di una misura precauzionale. La situazione era sotto controllo, soggiunse.

Donne e bambini che erano stati fatti uscire dalle abitazioni se ne stavano seduti sull'erba in piccoli crocchi ciarlieri, tenendo d'occhio le loro proprietà, mentre gli uomini si prodigavano in vari modi. Le signore giunte in gruppo dalla casa dei Toddywalla piombavano sulle famiglie colpite dal disastro, avidamente estorcendo particolari e dando appoggio morale. «Quando si erano accorti dell'incendio? E allora che cosa avevano fatto? Chissà come si erano spaventati i bambini, povere creature. Che guaio! Oh mamma mia! Ma vedi un po'! Oddio!» esclamavano a ogni nuovo particolare che veniva alla luce. E dopo, in eccitato parlottio, raccontavano di Freddy e Putli, che stavano giocando a carte come bambini beati e ignari. Erano così allegri e contenti! Ironia della sorte! Mai più loro si sarebbero dimenticate della reazione di Freddy, di come aveva mortificato l'impiegato che era andato a portargli la notizia.

Gli occhi lucidi, si scambiavano espressioni di commiserazione, sussurrando con vocette stridule.

Freddy le evitò e si tuffò nella folla. Vide il fachiro che era andato a consultare nel suo misero appartamento. L'indovino reggeva in testa un tripode di ferro arrugginito. I lunghi capelli neri gli ricadevano sugli occhi dardeggianti. Toccandosi con deferenza la fronte, Freddy gli si accostò.

«Dio sia con te, figliolo!» ruggì il fachiro, scrutando con occhi demoniaci il volto di Freddy. In quel momento Freddy desiderò che la terra si aprisse e l'inghiottisse. Chinò la fronte bruciacchiata e chiuse gli occhi. Il fachiro gli poggiò una mano sudicia sulla testa reclina e poi, voltandosi con uno dei suoi scatti repentini, si aprì la strada nella folla con l'assordante tintinnare dei campanelli legati alle caviglie nude, e si allontanò con incedere solenne. Lo scampanellare cadenzato dei suoi passi risuonò a lungo dopo che fu scomparso alla vista.

Il sole si tuffò dietro la coltre di fumo, lasciandosi nella scia un riverbero rosato. Freddy ammirò lo straordinario colore con un pizzico di orgoglio di artista. Il bagliore del fuoco risaltava con un alone purpureo sullo sfondo del lento tramonto.

Freddy si accorse all'improvviso che qualcuno teneva gli occhi fissi su di lui. Distogliendo a fatica lo sguardo dal cielo, lo puntò su una massa di carne scura, leggermente lucida, e si riprese immediatamente, allarmato. Gli occhi neri dell'usuraio, che rimbalzavano come palline di gomma, si distolsero rapidi dal suo viso.

«Panditjee!» fece Freddy con voce acuta, afferrando la mano del *bania* tra le proprie e portandosela alla fronte. «Gentile da parte sua venire qua», e poi rimase come in attesa, arretrando un poco, tutto intimorito come un prigioniero che attende una sentenza, ansioso di conoscerla e di chiudere la faccenda. Sentì un gorgoglio nelle viscere. Panditjee liberò la mano da quelle di Freddy e lo abbracciò attirandolo sul suo ampio petto. Lo trattenne a lungo, con muta partecipazione, quindi si tirò indietro d'un passo.

«Che tragedia, amico mio, che tragedia», sospirò, gli occhi indagatori ed enigmatici, il volto atteggiato al più sentito rammarico. «Ma santo cielo, lei è tutto bruciacchiato. Lasci che vada a prenderle una pomata qui in casa mia. L'ha preparata mia moglie con le sue mani».

«Non si disturbi, la prego. Non è proprio nulla», si affrettò a dire Freddy, pieno di rispetto e di umiltà. E poi aggiunse: «Quando si dice che gli amici li riconosci nel momento del bisogno, è proprio vero. Non può sapere quale conforto mi dia la sua partecipazione, amico mio. La sua solidarietà al mio dolore me lo rende tollerabile, perché è come se fosse meno grave. Ah, ma pensi un po'. Tutti questi anni di duro lavoro. Ho faticato giorno e notte come una bestia, ho messo insieme quanto basta per cavarmela... E ora tutto è stato spazzato via, così!» e Freddy schioccò le dita per sottolineare la sua affermazione.

«Non so che cosa sarà di noi, dei miei bambini, della mia povera suocera. Siamo rovinati! Rovinati!» esclamò, lasciandosi trascinare dal fervore della propria eloquenza.

«Coraggio, amico mio, coraggio. Lei è favorito dagli dèi: bello, giovane e forte si rifarà facilmente delle perdite. Non le ci vorrà molto a rimettere in piedi il suo lavoro».

«Con le sue preghiere e la benevolenza di Dio, forse», disse Freddy. Uno stimolo irrefrenabile delle viscere gli fece contrarre i lineamenti del viso e gli spezzò la voce in un penoso singulto. Tirò su col naso e se lo pulì con la manica.

Uno sguardo di sincera preoccupazione fece socchiudere i penetranti occhi dell'usuraio. «Lei è un uomo pieno di senso pratico e di prudenza. Sarà assicurato, spero?» si informò cautamente.

Freddy cercò di non far trasparire il suo stupore.

«In parte», confermò lui, distogliendo decisamente gli occhi.

«Ah, bene», sospirò il *pandit*. «Proprio come un naufrago può salvarsi aggrappandosi a una pagliuzza, così quel poco la potrà aiutare a riprendersi. Ora forse non riesce a crederci, è troppo sconvolto. Ma il tempo, il grande dottore, e la forza delle sue preghiere, la rimetteranno in piedi».

Fece con la bocca un verso, come una mamma che fa i vezzi al figlioletto. «Ora vada, amico mio, non voglio trattenerla. Certo è preoccupato per sua suocera. Possano gli dèi proteggere la nobile signora».

Alzando un lembo del *dhoti* bianco, che portava passato tra le gambe come una specie di pannolone, il *pandit* si allontanò. Freddy lo seguì con lo sguardo, soprappensiero, con un'espressione velata e distratta nel fondo degli splendidi occhi. Ecco un uomo ignorante e illetterato, uno che in inglese non va oltre il "sì" e il "no"... Era stupefacente che il *pandit* sapesse qualcosa di assicurazioni, che ne avesse mai sentito parlare anzi, e tanto meno che avesse immaginato che Freddy poteva aver assicurato il suo esercizio!

Capitolo 14

«Non m'interessa di perdere tutto! Salvate mia madre, salvate mia madre!» gridava Putli. Era in preda a un attacco isterico. Le vicine di casa, dimenticando i propri guai di fronte alla minaccia di una possibile imminente disgrazia, si battevano il petto, singhiozzando: «Hai Bhagwan! Hai Bhagwan!» e «Hai Allah! Hai Allah!»

Il pompiere tornò a salire su per la scala a pioli. Questa volta portava con sé un enorme cesto, di quelli che le massaie usano per tirar su in casa i sacchi di patate e di carbone con la carrucola. Con un salto fu sul balcone. Una robusta carrucola venne fissata alla ringhiera e si provò la tenuta di una grossa fune. Scostando il groviglio delle corde, il vigile convinse Jerbanoo a sedersi nella cesta. Pudicamente evitando di sollevare l'orlo della sottogonna, lei vi entrò; lo spazio però era troppo esiguo, e dovette poggiarsi col sedere sul bordo. Le corde della cesta, legate alla fune, si tesero sopra di lei. Jerbanoo si aggrappò ai bordi. I pompieri, tendendosi in avanti nello sforzo, presero a tirare cautamente la fune e a sollevare il carico. Quando fu a poco meno di un metro dal pavimento del balcone, Jerbanoo all'improvviso gettò un urlo, buttò le gambe fuori dalla cesta e fu di nuovo lì, in piedi. Dalla folla si levò un gemito di delusione. Lingue di fuoco divamparono e incominciarono a lambire il balcone. Il pavimento di cemento si fece rovente come il fondo di un tegame. La folla urlava, incoraggiando Jerbanoo a riprovarci. Dalle bocche uscivano, confusi, i più disparati suggerimenti.

Strillando «Mamma! Mamma!» Freddy irruppe ancora una volta nello spazio transennato.

«Oh figlio mio! Che cosa devo fare? Dimmelo tu, figlio mio, che cosa devo fare?» gemeva Jerbanoo.

Precipitandosi fin quasi nel rogo, allargando le braccia e piantandosi saldamente sulle gambe aperte, Freddy gridò: «Salta giù nelle mie braccia, Mamma! Ti prenderò io. Salta giù nelle mie braccia! Su, coraggio», implorava, la voce che gli si spezzava in gola per la disperazione. Se saltasse, pregava tra sé e sé. Se saltasse, prima che riescano a salvarla.

Jerbanoo considerò l'asfalto duro e lucente sotto di lei, e la figura poco convincente del genero, che sollevava verso di lei il volto spiritato. Fu lì lì per svenire.

«Salta! Coraggio, salta giù», l'incitava la voce di Freddy, quasi ipnotizzandola.

«Tirate via quell'imbecille di un bastardo!» ordinò con voce tonante l'irlandese.

Un poliziotto agguantò Freddy per la collottola e per il fondo dei pantaloni, tirandolo indietro.

Pallida e tramortita, Jerbanoo rischiò di precipitare all'indietro nella porta che era alle sue spalle.

L'irlandese correva di qua e di là a dare ordini.

«Andate a prendere la rete. Subito, andate a prendere la rete!» urlava.

«E dove vado a prenderla?» chiese stremato il pompiere che a quanto pareva era destinato a salire e scendere dalla scala per tutta la serata.

«Mi chiedi dove?!» esplose il capo, le braccia al cielo per l'esasperazione. «Qui c'è tutto il dannato corpo dei pompieri di Lahore, e tu non sai dove diavolo andare a prendere una rete?»

«Vado io a prenderla, signore», si offrì un altro pompiere, allontanandosi di corsa.

«Vieni. Vieni con me», disse il comandante, riacciuffando lo scalatore esausto. «Ci penso io a tirar giù quella sciocca d'una donna, dovessi darle prima una botta in testa».

Mentre l'irlandese si arrampicava decisamente su per la

scala, un manipolo di pompieri tendeva una rete giù nella strada.

Tutto si svolse in un lampo.

Sul balcone ebbe luogo un comico e concitato corpo a corpo. Per un momento sembrò che il rabbioso irlandese stesse ballando un tango con una signora ancora più rabbiosa e irata di lui. Le sopracciglia arcuate di Jerbanoo scomparivano quasi nell'attaccatura dei capelli. Poi lei scomparve in un turbinoso groviglio di braccia e spalle curve. Si udì allora levarsi verso il cielo un assurdo duetto d'opera, in cui l'acuta voce da soprano di Jerbanoo sovrastava nettamente la grave voce tenorile dell'irlandese. E un istante dopo, col tempismo d'una primadonna alla ribalta, Jerbanoo fece la sua grandiosa comparsa al di sopra della ringhiera, dondolando nella cesta legata all'estremità della fune!

Si udì il gemito di un'anima persa trasvolante nello spazio, poi la voce di Jerbanoo si spense. Lei rimase immobile come una statuina cinese di Buddha dondolante in fondo a un pendolo. La terra e la gente che l'abitava, là sotto di lei, si muovevano a onde, come il mare. Alberi ed edifici le andavano incontro, velocissimi. Jerbanoo serrò spasmodicamente gli occhi. La sua presa sui vimini del cesto diventò di pietra.

Lentamente, a strattoni, oscillando col suo carico di braccia e gambe di carne molliccia, la cesta scendeva. I pompieri, tendendo la rete tra di loro, guardavano verso l'alto col fiato sospeso, pronti a spostarsi nel caso che la cesta sbandasse, uscendo dall'area di sicurezza.

A tre metri dalla rete, una delle corde si ruppe. Perso l'equilibrio, Jerbanoo scivolò fuori della cesta, appesa alla fune che aveva avuto la prontezza di afferrare. Dalla folla si levò un urlo, poi fu il silenzio. Il crepitio e il ruggito del fuoco tornarono a farsi sentire nella loro violenza primigenia.

Passando al volo contro la schiena di Jerbanoo, la corda spezzata le aveva arpionato la sottogonna, che ora stava

trascinando in alto insieme con la cesta. Jerbanoo piroet-
tava appesa alla fune come un trapezista, nei suoi larghi
mutandoni di stoffa casereccia. L'aria s'infilò nei braghoni
e nell'arricciatura tenuta stretta in vita da una cordicella.
Divennero gonfi come palloncini pieni d'aria. Nel giro di
pochi secondi, cesta, fune e Jerbanoo, stretti in un groviglio, caddero nella rete.

I vigili del fuoco, tenendo la rete ben tirata in tutte le
direzioni, barcollando si spostarono verso l'aiuola erbosa e
depositarono il fardello sotto un albero.

Jerbanoo giaceva inerte e senza fiato, scompostamente
abbandonata sulla rete. Un uomo si fece avanti con una
caraffa d'acqua. Qualcuno si allontanò per correre a prendere una pomata per le ustioni. Un bicchiere d'acqua venne avvicinato alle labbra esanimi di Jerbanoo. Putli carez-
zava la testa della madre, che aveva preso sulle proprie
ginocchia, ripulendo con un tampone il volto annerito e
togliendo dalla testa ciocche di capelli strinati. L'oscurità
stava avanzando rapidamente.

Accovacciato ai piedi di lei, Freddy singhiozzava come
se gli si stesse spezzando il cuore.

«Via, via, si riprenderà subito... Sta benissimo», diceva
consolatorio Mr. Toddywalla.

Le palpebre di Jerbanoo sbatterono. La donna piagnucolava nel delirio, cercando di mettersi a sedere. Dieci paia
di mani si tesero per sostenere la montagna di grasso. Lei
scorse Freddy. Un baleno di coscienza brillò negli occhi
vitrei, e ricadde all'indietro esanime.

Soonamai appoggiò l'orecchio sul petto di Jerbanoo: «È
viva. Il cuore batte».

«Viva? Viva?» chiese Freddy con voce flebile e stridula.
Era in preda a un convulso di pianto e alcuni suoi amici,
sostenendolo affettuosamente, lo trascinarono via.

«Poveretto, è stata un'esperienza tremenda, per lui.
Vuole un sacco di bene a Jerbanoo...» disse Mr. Toddywalla a Mr. Bankwalla, a Mr. Chaiwalla e a Mr. Bottliwalla.

Mr. Gibbons, un anglo-indiano a capo del Distretto di Polizia, e il comandante dei vigili del fuoco si avvicinarono al luogo della scena.

«La suocera adesso sta benissimo, e allora perché diavolo piange?» s'informò l'irlandese.

«È scioccato. Il collasso della rispettabile signora lo ha sconvolto, e poi, guardi un po' che cosa è rimasto della sua casa», spiegò Mr. Bankwalla a difesa di Freddy.

«Mi prenda un colpo! Siete tutti in adorazione delle vostre suocere, voi altri!» commentò l'irlandese senza tanti riguardi.

Un mese dopo venne premiato con una medaglia al valore civile per l'eroico salvataggio.

La notte discese sulla scena. Ora che la vecchia era in salvo, i vigili del fuoco si concentrarono sullo spegnimento dell'incendio. Alle nove furono domati gli ultimi focolai. Come previsto, il fuoco non era avanzato oltre il negozio di giocattoli.

La folla incominciò a disperdersi. Le famiglie evacuate si misero a rappezzare case e negozi. Tutti aiutavano tutti. Mr. Toddywalla ospitò i Junglewalla nella sua spaziosa dimora. Due camere vennero liberate in fretta e furia dai loro occupanti e cedute alla famiglia disastrata. Furono serviti piatti di pollo al curry e minestre calde.

Capitolo 15

Giunse Mr. Adenwalla da Karachi. Cinque *tonga* carichi di parsi andarono alla stazione per riceverlo. Freddy, riservato e discreto, se ne stava alle spalle del comitato di accoglienza i cui componenti si erano allineati lungo il binario, con ghirlande di fiori in mano.

Mr. Adenwalla atterrò sul marciapiedi con un balzo. Strinse gli uomini sul magro petto traboccante d'amore, salutò le donne con sorrisi e affettuosi delicati buffetti. Tutto coperto di fiori, afferrò un bambinetto, lo lanciò in aria e lo riprese, poi tirò su una bambina, e con questa in braccio si diresse deciso verso Freddy.

Freddy, intimorito e rispettoso, nonché adeguatamente accasciato, afferrò tra le sue la mano tesagli da Mr. Adenwalla. Senza pronunciare una parola.

Mr. Adenwalla era molto cordiale: «Bene, bene, amico mio, come sono contento di vederla. Lei ci ha fatto passare un brutto quarto d'ora. Ma vedo che ora sta bene, ne sono molto lieto. Tutto a posto? Ma sì, tutto è a posto!»

Mr. Adenwalla circondò Freddy con un braccio, e chiacchierando senza sosta diresse il corteo verso i *tonga* parcheggiati davanti alla stazione.

I cinque *tonga* con i loro occupanti partirono alla volta di casa Toddywalla. Dopo un giro di bevande gassate per i piccoli e birra per i grandi, gli uomini si appartarono nel soggiorno fitto di tavolini e statuine cinesi e di un indefinito numero di vasi colmi di rose mezzo sfiorite. Dopo i convenevoli, affrontarono il grave argomento, causa del viaggio di Adenwalla a Lahore.

Mr. Adenwalla si passò una mano sui capelli grassi e lucidi, e con le agili dita si accarezzò i baffetti non più grandi di un pennello al di sotto del lungo naso adunco.

«Sono così contento di rivedervi tutti, anche se avrei preferito che fosse in circostanze più felici».

Tutti puntarono gli occhi su Freddy. In una stanza strapiena di poltrone e divani, lui se ne stava seduto in silenzio sull'unica sedia.

Mr. Adenwalla si schiarì la gola.

«Ora, amici miei», disse, «voglio ricordarvi che prima e sopra a tutto io sono vostro amico, ma sono anche un rappresentante della mia compagnia. Sono loro che mi danno il pane. Adesso, se non ve ne avete a male, vi parlerò nelle vesti di funzionario della compagnia».

Teste molto comprensive assentirono, e Mr. Adenwalla proseguì, con una voce ufficiale che sembrava uscirgli direttamente dal naso.

«Signori, forse voi state pensando: "Una casa è andata in fumo e merce pregiata è andata distrutta, ma l'uomo che aveva assicurato queste cose firmerà un bell'assegno di una congrua cifra di denaro".

«La faccenda non è così semplice. Prima di tutto, io non sono autorizzato a firmare assegni. Se lo fossi, naturalmente tutti i problemi sarebbero risolti. Ma la compagnia non ha nessuna intenzione di tirar fuori una barca di denaro solo perché qualcuno ha detto che una casa è stata sventrata dal fuoco».

I signori che stavano a sentire Mr. Adenwalla rimasero di sale. Ciononostante, aspettarono senza fiatare che l'agente mettesse tutte le sue carte in tavola.

Che fu quello che fece Mr. Adenwalla.

«Prima di tutto dovete dimostrare, cioè provare alla mia compagnia che l'incendio fu fortuito, poi loro dovranno accertarsi che la richiesta sia stata calcolata correttamente».

Freddy si sbiancò in volto. I suoi amici assunsero un'espressione preoccupata.

«Se non si potrà dimostrare che l'incendio fu accidentale, se la società non ne sarà convinta, io naturalmente non vi potrò aiutare».

Mr. Chaiwalla, un tipo corpulento di mezz'età, tamburellava con le dita sul proprio stomaco. Osservando con fare meditabondo le travi del soffitto, disse: «E se le cause dell'incendio non potessero essere accertate? Chi sa che cosa è successo! Da che cosa è partito l'incendio? Quando? Come? Tutto l'edificio è un mucchio di cenere. D'altra parte era un negozio di generi vari, tutta roba infiammabile: rum, vino, cherosene, legno, carta».

«Ebbene, temo che la compagnia non accetterà la richiesta d'indennizzo».

«Che cosa intende dire?» chiese Mr. Toddywalla sporgendosi in avanti. «Mr. Chaiwalla le ha appena detto che tutto il materiale del negozio era infiammabile. Questa, secondo me, è una prova sufficiente. Una qualsiasi bazzecola può aver provocato l'incendio».

«Ma questa non è una prova. Milioni di negozi sono pieni degli stessi articoli, eppure quando mai avviene che si incendino?»

Mr. Toddywalla, spazientito, levò le braccia al cielo e si lasciò andare sullo schienale del divano. Aveva un viso scuro, ovale, le basette che si allargavano verso il basso e un paio di baffi dritti e stopposi.

«E perché allora lei ci teneva tanto a farci assicurare?» esclamò di rimando. «Perché diavolo pagare premi e tutto il resto se nel momento del bisogno dobbiamo fornire tutte queste fottute prove? Si direbbe che la sua compagnia non si contenti dell'evidenza dei fatti e della parola di un onest'uomo! Quelli stanno cercando qualche scusa per non rispettare i loro impegni, maledetti. Se posso dire pane al pane e vino al vino come ha fatto lei, questo è tutto un imbroglio. Credo che nessuno di noi avrà più bisogno della sua assicurazione del cavolo!»

Gli ispidi lucidi baffi di Mr. Adenwalla fremettero in preda al nervosismo. «Non vedo perché ve la dobbiate prendere in questo modo. Prima ascoltatemi, per favore», scongiurò.

Mr. Toddywalla aveva colpito nel segno. E se decidevano di rinunciare ad assicurarsi, tutti in blocco? Erano clienti preziosi: generosi e puntuali. Inoltre, erano arrivate a Lahore due nuove famiglie, i Cooper e i Paymaster, e ambedue erano rappresentate in quel momento nel soggiorno. Mr. Adenwalla aveva messo gli occhi in particolare su Mr. Paymaster, che era un conducente di treno, posizione che riscuoteva ammirazione e prestigio. Grazie all'influenza di Paymaster, Mr. Adenwalla sperava di stipulare un bel po' di contratti nell'ambiente delle ferrovie.

«Ora, per favore», disse nella maniera più dolce e persuasiva, «cercate di vedere la faccenda dal punto di vista della mia compagnia. Vi dirò qualcosa che forse vi sorprenderà. Le assicurazioni sono praticamente una novità, qui, mentre in Gran Bretagna non è raro che qualche canaglia appicchi il fuoco alla propria azienda per avanzare una pesante richiesta di risarcimento. È successo più d'una volta. La compagnia dunque ha i suoi motivi di perplessità. Le prove ci vogliono, e tutte le compagnie di assicurazione si regolano in questo modo. Io non sto dicendo che la compagnia non soddisferà le sue richieste, naturalmente lo farà se le richieste saranno legittime, e io sono stato mandato qui proprio per investigare. Vi sto dicendo le cose chiare e tonde perché non voglio perdere tempo, né farlo perdere a voi».

Ma nessuno colse effettivamente il punto. Mr. Adenwalla aveva in effetti parlato chiaro, quasi brutalmente per un parsi così beneducato.

«Lei forse vuole insinuare che l'incendio è stato appiccato apposta?» chiese Mr. Bankwalla con fare sdegnato. «Lei sta accusando il nostro amico Mr. Faredoon Junglewalla di aver appiccato deliberatamente il fuoco alla propria casa? Ma lo sa lei che dentro c'era la suocera? La poveretta si è bruciacchiata, ustionata, e ha rischiato di rimetterci la pelle. E lei insinua che lui ha appiccato il fuoco di proposito alla propria casa, pur sapendo che c'era dentro la suocera? Ma lei allora dà dell'assassino al mio amico?»

«Per amor di Dio!» esclamò Mr. Adenwalla. «Non sto affermando o negando proprio niente, ma come rappresentante della compagnia sono responsabile. Io devo rispondere a loro».

«Stia attento a quel che dice», lo ammonì Mr. Toddywalla spingendo in avanti i suoi minacciosi baffi. «Non ce ne staremo seduti qua a sentir insultare il nostro amico. Lei lo ha accusato di omicidio. Questo è troppo, veramente troppo».

Una vecchia pendola fece udire i suoi solenni rintocchi nell'improvviso silenzio. Il profumo delle primaverili rose rosse era soffocante. Freddy sentì le palpebre chiudersi. Rimaneva seduto sulla sua sedia rigida, incarnazione dell'innocenza offesa, lasciando umilmente agli amici il compito di difendere la sua causa.

«Assurdo! Chi sta parlando di omicidio?» protestò Mr. Adenwalla. I suoi occhi penetranti scattarono per un attimo su Freddy. All'improvviso lo fulminò il pensiero che, senza l'aiuto di Dio, ci sarebbero state ben due pratiche di risarcimento da sistemare. Recitò una muta preghiera per impetrare lunga vita alla suocera di Freddy.

«Ora vi prego, non lasciamoci trasportare dal nervosismo. Badate bene, non vi ho mai detto che non vi verrà riconosciuto l'indennizzo richiesto. Niente del genere. Ma ci sono certe formalità che vanno rispettate. Si tratta solo di formalità, ma di carattere legale. Capite? Questioni legali».

Freddy capì che era arrivato il momento per lui di dire la sua, di dare una mano "all'affascinante straniero" preannunciato dalla zingara. Si sporse in avanti con mossa decisa. Mr. Bankwalla, che stava per aprire bocca, si bloccò. Tutti i volti si girarono verso Freddy.

«Capisco la sua preoccupazione nei riguardi della compagnia. Lei ha perfettamente ragione. La prego dunque di procedere come ritiene meglio, e di fare tutto il più legalmente e correttamente possibile».

«Sì, lei ha ragione, ha perfettamente ragione», disse con gratitudine l'agente. «Dobbiamo fare tutto correttamente. Ora io temo che qui sarà necessaria un'appropriata indagine di polizia. Rientra nelle norme. Anche se la mia ditta volesse aderire alle richieste, non può farlo senza il benestare della polizia.

«In secondo luogo, dobbiamo controllare i libri contabili. Si dovrà riscontrare ogni entrata capisce? È mio dovere e suo interesse. Ma devo metterla sull'avviso... I libri sono andati distrutti nell'incendio, suppongo. Ebbene, in questo caso la compagnia prenderà le decisioni secondo quello che riterrà ragionevole e potete essere sicuri che...»

«Non sono andati bruciati», annunciò Freddy pacatamene. «Era il momento del controllo e io li avevo passati ai miei revisori contabili proprio prima dell'incendio. Lei potrà accomodarsi a vederli quando crede... Se vuole può anche parlare con i miei fornitori e agenti».

«Ah, capisco», fece Mr. Adenwalla con voce fioca. Per tutta la lunga imbarazzante riunione di quella sera non si era mai sentito sconvolto come in quel momento. «Capisco», ripeté. «È interessante, provvidenziale, direi, che lei abbia pensato di consegnare i libri ai revisori proprio poco prima dell'incendio».

«Provvidenziale, proprio provvidenziale. Vede, amico mio, le mie intenzioni e la mia coscienza sono pulite. Dio ha creduto giusto proteggermi. Mi sono sempre ritenuto soddisfatto della mia sorte. Non ho mai invidiato nessuno. Né ho mai desiderato la moglie d'altri», disse Freddy tutto compunto, citando il comandamento a sproposito, ma con effetto decisamente positivo.

Entrò nella stanza un domestico. Chinandosi verso Mr. Toddywalla, uno straccio per la polvere gettato sulla spalla, sussurrò: «C'è qui Gibbons *sahib*».

«Lo chieda a lui, lo chieda a lui!» esclamò Mr. Toddywalla con animazione, e scattando in piedi andò a ricevere l'ospite.

Mr. Gibbons, che spesso faceva una capatina verso sera per un bicchiere, ricevette una calorosa stretta di mano. «Amico mio, stavo giusto pensando a te», fece Mr. Toddywalla introducendolo nella stanza.

Mr. Gibbons fu presentato a Mr. Adenwalla. Freddy si alzò dalla sedia e abbracciò il poliziotto. Mr. Adenwalla, pallido come un cencio lavato, capì che aveva perso la partita.

Ristoratosi con un lungo sorso di birra, accettando la sconfitta con signorilità, si predispose a intrattenere i presenti con qualcuna delle sue barzellette.

Tre giorni dopo, Mr. Adenwalla riceveva una lettera dal dipartimento di polizia del Punjab e il giorno seguente ripartiva per Karachi.

La lettera recitava:

Egregi Signori,
in seguito alla richiesta avanzata dalla Vs. Compagnia di Assicurazioni, abbiamo svolto un'indagine sull'incendio nell'esercizio e nell'abitazione di proprietà di Mr. Faredoon Junglewalla.

Siamo arrivati alla conclusione che l'incendio fu assolutamente fortuito. Trasmettiamo qui il rapporto pervenuto dal nostro funzionario investigativo, Mr. R. Gibbons:

"Non esistono dubbi sul fatto che il negozio abbia preso fuoco a causa dello scoppio di una bottiglia di acqua gassata, su cui è caduta una lampada che ardeva sempre sul banco vicino. L'olio fuoriuscito dalla lampada si è sparso e in breve il fuoco si è propagato a tutto il magazzino e a tutti i locali annessi.

Come tutti i negozi di questo tipo, il locale era pieno di articoli infiammabili. Abbiamo inoltre raccolto accurate notizie sul carattere di Mr. Faredoon Junglewalla. Egli è noto come uomo che si è sempre distinto per la sua integrità e i suoi onesti costumi. Nel suo passato non c'è nulla che possa far pensare a un gesto così deprecabile come un incendio doloso".

Confidiamo che la faccenda venga conclusa in modo per Voi soddisfacente.

Dall'ufficio dell'Ispettore Generale,
Polizia del Punjab

Mr. Junglewalla ricevette un assegno di considerevole importo.

Capitolo 16

Successivamente all'incendio, Jerbanoo non rappresentò più un problema. Freddy, elettrizzato da una serie di iniziative fortunate, non aveva tempo di rimuginare sui comportamenti irritanti della suocera.

Da parte sua Jerbanoo si dimostrava talmente mite da essere irriconoscibile. In presenza di Freddy se ne stava silenziosa, in disparte, come una persona estremamente timida. Ciò non vuol dire che si dimostrasse cordiale o generosamente incline al perdono. Proprio per niente. Odiava Freddy dal profondo dell'anima, ma il terrore che aveva concepito per il suo criminoso stratagemma era tale che le faceva superare l'avversione. Il suo terrore era così forte che non aveva lasciato trasparire nemmeno un'ombra dei suoi sospetti, nemmeno con Putli. Non aveva dubbi su quali fossero state le intenzioni di Freddy, ma era anche abbastanza scaltra da capire che nessuno l'avrebbe mai creduta.

Non se la passava male, tuttavia. Lo spettacolare salvataggio dalle grinfie della morte le aveva conferito una prestigiosa fama, tanto che era richiesta e tenuta nella massima considerazione dalle amiche e dalla figlia.

Freddy, per quanto deluso d'aver preso solo un piccione, per il resto era abbastanza soddisfatto. Anni dopo, quando Jerbanoo pian piano riprese le sue vecchie abitudini, egli trovò rifugio nella regola di fare di necessità virtù.

Putli, ora che tutto si era assestato in modo così egregio, riprese a partorire bambini, quattro femmine e tre maschi in tutto, tra cui, penultimo, Behram, detto Billy.

Behram Junglewalla era un bambino decisamente sgraziato. La madre, osservando il neonato urlante, nero di pelle e dal naso troppo grosso, diceva: «Quasi quasi non riesco a credere che sia mio, questo bambino. È così diverso da tutti gli altri. Ma guardate un po' che buffo cespuglio di capelli ha in testa!»

«Che importanza ha? Non ne hai già fatti tanti di marmocchi belli? Non ti preoccupare. Crescendo migliorerà», la consolava Freddy.

Ma Behram Junglewalla era destinato a diventare il beniamino della fortuna. Gli anni passavano. Gli affari di Freddy prosperavano e si ampliavano. Era entrato in rapporti amichevoli con maragià e notabili inglesi. A mano a mano che se ne presentava l'occasione, entrava in traffici sempre più differenziati, abilmente "lisciando e incensando" tutti i Colonnelli William di sua conoscenza e conquistandosi la riconoscenza di altri come Mr. Allen per mezzo di whisky e ballerine.

Hutoxi si era sposata ed era uscita di casa. Lo stesso fece in seguito Ruby. Jerbanoo, condensando la saggezza acquisita nella sua breve vita matrimoniale in due sommi precetti, le istruì sulla notte di nozze.

«Ora vedi di non spogliarti dalla testa ai piedi e di non stenderti sul letto come un pollo spennato. Bada a quello che ti dico. Se fai così, il marito te lo giochi subito. Fa' vedere il meno possibile, il più lentamente possibile. Se ti togli le mutande, lasciati addosso il corpetto, e se ti togli il corpetto, non ti togliere le mutande! Così lo terrai sulla corda per tutta la vita e lui non perderà l'interesse e la virilità.

«E ricordati, vedi di essere sempre occupata in qualcosa. Non star lì a leggere romanzetti. Quelli sono stati inventati dai demoni dell'indolenza. La pigrizia ti mette grilli nella testa. Io per esempio non mi sono mai lasciata andare alla pigrizia. Anche quando tuo nonno se ne stava lì a far l'amore, io ero tutta occupata a strizzargli i punti neri dal collo e dalle spalle».

Quanto le spose, rosse di vergogna, abbiano seguito questi consigli, io non posso saperlo.

Freddy osservò solo: «Povero Mr. Chinimini. Non aveva molti motivi per stare al mondo, no?»

Capitolo 17

«Da quel momento in poi le cose andarono di bene in meglio», disse Faredoon, concludendo la sua narrazione. Gli ascoltatori, rapiti, continuavano a fissarlo. Faredoon se ne stava comodamente sprofondato nella poltrona dallo schienale di bambù, le gambe allungate una di qua e l'altra di là sopra i braccioli.

«Che anno era quello?» chiese Ardishir Cooper, spezzando l'incanto. Era un giovanotto esile e delicato, genero di Faredoon, sposato con Hutoxi da quattro anni. Lei se ne stava seduta tutta compita sul divano accanto al marito.

«L'incendio è stato nel 1901», disse Freddy. «Mi era sembrata la fine del mondo, piangevo, singhiozzavo nel vero senso della parola, come un bebè. Puoi chiederlo a tuo padre; te lo dirà anche lui. Naturalmente non potevo immaginare come sarebbero poi andate le cose: non potevo sapere che si trattava di una fortuna sotto forma di disgrazia.

«Avevo l'abitudine di pregare tutti i giorni, chiedendo l'aiuto di Dio, e quando scoppiò l'incendio, mi misi le mani nei capelli e gridai: "Oh, Dio, perché mi hai fatto questo?" Ma le vie del Signore sono misteriose, lui non si dimentica mai di coloro che si ricordano di lui».

«E i negozi vicini come sono finiti?» chiese Soli. Lui e il suo amico, Jimmy Paymaster, se ne stavano seduti a gambe incrociate sul tappeto persiano. Billy, che all'epoca aveva quattordici anni, piccolo e macilento, sedeva vicino a loro, appoggiato con le spalle al divano.

«Ripararono e ridipinsero i loro locali, come me. Avevano fatto in tempo a portar fuori tutto. Il negozio di giocattoli subì danni molto limitati, comunque. Il sensale era ricco. Si trasferì poi a Mall Road e gli affari gli vanno a gonfie vele».

«E quando hai aperto l'esercizio di Amritsar?» chiese Soli. Faredoon gli scoccò un sorriso: un sorriso speciale, pieno di orgoglio e di ammirazione. La gente diceva che Soli gli somigliava, ma lui capiva che il figlio era più bello di come lui non fosse mai stato.

Facendo una breve pausa, lasciò che i suoi occhi si deliziassero contemplando le lunghe membra dorate, il viso intelligente e le labbra rosate. Soli aveva diciannove anni.

Billy sentì un nodo serrargli la gola, inghiottì silenziosamente e attraverso le lenti puntò lo sguardo risentito sulle piante dei piedi nudi di Faredoon. Osservò una vena blu che pulsava sulla caviglia. Il padre non guardava mai nessuno di loro come guardava Soli.

Billy gettò un'occhiata a Yazdi. Appoggiato contro il muro, le magre lunghissime gambe stese davanti a sé, Yazdi era come al solito perso nel mondo delle sue poetiche fantasie.

«Lasciami vedere, aspetta un momento», disse Freddy. «Mi pare che il magazzino di Amritsar lo abbiamo aperto un anno o due dopo l'incendio. Ah, sì, mi ricordo, lo stesso anno in cui è nato Billy: il 1903. Alcuni anni dopo aprii quello di Peshawar. Quello di Dehli l'avevo avviato un paio di anni prima».

A Faredoon piaceva mettere Soli al corrente degli affari. Il ragazzo dimostrava interesse e aveva voglia di imparare. Essendo il primogenito avrebbe ereditato tutto, e Faredoon ne era felice.

Katy, la più piccola, di appena dieci anni, cinguettò: «Oh, Papà, ti prego, raccontaci della nonna e del cesto!»

Faredoon si passò una mano sui folti capelli brizzolati.

«Chiedilo a tua nonna di raccontartela, una volta o l'altra. Le piace tirar fuori quella storia».

In quel momento Jerbanoo comparve sulla porta, che riempiva tutta con la sua figura. «La cena è pronta», annunciò.

Freddy non fece nemmeno il gesto di alzarsi. Maestosamente appoggiato allo schienale della poltrona, le gambe alte sui braccioli, la fissò intensamente. Le braccia della donna, straripando dalle strette maniche, sembravano due barilotti. Se ne stava, ben piantata e con fare quasi di sfida, avvolta nel sari che le conferiva la sagoma di una colonna larga e tozza. Il viso di Jerbanoo si era un po' afflosciato lungo il contorno della mascella, ma la pelle era rimasta liscia e tesa; le sopracciglia erano come sempre impressionanti.

Lo incitò: «Su, vieni, la cena non può star lì ad aspettare. La roba si raffredderà in tavola, mentre te ne stai lì con le gambe per aria».

Compiacente, Freddy tirò giù i piedi e li infilò nelle pantofole.

«Si stava proprio parlando di te quando sei arrivata. Questo significa che vivrai a lungo, vero?» esclamò Katy.

Freddy si alzò dalla poltrona. Gli altri si sollevarono da terra, rassettandosi i vestiti con le mani.

«Sì, sì, la nonna vivrà in eterno. Non ha nemmeno la metà dei capelli grigi che ho io».

«Questo è vero, ma nessuno di noi può ringiovanire», replicò Jerbanoo, gli occhi malevoli resi astiosi dall'invidia. Freddy infatti sembrava semmai più bello che nei suoi anni giovanili. Sarebbe diventato un affascinante e amabile vegliardo, e nessuno avrebbe mai saputo quanto diabolicamente scaltro, bugiardo e privo di scrupoli egli fosse in realtà.

Capitolo 18

Al primo chiarore dell'alba, Freddy si tirò su a sedere, gettò un'occhiata alla fila di *charpai* scuri nella luce ancora fioca, ciascuno occupato dalla vaga forma d'un corpo. Tutta la famiglia era sprofondata nel sonno. Era una torrida notte di giugno ed erano andati a dormire sul tetto. In cielo c'erano ancora alcune stelle. Il *charpai* di Putli era vicino al suo, più in là c'erano quelli dei cinque figli e in fondo a tutti quello di Jerbanoo.

L'estate dormivano sempre sul tetto, e ogni anno la fila delle brandine si accorciava, pensò Freddy con una dolorosa sensazione di perdita e abbandono. Hutoxi e Ruby si erano sposate. Uno a uno anche gli altri si sarebbero sposati...

Jerbanoo si agitò nel sonno, laggiù, e il *charpai* cigolò risentito.

Freddy sapeva che anche lei aveva passato una notte agitata. L'aria era terribilmente calda e secca. La terrazza rimandava ancora il calore assorbito durante tutto il giorno. Per ben due volte Freddy aveva spruzzato dell'acqua sulle proprie lenzuola. Aveva udito Jerbanoo schizzarsi acqua addosso nel locale della lavanderia e lui, seguendone l'esempio, si era bagnato ed era tornato tutto gocciolante alla brandina. Mentre si lasciava vincere dal sonno, sapeva benissimo che l'aria calda e asciutta avrebbe fatto evaporare l'umidità in pochi minuti.

Freddy se ne stava là in piedi. Era il momento delle preghiere mattutine. Con passi silenziosi, si portò verso le scale e scese in cucina. Aveva sete. La sete dell'estate. Era una sete che si sarebbe placata solo quando l'aria si fosse rinfrescata.

Freddy affondò il bicchiere d'argento nell'orcio di terracotta scura. Il recipiente panciuto era sistemato su uno sgabello. Il domestico riempiva il *matka* alla sera, e al mattino l'acqua era miracolosamente fresca. La porosità della fragile argilla funzionava da frigorifero.

Il bicchiere era deliziosamente fresco nella mano di Freddy. Bevve un lungo avido sorso e quando già gli stava scendendo nella gola si accorse che l'acqua sapeva di sale. Ne prese ancora un sorsetto e se lo fece girare in bocca... Sì, non c'era dubbio, l'acqua era salata.

Freddy sciacquò il bicchiere, riprese di nuovo un po' d'acqua e sentì che era proprio salata. Rimase lì un momento perplesso. Poi sollevò l'orcio e versò l'acqua nel lavandino. Lo riempì con acqua del rubinetto e lo rimise al suo posto sullo sgabello. Ci sarebbero volute delle ore, prima che si raffreddasse un po'.

«Mai sentito un caldo così», osservò Putli durante la prima colazione. «L'acqua nel *makta* è ancora tiepida».

La mattina seguente Freddy si svegliò con una curiosa sensazione di ansia. Sapeva che doveva fare qualcosa... e allora si ricordò. Sgattaiolando senza far rumore, affondò il bicchiere nell'orcio e ne tirò su un poco. Non c'era alcun dubbio! L'acqua era leggermente salata. Si chiese se doveva lasciarla com'era. Certo, almeno era fresca, e il sapore di salmastro era quasi impercettibile... Ma no, era meglio che la cambiasse.

«Ma perché doveva succedere sempre d'estate?» si chiese stizzito. Non potevano scegliere un altro periodo dell'anno per proclamare a tutti che si erano innamorati? Ma ancora pensava che forse si stava sbagliando. Poteva darsi che quel sapore salato l'acqua ce l'avesse per conto suo. Gli conveniva aspettare e stare a vedere.

Per tre mattine la famiglia bevve acqua tiepida.

«Tutti gli altri dicono che i loro *matka* funzionano benissimo. Che cos'ha il nostro che non va bene?» chiese Putli.

Freddy continuò a sorbire il suo tè senza scomporsi.

«Dev'essere colpa di quel benedetto Krishan Ram! Probabilmente si dimentica di riempire il *matka* alla sera e lo riempie alla mattina. Scoprirò subito come stanno le cose», e Putli si precipitò in cucina per sottoporre a interrogatorio lo sfortunato ed esterrefatto servitorello.

Alla quarta mattina, Freddy bevve l'acqua. Era pura, fresca, e di gusto delizioso. Schioccò le labbra per esprimere la sua soddisfazione.

Freddy indugiava sul suo tè. I figli se ne erano andati. Il domestico portò via le stoviglie della colazione e Putli si alzò per seguirlo in cucina.

«Aspetta un minuto», disse Freddy, facendola tornare indietro. Le fece cenno di sedergli vicino.

«Com'era l'acqua oggi?» chiese.

«Buonissima, naturalmente! Non hai sentito che ieri gli ho fatto una bella lavata di capo, a quello sciocco? Ne facesse una di giusta! Macché! Gli devo tenere sempre gli occhi addosso. Non capisco...»

«Lui non c'entra», l'interruppe Faredoon con dolcezza. «L'acqua l'ho cambiata io ogni mattina».

«Tu? Perché?» chiese Putli sconcertata.

«Perché c'era dentro del sale. Per tre mattine era salata e oggi invece era normale».

Mentre pronunciava quelle parole, studiò l'espressione di Putli, con gli scuri occhi sorridenti sotto le palpebre socchiuse.

«Ah!» fece lei, e i suoi lineamenti si sciolsero. «Chi sarà di loro?»

«Chiunque sia, mi piacerebbe tanto che la smettessero di innamorarsi d'estate. Perché non innamorarsi in autunno, in inverno, in primavera? Non sopporto di bere acqua tiepida con questo caldo».

«Già...» ammise Putli soprappensiero. «È il caldo, credo io. Non hanno altro da fare... Mi chiedo chi è», fece, ragionando ad alta voce.

«O è Soli o è Yasmin. Katy e Billy sono troppo giovani, come d'altronde anche Yazdi che ha solo sedici anni, no?»

«Quindici», lo corresse Putli.

«Be', allora rimangono Soli e Yasmin. Soli l'ho visto guardare in una certa maniera una delle figlie di Toddywalla... Lo torchierò io. Tu torchia Yasmin».

Putli fece un cenno d'intesa con la testa. «Sì, ma ti prego di essere garbato. Sai quanto sono timidi a quest'età».

«Non preoccuparti», le garantì Freddy scolando dalla tazza le ultime gocce di tè sciropposo.

I ragazzi tornarono da scuola e Freddy chiamò Soli nel suo ufficio. «Sono a corto di alcuni articoli; vorrei che tu andassi a controllare la scorta degli alcolici», disse porgendo a Soli un mazzo di chiavi.

Soli era pratico. Prese dal cassetto del bancone il registro delle giacenze e scese nel magazzino.

Gli piaceva lavorare nel sotterraneo. L'aria fresca e umida era intrisa dell'odore dolciastro delle cassette di abete, dei sacchi di juta e della paglia da imballaggio. Mischiato a questo, c'era il profumo inebriante ed esotico dei vini e dei liquori fuoriusciti da qualche bottiglia rotta. Contò le cassette, spuntandole a una a una lungo le colonne del libro delle giacenze.

Era lì da una decina di minuti quando sopraggiunse Freddy.

«Ti do una mano», disse.

Padre e figlio rimasero soli insieme nel sotterraneo per un paio di ore.

Dopo cena Freddy chiese a Soli se aveva voglia di accompagnarlo a fare quattro passi.

«Vengo io con te, papà», si offrì subito Yazdi.

«L'ho forse chiesto a te, io? Tu faresti meglio a finire i compiti per scuola». Il tono di Freddy era stato gentile ma deciso.

Quando tornarono dalla passeggiata, Putli era in camera.

«Che mi dici?» gli chiese mettendosi a sedere mentre Freddy si preparava per andare a letto.

117

«Per adesso proprio niente. Insomma, gli ho dato tutte le possibilità di questa terra: prima nel magazzino, poi durante la passeggiata, ma da lui nemmeno un accenno. Ho i miei dubbi, che sia lui».

«Eppure, deve essere lui, perché di sicuro non è Yasmin».

«Ne sei sicura?»

«Be', non potevo farle la domanda chiara e tonda, ma ho parlato del sale nell'acqua, e ho visto che cadeva dalle nuvole. Sono sicura che non è lei. Hai detto qualcosa, voglio dire, hai fatto qualche domanda a Soli per cercare di far luce sulla faccenda?»

«No, ma ha avuto tutto il tempo che voleva per fare almeno un tentativo, se aveva qualcosa da dire».

«Ecco, lo vedi, non basta! Soli magari dà l'impressione di essere disinvolto, e invece è timidissimo. Proprio come te, a pensarci bene. Tu devi cercare di farlo aprire un po' per volta, con delicatezza. Qualche domanda vaga, che accenni all'argomento. Raccontagli di noi. Sai cosa voglio dire...»

«Ci riprovo domani», acconsentì Freddy.

Putli prese la lampada e salirono insieme. L'elettricità era stata appena introdotta a Lahore, ma la terrazza e la scala che vi conduceva non erano state ancora collegate.

I ragazzi e Jerbanoo stavano già dormendo. Freddy si stese sulla brandina, abbassò la fiamma della lampada, ne tolse il tubo di vetro e strinse il lucignolo tra le dita.

La notte era umida, il che voleva dire che le piogge monsoniche sarebbero arrivate prima del previsto.

«Arriverà presto la pioggia», sussurrò lui.

«St! Svegli i ragazzi», sibilò Putli interrompendolo.

Freddy alzò gli occhi verso il cielo. Le stelle sembravano essersi allontanate, velate com'erano da leggere nubi. «Proprio così», pensò. «Pioverà presto».

Intanto cercava di riandare con la mente alle sensazioni che si provano a diciannove anni. Un'età, gli sembrò all'improvviso, distante come le stelle.

Capitolo 19

Prima di cena si raccolsero tutti nel soggiorno intorno a Faredoon. Da come lui si lasciò andare nella poltrona, capirono che era nella giusta disposizione di spirito per mettersi a raccontare. Il ventilatore elettrico ronzava a strappi e scossoni sulle loro teste e faceva circolare l'aria stagnante, per consentir loro di respirare. Le finestre aperte erano protette da reti di garza per evitare che entrassero zanzare, mosche e moscerini. Freddy indossava solo il *pajama* e la *sudreh*, la camiciola di ruvida mussola, dalla scollatura a V e senza maniche, sulla quale gli stringevano la vita i tre giri del filo sacro. Mentre prendeva posto sulla sedia sotto la ventola, Billy osservò meravigliato la muscolatura possente e la pelle liscia delle spalle e delle braccia del padre; si chiese, amareggiato, perché mai la peluria sul suo petto fosse così rada. Proprio quella mattina un suo compagno di scuola gli aveva detto che gli uomini privi di peli sul petto sono uomini senza cuore. Meno male che suo padre ne aveva almeno un po'. All'improvviso si riscosse, accorgendosi che lui aveva già incominciato a parlare. Si sporse in avanti per non perdere nemmeno una parola.

Faredoon stava dicendo: «Ora vi racconterò come sono andate le cose quando mi sono sposato.

«Mia madre morì quando io avevo quattordici anni. Mio padre all'epoca era intorno ai quarantacinque. La mia sorellina più piccola aveva solo cinque giorni. C'erano altre due sorelle, tutt'e due più piccole di me.

«Quando ebbi l'età che ha adesso Soli, tra i diciotto e i diciannove anni, non so che cosa accadde a mio padre. All'improvviso incominciò a dire che aveva troppa paura di andare al lavoro in bicicletta, troppa paura di trattare con i suoi superiori e colleghi, persino troppa paura di uscire di casa dopo ch'era tramontato il sole. In poche parole non si sentiva più in grado di provvedere alla famiglia! Essendo io il primo e unico maschio, tutto il peso ricadde all'improvviso sulle mie spalle. Mi trovai un lavoro nella piantagione di noci di cocco in cui aveva lavorato mio padre. Nel giro di due anni fui promosso caposquadra.

«Quell'anno si sposò la maggiore delle mie sorelle. Non eravamo ricchi, ma non ci mancava il necessario per vivere decorosamente. Io avevo vent'anni, il lavoro andava bene, ero in grado di mantenere la famiglia, e pronto per il matrimonio. Il sangue pulsava forte nelle mie vene, e pulsando mi comandava solo una cosa. Sposati, sposati, sposati. Oh, Dio, dammi una donna!

«Mia sorella litigò col marito e si trasferì in casa nostra per alcuni giorni. Io pensai: "Ecco il mio momento!" E ogni mattina, per tre giorni, gettai un pugnetto di sale nell'acqua da bere.

«Rimasi quindi in attesa.

«Nessuno mi venne a interpellare. Né mia sorella né mio padre. Non accadde nulla.

«Mia sorella tornò dal marito e un mese dopo mio padre gettò lì qualche frase per farmi capire che il mio proposito di sposarmi era assurdo. Riuscivamo a malapena a sbarcare il lunario, disse. Per fortuna che la figlia era tornata dal marito, aggiunse, perché era impossibile continuare a sfamare un'altra bocca! E le doti delle altre due figlie? Dovevo pensare anche a queste!

«Capivo la situazione, ma ero al colmo dell'infelicità. Avevo delle esigenze che si facevano sentire in modo impellente. Me la cavavo come potevo, facendo tutto da solo». Freddy abbassò gli occhi, ridacchiando sotto i baffi.

Soli sorrise, le labbra rosate, con un'espressione di complicità. Yazdi arrossì, il marito di Hutoxi e Jimmy Paymaster (il figlio del conducente di treni, che spesso andava a trovarli) ridacchiarono. Billy non colse nemmeno l'allusione. Lui e le sorelle stavano lì a guardare quelli che ridevano, senza capirne il perché. Quando Katy gettò un'occhiata al fratello per riceverne lumi, lui atteggiò la faccia a un'aria di superiorità e fece un cenno con la testa per dirle che le avrebbe spiegato tutto in seguito.

«Due anni dopo, quando si sposò la seconda delle sorelle, ci riprovai, ma la mia famiglia era troppo ben abituata a vedermi scapolo e a far conto sul mio stipendio. Erano come le tre famose scimmie sagge: non vedo, non sento, non parlo. Ma io ero ridotto al punto che mi innamoravo di tutte le donne del paese, sposate, non sposate, vecchie e giovani. Al riparo di un arbusto di mango, vicino al pozzo del paese, le guardavo passare: una processione di *hury*, le brocche in equilibrio sulla testa o sulle anche ondeggianti. Mi facevano impazzire.

«La maggiore delle mie sorelle litigò di nuovo col marito e ancora una volta si installò da noi coi bambini. Pochi giorni dopo la raggiunse il marito. Mi trovai a dover dare una mano anche al loro mantenimento.

«A ventidue anni non riuscivo più a sopportare la mia condizione di scapolo – Ahura Mazda si compiace più di un uomo sposato che non di uno scapolo – e così una sera portai a casa un sacco con cinque chili di sale. Lo nascosi in camera mia e ogni mattina gettavo un pugno di sale nell'acqua da bere. Quando tornavo a casa per il pranzo ne versavo ancora un po', e poi di nuovo alla sera, e ancora di notte. Non appena cambiavano acqua, io ci gettavo dentro il sale. Al diavolo, che secondo la tradizione lo si dovesse fare per tre giorni, pensavo, e continuai a buttarne dentro fin quando la famiglia, stufa di bere acqua salata, finalmente cedette. Fu la maggiore delle mie sorelle a venire sull'argomento.

«"Frediii, mi pare di aver sentito sapore di sale nell'acqua, stamattina!" disse, timida e accattivante come un gattino.

«Sapore di sale, lo chiamava lei! Ne avevano ingollato chili, di sale, in venti giorni! Gli trasudava da tutto il corpo. Le vedevo la peluria sul labbro superiore, là dove si seccava il sudore, tutta bianca di salmastro. I suoi bambini se ne andavano in giro col sale che brillava cristallizzato sui visi malaticci. E lei aveva sentito sapore di sale, quella mattina!

«"Ma davvero?" le chiesi. "E adesso che hai sentito quel sapore, che cosa pensi di fare?"

«Fu allora che propose quella che poi divenne vostra madre. Io fui d'accordo. La vidi solo una volta prima del matrimonio. Non m'interessava con chi mi sposavo, a patto che fosse giovane, beneducata e di aspetto almeno accettabile. Ma vostra madre era bella: una delle ragazze più affascinanti che andavano a prendere acqua con le brocche, velata come si addice a una giovane per bene. Io traboccavo d'amore, e mi innamorai pazzamente».

La voce cadenzata di Freddy era densa e dolce come il miele.

Putli attraversò il soggiorno per recarsi nel retro della casa e Freddy tacque, seguendola con gli occhi velati mentre passava. Era ancora diritta e sottile come un giunco, ma aveva anche un che di secco e angoloso, tipico delle donne di mezz'età, in corrispondenza dei gomiti, delle spalle e dei fianchi.

Il viso piccolo e triangolare, dagli zigomi alti, era leggermente segnato da piccoli solchi. I capelli invece erano neri come il carbone.

Putli scomparve in una porta laterale e Faredoon disse: «Ha un'aria severa, vero? Ma si tratta solo di un'impressione. In lei non c'è astuzia, non c'è pettegolezzo, non c'è malignità. È sincera e retta. Ha un cuore così tenero! Fa apposta a metter su quell'espressione, solo per difendersi. Apprezzo questo in lei, la sua bontà. Le voglio sempre più bene. È il mio unico e solo amore. L'immagine della sua bellezza è stampata nel mio cuore. Ma non glielo posso dire. Reagirebbe invitandomi a non dire stupidaggini come un bambino sciocco.

«Per tornare alla storia, fu allora che mi resi conto che ciascuno deve tener conto dei propri bisogni! In questo modo sicuramente non si sbaglia! La mia famiglia mi stava sfruttando, e io mettevo a tacere i miei bisogni. Ma Dio ha fatto dell'uomo una creatura piena di desideri, e soddisfare questi desideri porta gioia, quella gioia che è la forza motrice, l'essenza della vita. Un uomo del genere segue il divino Sentiero di Asha. Mentre un uomo insoddisfatto è solo fonte di guai! Così parlò Zaratustra!» sospirò Faredoon, compiacendosi dell'effetto che faceva a citare il titolo del libro di Nietzsche. Se quel libro lo avesse letto, si sarebbe battuto per far sapere a tutti che i suoi asserti filosofici non erano i medesimi di Zaratustra!

«Fui infelice fin quando non mi feci valere, e in definitiva la mia decisione tornò a beneficio di tutti. Rimasi con loro un anno, fin quando nacque Hutoxi. Dopo, non diedi più denaro: il marito di mia sorella riacquistò la stima in se stesso quando incominciò a pensare alla propria famiglia. Mia sorella era più felice. E allora mi misi in viaggio per Lahore.

«Ecco come sono andate le cose, a proposito del mio matrimonio».

Capitolo 20

Dopo cena, Faredoon e Soli uscirono a far quattro passi. L'aria era un po' più fresca e prometteva la pioggia. Il cielo era una coltre nera, trapunta di forellini d'argento brunito.

«Ti è piaciuta la storia?» chiese Freddy.

«Sì», rispose Soli.

«E allora?» chiese Freddy fermandosi sotto un fanale a gas. Il figlio era alto come lui, tanto che Freddy poteva scrutarne bene gli occhi. La strada era deserta.

Soli era palesemente imbarazzato. Il padre lo fissava aspettandosi di sentirlo gettare un grido di gioia e dargli una manata sulle spalle. Soli invece distolse da lui gli occhi sorpresi e non proferì parola. Aveva ragione Putli. Il ragazzo era timido. «E allora?» lo incoraggiò di nuovo Faredoon.

E allora che cosa? Pensava Soli, incominciando a sospettare che tra di loro ci fosse un malinteso. «Molto bella come storia», disse con poca convinzione.

«Non era questo che volevo dire», fece Faredoon riprendendo a camminare. Decise di prenderlo da un altro verso.

«Ti ho visto guardare qualche ragazza. La figlia dei Toddywalla è graziosa, vero?»

«Sì, è proprio OK. Anche le ragazze Cooper sono molto carine. Hai visto Shireen Bottliwalla? A vederla così non sembra chissà che, ma ha una voce splendida. Canta deliziosamente», aggiunse Soli collaborativo, per tener su la conversazione fino a quando il padre non si fosse deciso ad arrivare al punto.

«Ma qual è che ti piace di più?»

«Mi piacciono tutte», sospirò Soli con entusiasmo imparziale.

«Mica le puoi sposare tutte, però!»

Eccoci, allora, siamo finalmente arrivati al punto!

«Non credo di essere in grado di prendere decisioni, al momento», disse. «E allora, chi è che ha messo l'acqua nel sale, cioè voglio dire il sale nell'acqua?» chiese Freddy.

Ah, di questo si trattava! Incominciò a spiegarsi lo strano comportamento del padre in quegli ultimi giorni. «Io no», rise. «Non me ne sono nemmeno accorto, che c'era sale nell'acqua».

«E non è stata nemmeno Yasmin. Chi può essere stato, mi chiedo. A meno che non sia stata tua nonna!» esclamò Freddy, ridacchiando tutto divertito alla maliziosa ipotesi.

La bocca di Soli si allargò in un grande sorriso affettuoso. I suoi occhi scintillarono e si mise a ridere: una cascata di allegria giovanile. «Questa sì, che è bella! Ma sta' attento a non farti sentire dalla nonna!»

L'occasione era troppo bella per lasciarsela sfuggire.

Jerbanoo, Putli e Freddy erano seduti a tavola per la prima colazione.

Freddy aveva raccolto il consiglio di famiglia e ora le due donne lo fissavano con occhi eccitati e impazienti.

Putli aveva già riferito la faccenda a Jerbanoo. Il sale nell'acqua aveva un significato troppo importante per lasciar passare la faccenda sotto silenzio. Jerbanoo si sarebbe offesa a morte se non fosse stata messa al corrente.

Faredoon si schiarì la gola.

L'impazienza delle donne montava sempre più.

«Lo sai che qualcuno ha messo il sale nell'acqua?»

Jerbanoo annuì solennemente. «Me l'ha detto Putli».

Freddy si rivolse a Putli: «E tu sei sicura che non è stata Yasmin?»

«Proprio così».

«Ebbene, non è stato nemmeno Soli».

«Ah!» esclamarono a una voce le donne.

Freddy lisciò la tavola con una mano, spazzando via distrattamente qualche briciola. «A questo punto posso pensare solo a una persona».

Putli e Jerbanoo lo incoraggiarono con gli sguardi.

Faredoon alzò gli occhi fissandoli in quelli di Jerbanoo.

«Non menerò il can per l'aia. Qui siamo tutti adulti... e nessuno di noi deve essere timido o imbarazzato. Sei stata tu a mettere il sale nell'acqua?»

Jerbanoo gorgogliò, emise versi strozzati, e fissò Faredoon con occhi increduli. Putli, al colmo dello stupore, si volse a fissare la madre. La mascella di Jerbanoo tremava come azionata dalla corrente elettrica.

«Allora?» insisté Freddy.

«Come osi! Alla mia età! Sei uno svergognato! Uno svergognato e basta!» riuscì a balbettare.

«Ti ho solo fatto una domanda pura e semplice. L'hai messo tu o no, il sale nell'acqua? Io voglio solo una pura e semplice risposta».

«No! No! No!» esclamò Jerbanoo con voce acutissima.

«Ma Faredoon! Come hai potuto!» protestò Putli.

«Ascolta! Mi hai chiesto di scoprire chi era, sì o no? Soli non è stato, non è stata Yasmin: perché non potrebbe essere stata tua madre? E se si fosse innamorata dell'irlandese che l'ha tirata fuori dalle fiamme? Cosa vuoi che sappia io?»

«Comportati come si deve!» fece Putli.

«Che cosa vuoi dire? Che cosa credi che stia facendo? Faccio una domanda logica, mi aspetto semplicemente un "sì" o un "no", mentre tu ti metti a sbraitare come una pescivendola e dai in escandescenze. Dunque, non è stata tua madre. Questo è quello che volevo sapere!»

«Ti conviene andare al lavoro. Sono quasi le otto e mezzo». Putli spinse indietro la propria sedia. Jerbanoo si alzò.

«Bene, bene! Se la prendete in questa maniera, io me ne lavo le mani. Vedete un po' voi di scoprire la verità», gridò Faredoon dietro le due donne che si allontanavano sdegnate. Faredoon scese a rompicollo le scale, un grande sorriso da monello gli illuminava il volto dagli splendidi lineamenti.

Capitolo 21

Una processione di visitatori passava quotidianamente per il negozio di Faredoon, che aveva trasformato uno dei locali in ufficio privato. Quando non era impegnato a servire personalmente i clienti (cosa che ormai faceva ben di rado) se ne stava seduto là dentro, tutto preso dalle carte relative ai negozi di Peshawar, Amritsar e Dehli. Le visite continuavano a interrompere il suo lavoro.

Quella mattina, in attesa di conferire con Freddy, c'era un sikh, funzionario di polizia. Era un omone con i capelli lunghi come le donne, nascosti sotto le eleganti volute del turbante cachi. La barba nera si divideva in due bande che si allargavano superbamente ai lati del viso dalla pelle scura. Non appena Freddy entrò nella stanza, il sikh si alzò di scatto e si inchinò.

«Come sta, amico carissimo?» lo salutò Freddy con voce tonante, afferrando la mano del funzionario tra le proprie e portandosele alla fronte. Dall'uomo esalava l'odore dello yogurt con cui si era lavato i capelli e la barba. «Va' a prendere il tè per Sunder Singh *sahib*», ordinò Freddy all'impiegato seduto a un tavolino in un angolo della stanza.

Harilal, vecchio, piccolo e tutto nervi, si tolse gli occhiali da lettura e li infilò nel taschino della giacca. Uscì dalla stanza con l'aria sollecita di una padrona di casa abituata a ricevere visite.

Il funzionario di polizia si sedette, aggiustandosi un po' imbarazzato la bandoliera sulla camicia cachi. Freddy conosceva i sintomi. Si chiedeva di che cosa potesse aver bisogno l'uomo.

Dopo i convenevoli, appoggiando i gomiti sul tavolo e sorbendo il tè dal piattino, l'uomo tirò fuori il suo problema.

«Ci sarebbe una faccenduola, Sir... ma chissà se posso permettermi di disturbarla».

Freddy lo fissò con uno sguardo benevolo. «Dica, dica pure».

«Vorrei che mio figlio venisse ammesso nell'istituto Sant'Antonio. Sa come vanno le cose... i fratelli non hanno tempo per un povero dipendente della polizia».

«Ma si figuri! Lo ritenga già fatto! I fratelli sono miei buoni amici... A Natale mando loro sempre un cestino. Nient'altro?»

«Gliene sarò molto grato, Sir. Vorrei proprio che mio figlio studiasse in un istituto inglese».

Harilal entrò. «C'è qui il figlio di Mr. Paymaster che vorrebbe parlarle, *sahib*».

«Dì a quel lazzarone di aspettare», gli ordinò Freddy.

Il sikh si alzò, diffondendo una zaffata di odore di yogurt fino al di là del tavolo. «Non le voglio far perdere tempo».

Freddy girò intorno al tavolo e mise un braccio sulle spalle del visitatore. Mentre andavano verso la porta, disse con una vocetta melliflua: «C'è un ragazzotto qui fuori che mi aspetta. Me n'ero completamente dimenticato... È un ragazzo ammodo, per la verità, ma sa come sono i giovani. Ora s'è messo in un pasticcio. Due o tre sere fa è stato pizzicato in un bordello, nel corso d'una retata, e quel merlo non ha pensato bene di suonarle a uno dei *sepoy*? È figlio di miei parenti, loro sperano che io possa fare qualcosa per lui. Crede di poter aggiustare lei la faccenda?»

«Ma come no? Gli dica di venirmi a trovare nella *thana* domani mattina».

«La ringrazio, eccellenza. Farò come dice lei. Ma non gli faccia credere che si tratti d'una bazzecola, altrimenti il giovane Mr. Paymaster non imparerà la lezione».

Freddy accompagnò il sikh fino all'uscita.

Harilal li seguiva recando un pacchetto avvolto in carta scura. Mentre il funzionario di polizia si inginocchiava ad aprire il lucchetto della bicicletta, Freddy infilò l'involto nel portapacchi.

«Ma perché deve disturbarsi? Lei non mi fa mai andar via a mani vuote».

«Ma che disturbo! Una cosetta per i bambini», disse Freddy con un sorriso.

Dopo che se ne fu andato anche Jimmy Paymaster, Freddy si mise a compilare un ordine a una ditta inglese di una partita di bigiotteria per il negozio di Peshawar.

Mentre stava ancora scrivendo la lettera, entrò Mr. Charles P. Allen, con un cordiale «Salve, carissimo», e con l'accattivante bagliore d'un tratto di cosce rossastre.

«Egregio signore! Egregio signore! Egregio signore!» esclamò Freddy, scattando in piedi e andandogli incontro a passi quasi di danza. Era sinceramente felice di vedere quell'orso d'uomo dal mite volto ben rasato e dal color rosa acceso. Mr. Allen sfoggiava l'abbigliamento che portava ormai da quindici estati con indefessa costanza: camicia grigia dalle maniche corte e il colletto sbottonato, pantaloncini di ruvida tela bianca tenuti su da bretelle d'elastico e, sebbene la temperatura superasse i 45° all'ombra, spessi calzettoni grigi di lana pura, rimboccati al ginocchio in un voluminoso rotolo. Tra le calze e l'orlo dei pantaloncini faceva bella mostra di sé un tratto di coscia percorsa da vene e fitta di peli ricci.

Investito da quel fuoco di fila di appellativi onorifici, "Egregio signore", "Eccellenza" e "Eminenza", riversati su di lui da Freddy, prima si era schernito e poi si era rassegnato all'incorreggibile perseveranza dell'amico, consapevole che era semplicemente una dimostrazione del desiderio di fargli piacere. Non si era mai abituato al potere e al prestigio che gli erano stati inaspettatamente conferiti dalla sua carriera di funzionario civile inglese in India.

Mr. Allen si tolse il casco, scoprendo una tonda massa di capelli biondo-rossicci tagliati corti, e prese posto sulla sedia offertagli da Freddy. Quest'ultimo portò la propria vicino a quella dell'inglese, chiedendo: «Qual buon vento ha portato Sua eccellenza a Lahore per farmi questa graditissima sorpresa?»

«Sto andando a salutare la Memsahib, che è già a Karachi. La nave parte giovedì. Ho pensato di fermarmi a Lahore un giorno per venire qui a darle un salutino. Devo prendere il treno domani mattina presto».

«Viene a Lahore dopo tanti anni e si ferma solo un giorno? Non glielo permetterò! Lo dirò io, al Presidente delle Ferrovie, di non far partire il suo treno prima di sera. È un mio amico».

«E lui lo farà, la conosco io!» fece sogghignando l'inglese, gli occhietti azzurri scintillanti come gemme. «Ma devo ripartire domani mattina, altrimenti la Memsahib mi correrà dietro con la scopa!»

«Va bene, allora. Faremo festa, una bella festa, stasera, per celebrare la sua visita», disse Freddy. «Lei occupa un posto speciale nel mio cuore». Quel posto era stato occupato allorché Freddy aveva guarito, con una speciale mistura medicamentosa, l'impotenza dell'amico, ed era stato ricompensato con un'esclusiva per il commercio nell'Afghanistan.

Freddy fece un cenno a Harilal, che intanto se ne era rimasto in disparte in attesa, il viso improntato a gioia e ossequio. «Va' a vedere se trovi Alla Ditta. Dovrebbe essere nel suo negozio di *biri* o al bazar. Portamelo qua».

Harilal partì di corsa, servizievole al massimo.

«Dov'è ora di stanza?» chiese Freddy.

«A Bihar. Vicecommissario. Un posto maledettamente noioso».

«E come sta il mio principino?»

«Peter? È in Inghilterra. È proprio un *pakka sahib*, ormai».

«E la mia principessina dai capelli d'oro?»

«Va via anche lei con la madre. Non la riconoscerebbe nemmeno Barbara, se la vedesse adesso. Ha tredici anni. Una grande monella, che tormenta sempre il vecchio giardiniere indù... non fa che rincorrerlo per portargli via il *dhoti.* Se lo vedesse, quel poveretto! Si stringe addosso il suo straccetto come se fosse una cintura di castità o roba del genere. La Memsahib spera che una scuola inglese la possa rimettere in riga».

Harilal fece entrare Alla Ditta. Il vetturino-ruffiano si inchinò, diffondendo nella stanza un puzzo misto di sudore e aglio. Era un uomo di media statura con un torace immenso e un pancione tondo e teso che sporgeva sotto la camicia come una bomba. Nonostante il *lungi* sudicio che gli copriva le gambe, la sua carne straripante aveva un che di osceno. La testa dai capelli rasati era segnata da cicatrici più chiare. Ora se ne stava lì, impudente e impettito, quasi si trovasse davanti a suoi pari.

«Allora, vecchio manigoldo?» lo apostrofò Freddy con tono cordiale. «È da un pezzo che non ti vedo. Dove le nascondi le belle ragazze?»

«Al suo servizio, *hazur*», fece il magnaccia.

«Il mio caro amico Allen *sahib* si ferma qui solo stanotte. Voglio che gli organizzi un bel festino all'Hira Mandi. Deve venir fuori una serata memorabile. Ragazze super, ricordatelo. Io porterò lo scotch. E devono essere ballerine e cantanti di prima qualità, mica come quella che mi hai tirato fuori l'altra volta, che cantava come le ruote della tua carrozza».

«Procurerò le migliori che sono sulla piazza», promise Alla Ditta con una sicumera che ricordò a Freddy il tempo in cui lo aveva ingaggiato per le corse notturne al magazzino in previsione dell'incendio. Era stato subito convinto dall'aria determinata del giovane, e lo aveva sperimentato come valido e affidabile anche in tutti gli anni seguenti. Si accordarono sull'ora. Alla Ditta si inchinò e uscì con fare borioso dalla stanza.

Mr. Allen e Freddy si intrattennero a chiacchierare per un'ora. Quando Mr. Allen si alzò, mostrando quei tratti nudi di coscia muscolosa, Freddy lo accompagnò al *tonga* di piazza. Mr. Allen ordinò al *tongawalla* di portarlo al Nedous Hotel.

Capitolo 22

Dopo aver dato ordine ad Harilal di badare a che nessuno lo disturbasse, Freddy sbrigò una marea di pratiche, lavorando senza sosta per tutto il pomeriggio.

Intorno alle cinque, Harilal condusse Yazdi alla presenza di Freddy.

«Sì, Yazdi?» fece Freddy senza quasi sollevare gli occhi dalla lettera che stava leggendo. «Siediti».

Yazdi si sedette, intimidito. Freddy sollevò lo sguardo. Il ragazzo appariva teso come una corda di violino e i suoi occhi incantati luccicavano in modo inquietante.

«Voglio sposarmi, papà», disse sostenendo con fermezza lo sguardo di Freddy.

«Avrei dovuto immaginarlo!» esclamò Freddy battendosi una mano sulla fronte, con un ironico gesto di autoaccusa.

Yazdi avvampò, pensando a tutte le volte che aveva tentato di trovarsi da solo a solo col padre, mentre Faredoon cercava la compagnia di Soli.

«Non credi di essere troppo giovane per prendere una decisione? Hai solo quindici anni, a quanto mi dice tua madre. Come faresti a mantenere una moglie?» Yazdi rimaneva con la bocca ostinatamente serrata. «E allora, chi sarebbe la fortunata prescelta?» indagò Freddy, sperando di ingraziarsi la benevolenza del figlio mostrando un minimo di interesse. Lui sapeva che la storia non poteva avere futuro, e se quell'amore di adolescente avesse resistito al tempo – almeno quattro anni nel caso di Yazdi – allora avrebbero potuto sposarsi. Non c'era nulla in contrario.

«E allora, chi è lei?» ripeté Freddy puntando i gomiti sul tavolo e sporgendosi in avanti, uno sguardo divertito negli

occhi dalle palpebre socchiuse. «È una che conosciamo?»
«No, tu non la conosci. È una ragazza della mia scuola. Si chiama Rosy Watson».

Freddy fu colto di sorpresa. I suoi lineamenti si contrassero visibilmente. «Che razza di nome è questo? Non conosco nessun parsi che si chiami Watson».

«Non è parsi. È anglo-indiana».

Erano ambedue pallidi come muri tirati a calce.

«Vieni qua», gli ordinò Freddy con una voce insolita e aspra.

Il volto gli si contrasse in una smorfia incontrollabile. Yazdi girò intorno al tavolo e rimase in piedi davanti al padre. Freddy si alzò dalla sedia. Puntò sul figlio uno sguardo calmo e deciso. Yazdi sentì il proprio corpo magro e nervoso ritrarsi con uno scarto involontario. E tuttavia non retrocesse d'un centimetro. Freddy alzò fulmineo il braccio e stampò un manrovescio sul volto del figlio. Il ragazzo rinculò vacillando.

«E tu hai la faccia tosta di venire a dirmi che vuoi sposare un'anglo-indiana? Esci dalla mia vista! Vattene!»

Trattenendo disperatamente le lacrime che gli erano montate agli occhi, Yazdi uscì dalla stanza. Freddy si accasciò sulla sedia come svuotato d'ogni forza. Le mani gli tremavano. Era la prima volta che picchiava uno dei suoi figli.

Putli stava servendo il tè a Freddy. Salatini, dolcetti di lenticchie e pane e burro erano già sul tavolo. Ora aveva sotto di lei uno stuolo di servitori, una coppia con un figlio e una nuora, ma non si decideva ad affidare ad altri i piccoli servizi al marito e ai figli. Si alzava allo spuntare dell'alba e diffondeva per la casa le salmodie sacre. Cantava con un gioia convinta, invitando gli spiriti della prosperità e della buona salute a proteggere la sua famiglia. Poi, si metteva a decorare i pianerottoli con piccole sagome di pesci e le porte di accesso con ghirlande di fiori freschi: simboli propiziatori della buona fortuna.

Non sopportando di vedere i domestici con le mani in mano, li teneva sempre occupati. La casa veniva pulita da cima a fondo tutti i giorni. Battevano i tappeti, sfregavano i muri, spostavano i mobili e grattavano i pavimenti con acqua e sapone fin quando splendevano come porcellane di Dresda. I pavimenti di mattoni erano stati già da tempo sostituiti con mattonelle smaltate disposte a formare motivi floreali. Putli controllava alacremente tutto il lavoro, e quando la quotidiana sfacchinata delle grandi pulizie era terminata, si chiudeva in cucina a preparare piatti prelibati. I servitori tagliavano le cipolle, pelavano le verdure, macinavano le spezie e impastavano la farina. A Putli non restava che mettere insieme gli ingredienti e rimestarli durante la cottura. Instancabile, si inventava i lavori, fino al punto di lavare le patate e i pomodori col sapone. I momenti di tregua venivano dedicati alla confezione di *kusti*. Filava la bianca lana di agnello in settantadue sottili fili e li tesseva in stretti lunghi nastri tubolari. Il nastro veniva rivoltato e lavato secondo le regole prescritte. I bellissimi *kusti* da lei confezionati erano molto richiesti non solo a Lahore ma anche a Karachi. Le occasioni che le procuravano più orgoglio erano le cerimonie Navjote, nel corso delle quali i figli venivano iniziati alla religione zoroastriana: indossando i simboli esteriori della loro confessione – la *sudreh* e il *kusti* – essi erano ammessi a servire il Signore della Vita e della Saggezza.

La libertà di fare la propria scelta è un elemento cardinale nell'insegnamento di Zaratustra. Nascere da genitori zoroastriani non vuole dire, per il bambino, essere considerato zoroastriano finché non ne ha espressamente abbracciato la religione, proprio con la cerimonia Navjote. Dice Zaratustra nelle Gatha:

Porgete l'orecchio alle Grandi Verità. Affondate lo sguardo con mente illuminata (letteralmente: mente fiammeggiante) nella fede che volontariamente sceglierete, uno per uno, *ciascuno per sé*.

E questa libertà di scelta vale anche, più generalmente, per il Bene e per il Male, che sono elementi intrinseci di Dio medesimo. Il Male è necessario perché il Bene possa trionfare. Ma il Male di per sé non esiste, esso è relativo, nel senso che dipende dalla distanza da Dio in cui si trova ciascuno nel Sentiero di Asha, l'Eterna Verità, il grandioso progetto cosmico di Dio.

Putli era seduta a tavola davanti a Freddy e, quando lui stava per passare alla seconda tazza di tè, chiese: «Che cos'ha Yazdi? Deve essere venuto giù da te, e quando è tornato di sopra aveva la faccia in fiamme e stravolta. Si è chiuso in camera e ora non vuole aprire a nessuno. Non capisco che cosa gli sia capitato. È forse successo qualcosa tra voi due?»

«Sì, gli ho dato un ceffone».

«Ah!» fece Putli con voce strozzata, grave e quasi incredula.

«Quel pazzo scimunito vuole sposare un'anglo-indiana!»

Putli si sbiancò in volto. Non proferì parola. Sapeva che Freddy le avrebbe dato altri particolari più tardi, prima di andare a letto. Ordinò alla domestica di portare un'altra tazza di tè. Poi si mise a parlare di cose correnti, di piccoli problemi domestici, e sciorinò la sua sfilza quotidiana di lamentele sulla servitù. Quando Freddy si fu ricomposto, cautamente si azzardò a dire: «Hai fatto bene a suonargliele, a Yazdi, ma questo non serve a insegnargli come comportarsi. Sarebbe stato meglio se fossi stato un po' con lui a discutere la faccenda...»

«Ci avevo già pensato», confessò Freddy, intingendo delicatamente dei biscotti nel tè. «Ora lasciami finire il tè».

Freddy bussò alla porta. «Sono io», disse.

I ragazzi erano stati educati all'obbedienza, più per amore e per quel radicato senso di rispetto caratteristico della loro tradizione che non per l'atteggiamento autoritario di Freddy. Poteva avvenire che i ragazzi opponessero qualche resistenza alla madre, ma mai al padre.

Yazdi gli andò subito ad aprire. Il viso delicato aveva un'espressione cupa, le palpebre e le labbra erano tumefatte e rosse di pianto.

Freddy avvertì una dolorosa fitta di rimorso. Attirò e strinse al petto il corpo esile del ragazzo, gli baciò le palpebre gonfie, e lo trascinò quasi di peso verso il letto. Seduti fianco a fianco, il suo braccio intorno alle ossute spalle del figlio, cercò con dolcezza di indurlo a parlare. In breve, gli cavò fuori tutta la storia.

Yazdi, unico tra i fratelli, frequentava una scuola mista. Essendo straordinariamente sensibile e gracile sin dall'infanzia, Putli aveva avuto paura di saperlo in mezzo ai ragazzetti scatenati dell'istituto Sant'Antonio. In seguito, pensava, lo avrebbe passato alla scuola dei maschi, ma quando giunse il momento, lei persuase Freddy a lasciarlo dov'era. I modi gentili e l'innata dolcezza avevano reso Yazdi quanto mai gradito agli insegnanti. E lui in classe si trovava a suo agio con le bambine, la cui compagnia gli era più gradita di quella dei maschi.

Rosy Watson era stata con lui fin dall'asilo. Era una bambina tutta pelle e ossa, di umore cupo e solitario, tanto che lui era riuscito a conoscerla un po' solo l'anno precedente. C'era in lei una specie di ritrosia misteriosa e inquietante che gli ispirava pietà. Non aveva amiche. Durante la ricreazione spesso erano i ragazzi più grandi a intrattenersi con lei, che in quelle occasioni si mostrava disinvolta e stranamente sicura di sé, a differenza delle sue coetanee che si mettevano a ridacchiare nervosamente. Yazdi era affascinato dal suo modo di fare così composto. Sembrava che fosse stata iniziata a gravi riti di adulti, che conferivano al suo corpo esile un che di languido e davano al suo viso l'aspetto di una maschera mesta e pensierosa.

Yazdi ne sollecitò l'amicizia con piccole attenzioni e complicità. Si allontanò dagli altri amici e cercò di addentrarsi nello squallido mondo della sua solitudine. In classe prese posto vicino a lei e atteggiava il proprio viso a espressioni che si accordassero col suo freddo distacco. Nell'intervallo passeggiava con lei, e con lei divideva il panino della merenda. A poco a poco la ritrosia della fanciulla si ammorbidì. Rispondendo alla simpatia che percepiva in lui, gli offrì la sua amicizia, le sue amare, infelici confidenze. Parlava a Yazdi dell'odiosa matrigna, dei malevoli fratellastri. Ogni giorno aveva da raccontargli un'altra storia di dolore. Lui capì che per la prima volta nella sua vita coglieva qualche immagine delle tristezze del mondo. Traboccava di compassione.

Capiva che la fanciulla gli consentiva di gettare lo sguardo, attraverso una specie di eccezionale buco di serratura, sul mondo dell'infelicità.

Il loro rapporto si era trasformato circa un mese prima, quando lei era tornata a scuola dopo un'assenza di quattro giorni. Aveva le occhiaie nere, e il piccolo volto esangue, serrato tra le due pesanti bande dei capelli lisci, era gonfio. Durante la ricreazione si appartarono nel loro cantuccio, un angolino erboso all'ombra della siepe e degli alberi, dietro la cappella del collegio. Lei si mise a singhiozzare, in preda alla disperazione. A maltrattarla non era solo la matrigna ma persino il padre. L'avevano chiusa in camera senza darle da mangiare e da bere, legata al letto. Avevano fatto entrare nella sua camera uomini d'ogni genere. Yazdi pensò che questo fosse un modo per umiliarla ulteriormente, non indagò su quale fosse stata la causa di tale punizione. La causa immediata era sempre banale e inconsistente, ma ingigantita dalla forza primitiva della gelosia e del desiderio di vendetta della matrigna.

Yazdi si sentì stringere il cuore dalla pietà. Il volto gli si increspò nello sforzo di trattenere le lacrime che gli inondavano gli occhi. «Non piangere, non piangere», la scongiurava con voce appena udibile, carezzando gli scuri capelli di seta della fanciulla in lacrime. «Non ce la faccio a vederti in questo stato. Non devi più vivere in questo modo. Ti sposerò e ti porterò via da quella casa schifosa. Ti sposerò», ripeté con una determinazione tale che la ragazza sollevò il viso e lo fissò.

Prendendogli quindi tra le mani il viso pallido e deciso, lo baciò. Era il primo bacio di Yazdi, e la fanciulla era bellissima.

Freddy lo ascoltò pazientemente. Aveva il volto in fiamme. Nella storia che gli aveva raccontato il figlio, leggeva molte più cose. Vedeva la miseria della famiglia di lei e la depravazione spudorata della loro esistenza. Rimase allibito quando Yazdi gli raccontò della punizione inflitta alla ragazza, allibito dal tono semplicemente narrativo di lui: «L'hanno legata al letto e hanno fatto entrare degli uomini nella sua stanza», aveva detto, il viso vibrante di pietà mentre si stringeva al padre e gli chiedeva di condividere i suoi sentimenti. Solo quando si rese conto che il ragazzo non aveva colto il significato della scena che descriveva con tale inconsapevole candore (attribuendo agli uomini i propri sentimenti, Yazdi li pensava imbarazzati e riluttanti ad assistere all'umiliazione della ragazza), Freddy capì l'assoluta mancanza di imbarazzo da parte del figlio. È proprio solo un bambino, pensò Freddy.

«È tremendamente infelice, papà. Io devo sposarla, gliel'ho promesso, e l'amo», esclamò con voce disperata Yazdi.

«L'ami? No, bambino mio, tu la vuoi sposare perché ti fa pena. Ma mica puoi sposare tutte le creature che ti fanno pena. Io ho pietà dei cani rognosi che si vedono nella nostra strada, dei mendicanti, dei lebbrosi dal naso smangiato che vengono ogni venerdì: pensi che io li debba sposare? Hai un cuore troppo tenero. Tu non puoi pensare di sposare i cani che ti fanno pena».

«Ma lei non è un cane».

«No, ma è una ragazza di sangue misto... una bastarda di sangue misto».

Yazdi si irrigidì, si ritrasse e fissò sul padre uno sguardo infuriato.

«Che cosa fa se non è una parsi? Che importanza ha chi sono suo padre e sua madre? È un essere umano, sì o no? Una persona per bene. Migliore di tanti parsi che ho conosciuto io». Esplose in lui un furore incontrollabile contro il padre. Gli occhi in fiamme, si alzò di scatto dal letto e prese ad andare su e giù per la stanza.

Freddy piegò meticolosamente un cuscino, lo appoggiò contro il muro e si distese. «Siediti, siediti qua, non c'è bisogno di infiammarsi tanto», disse.

Yazdi si sedette sulla sponda del letto.

«Tu sei troppo giovane per capire certe cose. Io forse sono troppo vecchio per capire te. Ma c'è una cosa che voglio spiegarti. Quello che ti dirò non è soltanto una mia convinzione. È ciò che i nostri antenati professavano e che il nostro popolo continuerà a credere fino alla fine dei tempi. Tu potrai anche pensare che quello che ora ti dirò non ha senso, ma quando sarai più avanti negli anni, capirai la saggezza e la verità di questi pensieri. Te lo giuro. Posso dirti quello che credo io?»

Yazdi assentì con la testa per accontentare il padre in quella sua richiesta.

Sebbene il suo atteggiamento fosse improntato al rispetto, Freddy non poté non notare la scintilla di ribellione negli occhi del figlio, che condannava il fanatismo di Freddy e lo sfidava a enunciarlo.

«Io credo in una sorta di piccola scintilla che viene trasmessa di padre in figlio lungo le varie generazioni... una sorta di memoria atavica di saggezza e giustizia che risale ai tempi di Zaratustra e ai mazdei.

«Non ti voglio dire che siamo i soli a possedere questa scintilla. Ce l'hanno anche altri: i cristiani, i musulmani, gli indù, i buddhisti, tutti hanno dato luogo a una linea pura, generazione dopo generazione.

«Che cosa succede se tu sposi una che è al di fuori della nostra gente? La scintilla così accuratamente alimentata, così delicatamente equilibrata, si unisce a qualcosa che è totalmente estraneo e diverso. Il suo perfetto equilibrio viene minacciato, essa ritorna al caos originario.

«Tu non farai del male a te: tu hai già ereditato delle qualità purissime, tu possiedi la carità, l'onestà, la creatività. Ma hai pensato ai tuoi figli?

«Nel caso di una ragazza anglo-indiana, la scintilla è già stata inquinata. A che tipo di eredità stai condannando i tuoi figli? Potranno anche essere belli, ma saranno simili a conchiglie: vuote e perse, estranei per molte generazioni a venire. Avranno arroganza senza orgoglio, debolezza senza rispetto di sé o pietà, ambizione senza onore... e la colpa sarà solo tua».

Yazdi si chiese con amarezza come avesse mai potuto aspettarsi che suo padre fosse diverso da come gli si stava presentando in quel momento. Forse aveva immaginato che lui, unico tra tutti, fosse superiore a questi antiquati pregiudizi.

«Tu sei ignorante e succube come tutti gli altri», gli disse, dando voce all'intima delusione. Il suo volto era cupo e improntato al disprezzo. «Non manderò mai giù queste inaccettabili convinzioni».

«Io non ti posso obbligare. Ma tu mi devi fare almeno il piacere di pensare a quanto ti ho detto, per poi eventualmente rifiutare tutto. Questo ti aiuterà a capire perché io non acconsentirò mai al tuo matrimonio con quella ragazza».

«Mi vergogno al solo pensiero di queste idiozie».

Il viso di Freddy si serrò gelido in un'espressione di rifiuto, dolore e inflessibilità. Senza più una parola, si alzò dal letto, infilò i piedi nelle pantofole e uscì dalla camera.

Capitolo 23

Alle sette in punto il fratello minore del viceré di Panipur, il principe Kamaruddin, fece annunciare il suo arrivo. Faredoon, Mr. Allen e Mr. Toddywalla scesero in tutta fretta le scale. Quale concessione all'importanza del momento, Mr. Allen indossava un paio di pantaloni flosci di tela. Il principe scese dalla scintillante carrozza e, dopo aver abbracciato tutti i maturi gaudenti, decisi a una notte di bagordi, salì rapidamente sul *tonga* di Freddy. Alla Ditta, con un batuffolo di cotone intriso di profumo al gelsomino infilato nell'orecchio, fece una carezza al cavallo recalcitrante. A un segnale di Freddy, si spostò sulla stanga della carrozza, permettendo così ai passeggeri di stendersi comodamente sul sedile anteriore. Con uno schiocco della frusta fece partire il *tonga*.

«Ah, eccoci pronti all'avventura», esclamò pomposamente Freddy con una strizzatina d'occhi agli amici.

Parlavano in inglese per rispetto a Mr. Allen.

«Spero che le ragazze siano come si deve, amico mio», disse il principe Kamaruddin aprendo una tabacchiera incrostata di gemme e infilandosi una buona presa in ognuna delle narici, sopra gli enormi mustacchi impomatati.

Mr. Allen, già scombussolato dall'odore misto di gelsomino, aglio e sudore che emanava da Alla Ditta, venne letteralmente messo fuori combattimento dall'impeccabile accento Oxford del principe. L'effetto bizzarro del superbo indiano dalla carnagione scura e con perle agli orecchi, che parlava come un vero inglese, non mancava mai di intaccare la sua già scarsa fiducia in se stesso.

Era ancora chiaro. Il sole mandava rossi superbi raggi

dall'orizzonte. Il *tonga* percorse a trotto vivace il Mall. Svoltarono a destra su Kachery Road, dove l'andatura del cavallo venne rallentata. La strada diventava sempre più stretta e il traffico sempre più congestionato, ma quando ebbero superato il tempio di Data Ganj Buksh poterono procedere più speditamente.

Ben presto scorsero in alto la scura incombente sagoma della fortezza e, lucenti e rosate alla luce del tramonto, le cupole e i minareti di Badshahi.

All'accesso dell'Hira Mandi, Alla Ditta si fermò brevemente per procurarsi un involto di foglie di betel.

«Ci siamo?» chiese Mr. Allen volgendo la testa di qua e di là per osservare le luci.

«Sì. Lo vedrà subito il nostro Mercato dei Diamanti, perché è questo che vuol dire quello che noi chiamiamo Hira Mandi», rispose Freddy.

«Perché Mercato dei Diamanti?»

«Lo capirà subito, amico mio. Una moltitudine di gemme che vanno in giro su due gambe!» spiegò il principe.

Era l'ora di punta dei visitatori. Mr. Allen allungava il collo di qua e di là per guardare le ragazze ai due lati della stradina. Vistosamente addobbate e truccate, se ne stavano stese in maniera provocante su cuscini di seta. Le ampie porte che davano sui salottini erano aperte verso la strada. Musicanti se ne stavano seduti a gambe incrociate davanti ai liuti, agli harmonium e ai *tabla*, intenti ad accordare gli strumenti e ad accennare qualche melodioso motivo. Il suono inebriante dei campanelli legati alle caviglie usciva a fiotti dalle porte chiuse là dove le ragazze erano già impegnate.

Seduto vicino a lui, intento a masticare pensieroso un *paan*, il principe sussurrò: «Attento, vecchio mio. Mica vogliamo che lei ci caschi fuori del *tonga*».

Un'immensa ondata d'amore travolse Mr. Allen. Il principe è un caro vecchio amico, pensava, dimenticando l'imbarazzo che aveva provato prima nei suoi confronti. Il cuore gli traboccava di ammirazione per tutta la terra e la popolazione dell'India. Gli edifici cadenti ai lati della strada, seminascosti da pergolati e da balconi di legno intagliato, gli sembravano di irresistibile bellezza. Luci sfolgoranti si riversavano dalle camere, inondando la strada su cui la sera calava con ombre misteriose e sensuali. Mr. Allen sospirò pensando che nel giro di qualche anno avrebbe dovuto abbandonare tutto ciò, e che sarebbe andato a chiudersi nel suo freddo, piccolo, umido e insignificante paese. Avrebbe sentito la nostalgia di tutto ciò: di queste splendide maliarde dalle vesti sgargianti e dai neri occhi che scoccavano lampi.

Andarono fino in fondo alla strada, dove si fermarono. Freddy saltò giù dal *tonga* e, facendo premurosamente strada a Mr. Allen e al principe, quasi fossero fragili signore, li condusse su per una squallida rampa di scale, fino a un salottino. Nel locale c'era un'aria stantia che sapeva di muffa. Il principe arricciò il naso posando gli occhi sui fiori di carta impolverati e sul divano sfondato e costellato di macchie. Rifiutò di sedersi.

Una placida donna indù che tra il sari e il corpetto metteva in mostra un rotolo di grasso, entrò nel locale e li salutò. Era una signora di mezz'età dai modi gentili, e il mazzo di chiavi che le pendeva dal sari tintinnò quando si lasciò cadere pesantemente su un divano.

«Gradireste un tè?» chiese.

«Se avessimo voluto un tè saremmo rimasti a casa nostra, mia cara», le rispose il principe. «Di' alle ragazze di venir fuori».

Mr. Allen avvampò in volto, guardando con aria di scusa la donna, la quale però non si mostrò affatto offesa. Tirandosi su faticosamente dal divano, disse flemmatica: «Be', allora venite, entrate nel soggiorno. Starete più comodi là. Le ragazze dovrebbero farsi vedere tra un minuto». Andò verso una porta, e la tenne aperta. Il principe Kamaruddin, seguito da Mr. Allen, Mr. Toddywalla e Mr. Junglewalla, percorse un lungo porticato chiuso. Un uomo che sonnecchiava davanti all'harmonium e ai *tabla* si alzò di scatto e si inchinò cerimoniosamente.

Gli occhi sprezzanti del principe Kamaruddin lanciarono uno sguardo critico al locale. Sul muro di fronte a loro c'erano delle strette finestre ad arco; alcune erano aperte e l'aria sapeva di fresco. I vetri delle finestre erano trasparenti, i tappeti spessi e puliti, il pavimento a mosaico, dove si vedeva, era luccicante. Le pareti erano d'un giallo paglierino e le tende recavano allegri motivi di elefanti verdazzurri.

La donna li fece accomodare su sofà ricoperti di lenzuola bianche, all'altro capo del locale. Essi vi si distesero, appoggiandosi a grandi cuscini di satin.

All'improvviso l'allegro tintinnio dei campanelli da caviglia riempì il locale e una fanciulla piccola ma dalle forme armoniose fece il suo ingresso e andò verso gli ospiti. Chinandosi con grazia, giunse le mani portandosele alla fronte. Aveva un viso molto bello, con due graziose fossette, e voluttuosi morbidi lineamenti indiani, occhi grandi e ingenui. Mr. Allen e Freddy si scambiarono sguardi di compiacimento.

Il principe guardò con occhi maliziosi e sfrontati la ragazza e si mise a chiacchierare tranquillamente con lei, mentre Mr. Toddywalla si portò, con i suoi superbi mustacchi, verso una finestra e si mise a guardare nella strada piena di colore. Si comportava in modo composto e ossequioso, essendo stato invitato evidentemente per fare numero nella festicciola organizzata dal suo amico, ma senza prendervi parte. Nonostante avesse la stessa età di Freddy, sembrava molto più vecchio.

Alla Ditta entrò nella stanza seguito da una ragazza esile dalla carnagione chiara, che recava con sé un rotolo di stoffa. Indossava un paio di *chundar pajama* di satin nero molto aderenti e una *kamiz* celeste orlata da una treccina d'argento. Senza quasi guardare i visitatori, si tolse le pantofole e si sedette vicino ai musicanti. Aveva mosse agili e veloci. Estrasse dal fagotto un paio di *pyal* e con dita veloci si legò i campanelli alle caviglie. Quando si rialzò, Alla Ditta, che si era andato a mettere in un angolo dietro ai musicanti, le rassettò la gonna. Freddy si accigliò, colpito nel vedere che il ruffiano aveva tanta confidenza con quella gentile creatura. All'improvviso fu attraversato dall'idea che probabilmente Alla Ditta andava a letto con le fanciulle.

«Questa è Nilofer», disse la madama, interrompendo il filo dei pensieri di Freddy.

Veloce e leggera, Nilofer si portò davanti a loro e s'inchinò. Mr. Toddywalla rimase senza fiato, affascinato dai lampi gialli che saettavano negli occhi verdi.

«Dev'essere del Kashmir», osservò Freddy alludendo al colore della pelle e degli occhi della ragazza.

I musicanti incominciarono a suonare e le ragazze, legandosi in vita i fazzoletti di chiffon, presero a danzare e ballare, con voci acute e nasali. Ballavano l'una dopo l'altra davanti a ciascuno degli ospiti, recitando un verso e afferrando con delicatezza la moneta che veniva loro offerta. Le gonne trasparenti roteavano alte sopra ai *chundar*.

La ragazza chiara era la più ardita. C'era qualcosa di vizioso nel fascino che emanava da lei, qualcosa di cinico e gelido. Eseguiva le figure e le espressioni tradizionali delle danzatrici, ancheggiando e provocando con gli occhi a mandorla, sorridendo con un'impassibilità che era insieme arrogante e distaccata.

La ragazza scura, di eccezionale bellezza, era anch'essa distaccata e impassibile, ma le maniere apparentemente raffinate e discrete e l'innata dignità la mettevano al di sopra della sua professione. Gli uomini, nonostante una sgradevole consapevolezza della propria follia, si rendevano conto nel proprio intimo che sentivano una specie di affetto, un desiderio quasi tenero di proteggerla e possederla.

Il principe Kamaruddin si stese sui cuscini, e come uno in preda alla stanchezza stese le braccia, esclamando: «Che Dio sia lodato, ma qui fa un caldo insopportabile».

La ragazza dagli occhi sfrontati, quella che era stata presentata dalla madama come Nilofer, gli s'inginocchiò davanti per sbottonargli lo *shervani* di broccato. Ma il principe, poggiandole la morbida mano sui seni, la respinse. «No, non tu: voglio quell'altra».

Nilofer si rialzò, lasciando di buon grado il passo all'amica. La ragazza scura e con le fossette si inginocchiò, e con agili dita gli sbottonò l'infinita serie di bottoni che andavano dal collo alle ginocchia. Aiutò il principe a sfilarsi la giacca, che appese a un gancio. Il principe Kamaruddin ricadde steso, nella sua *kurta* di seta senza colletto, e la ragazza giocherellò ammirata con la catena di borchie d'oro.

Mr. Allen, travolto dall'invidia e preso da pietà per la ragazza rifiutata, avrebbe voluto avere anche lui qualche indumento da sbottonare. Si fece venire un triplo mento nello sforzo di guardarsi, ma non vedendosi addosso altro che quattro comuni bottoni, si acciglò afflitto. Colse lo sguardo sardonico e sorridente della ragazza dalla pelle chiara.

«Aspetta, uomo. Ti sbottonerò le bretelle», disse in inglese mettendosi in ginocchio davanti a lui.

«Ah, sei anglo-indiana, tu?» chiese Freddy sorpreso.

«Sì, uomo. E che cosa credevi che fossi?»

«Del Kashmir, pensavo che fossi».

La ragazza attirò a sé Mr. Allen e chinandoglisi sopra gli staccò le bretelle dai bottoni posteriori dei pantaloni. Si rialzò e tendendo divertita gli elastici fece scattare le bretelle sulla giacca di broccato del principe. Mr. Allen si illuminò d'un sorriso. Ora che sapeva che lei parlava inglese, si sentì più a suo agio. Si rilassò del tutto, lasciandosi andare e cercando disperatamente di fissare gli occhi su tutt'e due le ragazze allo stesso tempo.

Il principe aveva monopolizzato l'altra ragazza. Freddy, notando gli sforzi dell'amico, che rischiava di diventare strabico, cercò di incrociare lo sguardo della ragazza e con un'occhiata le indicò Mr. Allen. La ragazza si scusò con fare professionale e andò verso l'inglese, ma il principe cercò di impedirglielo.

«Vieni qua, tu. Vieni qua da me, colombella mia», le

ordinò con voce da ubriaco. Infine, mosso da uno slancio di energia esasperata e sollevando la ragazza di peso come una bambina, andò ad adagiarla sui cuscini che erano un po' più in là. «Ora ti siedi qua e parli con me», disse, battendo la mano sul sofà con gesto imperioso.

La madama sorrise con indulgenza allo strano comportamento del principe. Si accorse che lui era stato profondamente colpito dalla bellezza nera e tra sé e sé cercava di calcolare quanto avrebbe potuto estorcergli in futuro.

Mr. Toddywalla e Faredoon non erano interessati alle ragazze. Se ne stavano seduti, quasi comportandosi come magnaccia, tracannando senza sosta whisky e fingendosi immersi nell'atmosfera lasciva del luogo.

Nel frattempo Mr. Allen continuava ad allungare le mani per toccare Nilofer, che da parte sua continuava a respingere le dita grassocce di lui con fare bonario e chiacchierando con la sua voce rauca. Quell'inglese le piaceva, come tutti gli inglesi, in quanto aveva qualche vaga ragione per ritenersi affine alla loro specie.

Freddy colse un tratto della loro conversazione, nel quale Mr. Allen si burlava di lei. Sporgendosi con aria furbastra, gli occhietti azzurri pieni di malizia, la punzecchiava là dove aveva scoperto che lei era più sensibile.

«Ma dai, tu sei più indiana che inglese! Scommetto che a casa tua mangi con le mani, e scommetto che preferisci *chapati* e curry!»

«Si capisce!» ribatté la ragazza punta sul vivo, polemica. «Ma facciamo anche piatti inglesi: stufato all'irlandese, roastbeef, *custard*, salsa alla menta e altre cose del genere. Sono piuttosto insipidi, ma li mangiamo».

«Ecco! Lo vedi? In realtà quelle cose non ti piacciono. Se invece fossi davvero inglese ne andresti matta. E anche il tuo nome, Nilofer: non vorrai dirmi che è inglese, no?»

«Questo non è il mio vero nome. Io mi chiamo Rosy».

Qualcosa scattò, allarmato e rabbioso, nella mente di Freddy offuscata dall'alcool.

«Rosy come?» si intromise all'istante.

«Che te ne importa?»

«Watson?» insisté lui.

La ragazza si volse a guardarlo, i verdi occhi felini socchiusi in un'espressione minacciosa. Paura, rabbia e sorpresa accendevano la prima autentica scintilla di vita che egli avesse scorto in lei in tutta la sera.

«Che te ne importa, maledetto?» gli sibilò.

«Niente. Pura curiosità. Watson è un cognome abbastanza diffuso». La ragazza gli volse le spalle sdegnata.

Una mostruosa ira omicida si impossessò di Freddy. Aveva capito che questa era la ragazza che suo figlio voleva sposare. E nonostante l'ira, una strana vampata gli s'accese e gli si addensò nei lombi. Eppure è solo una bambina, pensò, colpito dalla propria reazione. Per quanto tentasse di domare la furia e l'istinto perverso, non riusciva a pensare a nient'altro.

Il resto della serata trascorse lentamente per Freddy. Si limitava a mescere le bevande ai suoi ospiti, scherzando e ridendo per partecipare allo spirito della festa.

Verso le tre si allontanò furtivamente in cerca della madama. Mr. Toddywalla si era addormentato come un bambino ubriaco tra i cuscini. Il principe si era eclissato con la ragazza che aveva scelto. Mr. Allen berciava un incomprensibile canto da avvinazzati.

La madama condusse Freddy al di là di alcune tende, e lungo un corridoio, fino a una piccola camera fiocamente illuminata.

Tremava dalla testa ai piedi. Si mise ad andare avanti e indietro, confuso da migliaia di pensieri ed emozioni contrastanti. Quando la ragazza entrò nella stanza, la fissò con occhi severi. Lei era sorpresa. «E allora, uomo, che cos'è che vuoi?» gli fece brusca.

«Che cosa pensi che possa volere?» fece di rimando Freddy scandendo le parole nel suo inglese dall'accento pesante e senza staccarle gli occhi di dosso. Lei sostenne il suo sguardo per un momento: uno sguardo che non lasciava trapelare che cosa gli stesse passando per la testa. Senza profferir parola lei si avvicinò al letto e si liberò della *kamiz*, mettendo a nudo il busto magro dai seni appena rilevati. I capelli le scivolarono in avanti velandole il viso mentre si chinava per sfilarsi gli aderenti *churidar*. Quando infine se li fu tolti, Freddy glieli strappò dalle mani e li lanciò in un angolo, poi la gettò sul letto e le si avventò sopra. Strizzò i piccoli seni duri e infantili fin quando lei non emise un grido. Annaspò e frugò quasi febbricitante, cercando il modo di umiliare la ragazza e placare la propria ira, ma lei accettava qualsiasi cosa egli facesse con la sua solita impassibile freddezza. Aveva avuto esperienze ben peggiori di qualsiasi cosa Freddy avrebbe mai potuto immaginare.

Quando tornarono nel salotto, Mr. Allen volse a Freddy uno sguardo interrogativo. Freddy evitò i suoi occhi.

Mr. Allen era troppo educato per fare in seguito qualsiasi domanda all'amico. Freddy, imbarazzato per aver reagito scortesemente, gli si sedette vicino e gli confidò: «Mica male, a parte che il seno glielo devono aver mangiato le capre».

Mr. Allen rimase zitto per un momento davanti a quella strana espressione di Freddy. Afferrando poi il senso della frase, sussurrò: «Uova al tegamino, noi le chiamiamo. Quanti anni crede che abbia? Quattordici?»

«Più o meno», fece Freddy torvo.

Alle cinque si recarono al Nedous Hotel per prelevare le valigie di Mr. Allen e da lì andarono direttamente alla stazione.

«Se avessi voluto, avrei potuto far ritardare il treno. Lei avrebbe avuto il tempo di lavarsi e riposare», disse Freddy.

Sdraiandosi sul divano di velluto rosso del suo scompartimento, Mr. Allen espresse un parere diverso:

«Meglio così. Mi farò una bella dormita fino a Karachi. Non c'è niente di meglio per riprendersi dopo una notte favolosa, vecchio mio». Un piccolo ventilatore diretto su un recipiente colmo di ghiaccio aveva già rinfrescato lo scompartimento.

Il treno lasciò la stazione alle sei e trenta.

Putli era appena scesa dalla terrazza, quando Freddy rincasò.

«Com'è andata la festa?» chiese al marito che aveva un'aria stralunata.

«Una stanchezza da morire, accidenti», rispose lui dirigendosi verso il bagno. Uscì dalla doccia rinfrescato e cambiato. Putli aveva già fatto colazione. Freddy si sentiva la lingua impastata. «Niente uova, per me», disse premendosi la mano sulla fronte che gli pulsava forte. «Solo un po' di tè».

Senza rispondere, Putli gli preparò un uovo sbattuto e glielo mise davanti.

Freddy alzò gli occhi. «A proposito, Yazdi non deve andare a scuola, lo porterò io al Sant'Antonio alle dieci e mezzo. È ora che frequenti una scuola maschile. Dio, che donnicciola smidollata e ammalata di poesia, ne hai fatto tu!»

«Gli vado a dire di prepararsi», disse Putli.

«È tutta colpa tua, solo tua. Se me lo avessi lasciato trasferire quando dicevo io, questo non sarebbe mai successo! Dio solo sa che cos'è quella ragazza che lo ha accalappiato. Potrebbe anche essere una prostituta, per quanto ne so io».

Putli gli rivolse uno sguardo meravigliato e pieno di riprovazione.

«E perché no?» proseguì Freddy. «Che cosa ne sappiamo noi di lei? Da quello che mi ha detto Yazdi, ho l'impressione che venga da una famiglia della peggiore specie di anglo-indiani. Sai bene di che levatura sono, alcune di loro». La sua ira esplose come una bomba. Gettò il tovagliolo sulla tavola e con aspro tono di accusa aggiunse: «Mi avessi dato ascolto, qualche volta!»

Alle dieci e mezzo, senza profferir parola, Freddy accompagnò il figlio, chiuso in una cupa tristezza, alla nuova scuola.

Capitolo 24

Billy si tirò su i pantaloni e si accovacciò sul basso muretto di cemento in bagno. Era venerdì mattina. Si sciacquò il viso sotto l'acqua corrente e sporgendo la testa lasciò che un rivoletto gli arrivasse fin sul collo ossuto. Sempre accovacciato, afferrò un ruvido asciugamano e si strofinò energicamente. Si pulì i denti con uno stecchetto di legno di noce fin quando li vide splendere candidi, inforcò gli occhiali e si posò lo zucchetto sui capelli ricci.

Si raddrizzò e, volgendo solennemente il viso verso lo specchio del bagno, incominciò a mormorare le preghiere. Sciolse con movimenti agili i nodi del filo sacro e tenne il *kusti* con le due mani. Non capiva una parola dell'antico testo dell'Avesta se non il brano che recitava *Shikasta shikasta, sehtan,* che tradotto approssimativamente significa "trionferò sul male". Quando giunse a questo passo, si batté le estremità infiocchettate del filo sul dorso, così che schioccassero leggermente. Poi si legò di nuovo il *kusti* intorno alla vita, fissandolo con un nodo piatto davanti e di dietro. Ogni giro del nodo doveva ricordargli che Dio è l'Unico Essere Eterno, che il mazdeismo è la vera fede, che Zaratustra è il vero profeta di Dio e che lui doveva osservare i tre comandamenti: *buoni pensieri, buone parole, buone opere.*

Annodato il filo, levò lo sguardo allo specchio, congiunse le mani sulla fronte e si mise a sussurrare le rimanenti preghiere.

Questo era il momento più intimo della giornata. Solo col suo Dio, solo con lo specchio, Billy studiava gli eccezionali particolari della propria persona. Non era né compiaciuto né turbato da quanto vedeva, ma solo interessato.

Gli occhi di Billy si appuntarono sulle grandi orecchie carnose che vedeva riflesse nello specchio. Costituivano un argomento estremamente delicato: sporgevano ad angolo retto dalla testa, all'altezza degli occhi, facendo apparire questi ultimi ancora più ravvicinati di quanto già non fossero. Erano la parte più vulnerabile della sua persona: i fratelli e le sorelle trovavano in esse una comoda presa nel corso delle zuffe, e se gli adulti dovevano punirlo le afferravano per torcergliele o per tirarlo letteralmente di qua o di là.

Billy se le premette con i palmi delle mani contro la testa e pensò che il suo aspetto ci avrebbe guadagnato parecchio in quel modo, ma non appena tolse le mani, esse scattarono in fuori come rossi soldatini puliti e strigliati che tornano nei ranghi. Nonostante la loro dimensione, erano morbide come la bambagia e la cartilagine poteva essere pizzicata come fosse stata di filaccia.

Il suo sguardo, girando qua e là, cadde poi sul dentifricio posato sul comò. Il tubetto era di Freddy e nessun altro aveva il permesso di adoperarlo. Lanciò un'occhiata al chiavistello della porta e decise di fare l'esperimento.

Recitando di gran carriera le orazioni, mangiando a metà le frasi, si toccò veloce la fronte, poi portò le dita al pavimento in un rapido saluto a Dio e infine afferrò il tubetto. Odorava di menta. Lo strizzò un poco e ne uscì un serpeggiante vermiciattolo bianco che andò a finire a terra. Preso dal panico, Billy ripulì la pasta dal pavimento con un dito, che poi leccò per completare l'opera. Il sapore era piccante e rinfrescante, ma la quantità era tale che gli diede un po' di nausea. Riavvitò il tappo e ripose con cura il tubetto al suo posto. In quel momento scorse l'anello di smeraldo.

Lo riconobbe subito. Freddy lo aveva regalato a Yasmin quando aveva compiuto sedici anni. Era sul comò, ma fino a quel momento Billy non lo aveva visto, tutto preso dall'ansia di sperimentare la pasta dentifricia.

Si udì un impaziente colpo sulla porta.

«Hai intenzione di startene lì dentro tutta la mattina?

Non dare la colpa a me se facciamo tardi a scuola». La voce di Yazdi era stizzita. Aveva cambiato scuola da un mese e ora che Soli era all'università, lui e Billy andavano insieme all'istituto Sant'Antonio in bicicletta.

«Solo un minuto», gridò Billy. Passando di corsa davanti allo specchio colse una rapida immagine del proprio viso. La bocca, già grande per conto suo, ora era tesa in un sogghigno irrefrenabile; gli occhi scintillavano come lucenti bottoncini neri dietro gli occhiali rotondi dalla montatura di metallo.

«Faresti meglio a spicciarti», disse aprendo la porta e passando al volo sotto il naso di Yazdi.

Una volta nella propria camera (che divideva con Katy, la quale però aveva già finito gli studi), aprì il pugno e osservò attentamente l'anello. Indossò i pantaloncini grigi della divisa e ficcò l'anello in una tasca.

Freddy teneva Yazdi sotto stretta sorveglianza e Yazdi si portava in giro il suo malumore come una malattia. Andava a scuola accompagnato da Billy, e ne tornava con lui. A sera Yazdi era sotto l'occhio discreto della famiglia. Se usciva, con una scusa o con l'altra Soli l'accompagnava. Le due sorelle sposate lo invitavano spesso a casa loro e lo portavano fuori a cena, agli spettacoli di danza o al cinema. L'istituto Sant'Antonio era abbastanza lontano dalla precedente scuola di Yazdi, che quindi non aveva nessuna possibilità di farvi una scappata per andare a incontrare Rosy durante il breve intervallo.

La settimana precedente tuttavia aveva preso il coraggio a quattro mani e aveva chiesto a fratello Jones di esonerarlo dall'ora precedente la ricreazione. «È una cosa urgente», aveva detto, e l'insegnante gli aveva dato il permesso.

Yazdi aveva pedalato allo spasimo per tutta la strada e si era messo in attesa vicino al cancello della scuola fino al suono della campana. Rosy, visto il povero ragazzo disperato appoggiato alla bicicletta, era arrivata di corsa. Senza scambiarsi una parola, si rifugiarono nel loro angolino segreto dietro la siepe.

Yazdi fece appena in tempo a spiegarle come aveva fatto ad allontanarsi da scuola per informarla della tremenda reazione del padre.

«Ti scongiuro, non te la prendere così», l'implorò lui.

Rosy era avvampata in volto dalla rabbia, gli occhi rossi di pianto.

Pestò sull'erba i pugni infantili, e con voce strozzata e stranamente aspra sibilò: «Maledetto bastardo! Chi diavolo crede di essere, quell'uomo?»

Yazdi le afferrò le esili braccia e la baciò sulla bocca gonfia e umida. «Senti, non lasciarti andare così. Che cosa ci importa di lui? Io ti sposerò. Troverò come fare. Te lo prometto. Abbi solo un po' di fiducia in me... per favore... per favore».

La campana della scuola chiamò imperiosamente. Rosy si staccò da lui.

«Quando puoi tornare a vedermi?»

«Venerdì prossimo salterò di nuovo questa lezione».

Yazdi guardò fisso nel fondo degli occhi verdi macchiettati, occhi grandi e tristi nel visetto pallido. «Non preoccuparti. La farò in barba a mio padre... dammi un po' di tempo».

Rosy si alzò, lisciando con la mano la gonna a pieghe della divisa di scuola. «Puoi portargli un mio messaggio? Digli di andare a farsi fottere!»

Per tutta la strada fino all'istituto Sant'Antonio, Yazdi non fece che passare da vampate di ira ad accessi di pianto.

Durante l'ora di matematica, mentre Billy palpava affettuosamente l'anello nella tasca, nel decimo banco Yazdi soffriva le pene dell'inferno, tormentato dalla timidezza. Fratello Jones era di umore pessimo quella mattina. Per due volte Yazdi si era alzato dal suo banco deciso ad affrontarlo, e tutt'e due le volte era stato scoraggiato dall'espressione tempestosa sul viso dell'insegnante. «Rosy mi sta aspettando», continuava a ripetersi, e infine, prendendo coraggio dalla visione della presumibile rabbia e delusione di lei nel non vęderlo arrivare, si avvicinò a fratello Jones.

«Mi scusi, signore. Devo uscire: una cosa piuttosto urgente. La prego di concedermi un permesso per quest'ora. Sarò di ritorno dopo l'intervallo».

Fratello Jones, calvo e corpulento, levò su di lui uno sguardo fulminante dai quaderni che stava correggendo:

«Hai già saltato quest'ora lo scorso venerdì, non è vero?»

«Sì, signore. Mi dispiace, signore. Solo per questa volta».

«Non credo che tuo padre ci paghi perché tu salti le lezioni tutte le volte che ti pare. Credo proprio di non poterti dare questo permesso. La prossima volta, quando credi di avere una qualche necessità, fatti fare un biglietto da uno dei tuoi genitori».

«Sì, signore», inghiottì Yazdi, mordendosi il labbro. Al colmo della delusione, tornò al banco.

Billy passò tutto il tempo della ricreazione chiuso nel gabinetto della scuola, esaminando e contemplando l'anello. Quando nel tardo pomeriggio tornò a casa, girò per tutte le stanze sperando di incontrare Yasmin. Voleva scrutarne la faccia, sapendo che gli avrebbe rivelato, chiaro come un segno tracciato col gesso sulla lavagna, che si era accorta d'aver perso l'anello. E avrebbe anche rivelato appieno la disperazione in cui la ragazza, con grande soddisfazione del fratello, era sprofondata.

Bighellonò qua e là per le stanze dove pensava di poter trovare la sorella, poi salì sulla terrazza. Sul tetto, come nelle stanze, di Yasmin non c'era traccia. Deluso, Billy ridiscese. Vedendo la madre in cucina, le chiese: «Dov'è Yasmin?»

«Le ho detto di andare a stendersi in camera mia. Aveva l'aria di una che ha bevuto l'olio di ricino. Spero non stia covando qualche malanno».

Billy si girò nascondendo un sogghigno.

Quando Yasmin, mesta e preoccupata, arrivò a tavola per la cena, Billy non riuscì quasi a trattenere la propria felicità. Chinò la testa sul piatto e avvolgendo con le dita grossi pezzi di pane intorno alla carne, se ne riempiva la bocca.

Non riusciva a controllare il ghigno che gli andava dall'una all'altra delle orecchie a sventola, esattamente come non riusciva a trattenere le lacrime che gli montavano agli occhi non appena vedeva il più piccolo accenno di pianto negli occhi di qualcuno. Pensava che le sue lacrime rivelassero una vergognosa debolezza da donnicciuola. E naturalmente, quel ghigno che gli veniva sul viso quando ne stava combinando una delle sue, faceva sì che tutta la famiglia gli piombasse addosso per scoprirne la ragione.

A metà del piatto di riso, essendo riuscito a ricomporre i propri lineamenti, Billy si azzardò a chiedere con aria innocente: «Perché te ne stai lì così zitta e buona, Yasmin?»

«Non sono affari tuoi», rispose Yasmin di cattivo umore. Non aprì più bocca per tutto il resto del pasto.

Al sabato non c'era scuola. Billy si rigirò insonnolito nel letto mentre Katy si vestiva, si pettinava e usciva dalla camera. Faceva già troppo fresco per dormire sul tetto e la frizzante aria ottobrina che aveva spinto Katy, affamata, ad andare a fare colazione, aveva trattenuto Billy a crogiolarsi nel letto.

Quando Katy tornò, trovò Billy profondamente addormentato. Si era avvolto dalla testa ai piedi nel lenzuolo come in un sudario. Ne usciva un ronfare leggero, e Katy gli passò davanti per andare al cassettone che fungeva da toilette.

Sotto le lenzuola Billy teneva gli occhi spalancati. Con le orecchie tese per seguire il rumore dei movimenti della sorella, di tanto in tanto si metteva a ronfare leggermente. Katy, per nulla preoccupata di disturbare il fratello addormentato, prese a fare un fracasso che avrebbe destato anche un orso in letargo. Alzava e sbatteva vasetti, boccette e spazzole per capelli. Alla fine il fracasso cessò e Billy la udì dire: «Hai visto i miei soldi? Un minuto fa ho lasciato due monete da due rupie sul comò».

Da Billy provenne una serie di rantoli.

Seguì un momento di preoccupante silenzio. Billy avrebbe dato chissà che cosa per vedere che cosa stava facendo Katy. Forse era uscita dalla stanza per proseguire altrove la sua ricerca. Incoraggiato da questo pensiero, pian piano sollevò un lembo del lenzuolo e si trovò con gli occhi indagatori di Katy piantati nei suoi. Lei si accovacciò vicino al letto per scrutarlo alla distanza di pochi centimetri.

Prima che Billy avesse il tempo di richiudere lo spiraglio aperto nel lenzuolo, Katy glielo aveva strappato dal viso. «Lo so che stai facendo finta di dormire», urlò, chiedendo senza nemmeno un attimo di interruzione: «Hai visto i miei soldi? Li avevo lasciati sul cassettone».

«Ahaaaaaahooooo», sbadigliò Billy, con le boccacce e i versi di un leone. Si stiracchiò al massimo e poi, rivoltandosi con uno stropiccio infastidito e iroso di lenzuola, tornò a coprirsi dalla testa ai piedi.

«Li hai presi tu! Lo so che li hai presi tu!» urlò Katy montandogli a cavalcioni sul sedere e dando pugni sulle coperte.

Billy si raggomitolò sotto la tempesta dei piccoli pugni rabbiosi e sporse i gomiti ossuti per proteggersi il viso.

«Va bene, va bene», fece per guadagnare tempo, ma non appena Katy smise di pestare, lui la prese in contropiede e schizzò fuori dal letto. Si aggiustò gli occhiali e la minacciò solennemente agitandole un dito sotto il naso.

«Che ti serva da lezione per la tua negligenza».

«Ridammi i miei soldi», supplicò Katy.

«Ah? E perché?»

«Perché sono miei».

«No, non credo che te li ridarò. Invece impara a non essere così sbadata col denaro! E se li avesse presi uno dei domestici?»

«Ma io sapevo che c'eri tu nella stanza!» piagnucolò Katy. «I domestici non avrebbero rubato i miei soldi».

«Oh sì che li avrebbero rubati! Sei una bambina cattiva.

Lo dirò alla mamma che induci in tentazione i domestici!»

Katy però non si fece spaventare da questa minaccia. «Mamma, mamma!» strillò col tono di voce più acuto possibile.

«Che succede?» gridò Putli da qualche angolo della casa che stava pulendo con il suo solito accanimento.

«Mamma, Billy ha preso i miei soldi e non me li vuole ridare!»

La voce di Putli si fece acuta ed esasperata. «Smettila di tormentare la tua sorellina», e poi: «Yasmin, va' a vedere che quei due la smettano di litigare».

Billy incominciò a saltare sul letto canticchiando: «Kitty è sbadata. Kitty è sbadata», e proprio mentre Katy stava afferrando un vasetto di crema per il viso per lanciarlo al suo indirizzo, entrò nella stanza Yasmin in camicia da notte, chiedendo: «Bene, bene, che cosa sta succedendo adesso?»

«Ho lasciato dei soldi sul cassettone, sono uscita dalla stanza per due minuti e Billy se li è presi e non me li vuole ridare!» strillò Katy.

«Certo che te li ridarà», disse dolcemente la sorella. Yasmin era una ragazza grassottella, placida, dalla carnagione chiara e i lineamenti insignificanti che si erano però miracolosamente affinati allo scadere dei sedici anni.

«È vero che glieli ridarai, Billy?» fece con voce persuasiva, da sorella maggiore.

«Non è giusto che lei semini il denaro qua e là! Le sto dando una lezione perché tenga da conto il denaro! Non deve essere così sbadata».

«D'accordo, ora che la lezione l'ha imparata, ridalle i suoi soldi».

«Glieli ridarò quando ne avrò voglia e non quando me lo dici tu!»

Negli occhi di Yasmin comparve all'improvviso uno sguardo intenso e gonfio di minaccia. Billy ebbe un impercettibile soprassalto e perse immediatamente tutta la sua sicumera, che se ne volò fuori dalla finestra. Lui indovinò quale era il filo di pensiero che aveva provocato quello strano sguardo, e sapeva anche quali sarebbero state le conseguenze. Prima che la flemmatica sorella potesse mettere in pratica quanto aveva pensato, egli si guardò intorno con circospezione, alla ricerca di una via di fuga.

«Non sarà per caso che tu sai qualcosa di un certo anello?» chiese Yasmin con fare insinuante, fissandolo tra le palpebre socchiuse, come un pugile in procinto di attaccare.

«Che anello?»

«Un anello d'oro con uno smeraldo. Il mio regalo di compleanno».

Billy capì che il gioco era finito. Non conveniva fingere di non saperne niente. Era un momento delicato. Nello spiccare un lungo salto, la sfiorò, e atterrato vicino all'appendiabiti appeso al muro affondò la mano nelle tasche dei pantaloncini grigi.

Nell'attimo che gli ci volle per prendere l'anello, Yasmin, rivoltandosi con un soffio minaccioso, lo aveva già saldamente afferrato per le orecchie, stringendogliele tra due dita. Gliele girò come maniglie. Billy cercò di sottrarsi a furia di calci e pugni alla dolorosissima morsa.

«Katy, prendilo per le gambe», disse Yasmin col fiato grosso, cercando di difendere il corpo grassottello dai violenti colpi.

Ora erano in due a tenerlo. Ma Billy, che non si perdeva d'animo, all'improvviso fece un ampio gesto con un braccio e lanciò via qualcosa che tintinnò e rimbalzò, e tintinnò ancora sul nudo pavimento.

Le ragazze lo mollarono di botto e si misero a cercare a terra, mentre Billy se la squagliava dalla camera e si infilava su per le scale, fino in terrazza.

Le fanciulle trovarono subito le due monete da due rupie, e Katy, che voleva comprarsi un ghiacciolo, andò di corsa a cercare il venditore ambulante.

Yasmin, ingannata dal tintinnio delle monete sul pavimento, rimase sola a meditare sulla propria sconfitta. Aveva creduto che lui avesse gettato l'anello. Si mise quasi a piangere quando si rese conto che quel vigliacco del fratello si era rifugiato su in terrazza con il gioiello.

Salendo i gradini a due a due, lo rincorse.

Billy se ne stava prudentemente acquattato a tre passi dalla porta, quando comparve Yasmin. Lei chiuse la porta e tirò il paletto dall'esterno.

«Bene, adesso ti ho incastrato, piccolo rompiballe. Ora ti do una lezione, una lezione che...»

Yasmin fece per lanciarglisi addosso. Billy la schivò e riuscì a evitare d'un soffio la sua presa. Si mise a correre di qua e di là per la terrazza, balzandole incontro e poi ritraendosi come una scimmia assatanata, mentre la sorella, paziente e inesorabile, cercava di bloccarlo in un angolo.

Yasmin, le braccia spalancate e le gambe ben piantate a terra sotto la camiciola da notte di cotone, si fece sotto, minacciosa e intrepida.

Quando credette di averlo tra le mani, Billy invece le sgusciò di lato. Con un balzo si portò sul parapetto alto quasi un metro e saltò sul tetto di terra battuta dei vicini, un paio di metri più in basso. Sapeva che lei non avrebbe avuto il coraggio di gettarvisi.

Yasmin si affacciò dal parapetto. Billy ballonzolava sotto di lei, incrociando le gambe agili e roteando le braccia. Le orecchie ai lati della testa sembravano due garguglie, e sotto il largo nasone il taglio maligno della bocca si curvò in un sorriso esultante.

Il volto di Yasmin era paonazzo di rabbia. «Faresti meglio a consegnarmi l'anello, se non vuoi metterti nei guai!»

«È colpa tua. Non dovresti avere così poca cura dei gioielli. Lo sai quanto costa questo? L'ho fatto vedere nel Barkat Ram e mi hanno offerto cinquecento rupie, te lo assicuro, e ti posso anche dire che papà il denaro non lo trova sotto il letto. Te ne importa molto di tuo padre!»

Yasmin, mortificata e infuriata oltre ogni dire, buttò le gambe al di là del muretto. Considerò i rischi che presentava quel salto di quasi due metri e vi rinunciò. Se anche fosse miracolosamente sopravvissuta alla caduta, Billy sarebbe scappato sul tetto vicino, e poi su un altro ancora.

«Disgraziato, brutta cavalletta, rospaccio, se non mi dai l'anello subito, lo dirò a papà!»

Il viso di Billy si fece serio. Sapeva che lei lo avrebbe fatto. La sua pelle scura diventò di un colore più intenso e minaccioso. Ora non era più un gioco. Il padre non li aveva mai picchiati, e proprio per questo il suo rimprovero risultava tremendo e umiliante per i figli. C'era fra loro il tacito accordo di non andare mai a lamentarsi col padre. Billy capì che in questo caso la minaccia non aveva alcun valore. Yasmin non poteva non sapere che, prima o poi, avrebbe riavuto il suo anello.

«Vado da papà», ripeté mentre si staccava dal parapetto. Billy all'improvviso alzò in aria il pugno e urlò: «Ora lo butto via!»

Levò in alto il braccio, poi all'indietro, e Yasmin emise un urlo.

«Se vai da papà lo butto via, te lo giuro!» gridò di nuovo lui.

«Allora ridammi l'anello. Per favore, Billy, per favore», implorò Yasmin scossa dall'improvviso furore di lui.

Billy calò lentamente la mano: «Prima devi chiedere scusa».

«Scusa».

«Devi dire: "Sono sbadata, sbadata, sbadata, e non lo farò più finché vivo"».

«Ho detto che mi spiace».

«Non basta. Devi dire: "Scusa Billy, sono molto sbadata. Cercherò di perdere questo vizio"».

«Brutto topaccio schifoso! Ridammi l'anello se non vuoi che ti ammazzi!»

«Va bene, se la metti così, lo butto giù in strada».

«Va bene, va bene. Lo dirò! Sono sbadata, sono sbadata, mi spiace!»

«E cercherò di perdere questo vizio».

161

«E cercherò di perdere questo vizio».

«Ma non così! Sei troppo superba per ammettere il tuo vizio! Che cosa dirà papà quando si accorgerà che sei così superba? Niente da fare. Non imparerai fin quando non getterò via l'anello».

All'improvviso Yasmin scoppiò in lacrime, e Billy non poteva vedere piangere nessuno. Si sentì spiazzato, bloccato e infinitamente dispiaciuto per la sorella, e queste emozioni sconcertanti gli infusero l'invincibile paura che prova una creatura selvatica quando è presa al laccio.

«Di' quello che ti ho detto io, di' quello che ti ho detto di dire come se veramente lo pensassi!» urlò lui.

Yasmin sapeva che quando lui arrivava a questo punto non si sapeva più che cosa avrebbe potuto fare. Vedendo le proprie lacrime riflesse nel dolore del viso del fratello, fu sopraffatta da un'ondata di compassione fraterna. Docile, timida, lei pronunciò le parole che lui pretendeva, e tese la mano.

All'improvviso Billy si calmò. «Prometti che non ti vendicherai?»

Yasmin annuì col capo.

Billy atteggiò la bocca a un ghigno che gli andava da un orecchio all'altro.

«Brava bambina», la lodò lui, e badando a mantenere una distanza di sicurezza dalle gambe di lei – Yasmin poteva anche assestargli un calcio finale – le lanciò con gesto gentile l'anello al di sopra del parapetto.

Capitolo 25

Quando, in uno dei primi anni del secolo, Faredoon Junglewalla, pioniere e avventuriero, fece il suo ingresso in Lahore sul carro trainato da buoi, in città c'erano solo trenta parsi contro un milione tra indù, musulmani, sikh e cristiani. Trent'anni dopo, il numero dei parsi di Lahore era salito a quasi trecento. Famiglie povere erano affluite da Bombay e dalla zona circostante per stabilirsi nella ricca provincia indiana del nord, felici di attingere all'abbondanza di Lahore. E naturalmente, da buoni figli della campagna, di cui a buon diritto Freddy si considerava un membro, si erano incredibilmente moltiplicati.

Freddy era il capo indiscusso di questa comunità. Era anche il portavoce e il leader dei parsi disseminati nel resto del Punjab e della provincia della frontiera nord-ovest fino al passo Khyber. La disponibilità e l'abilità di Freddy nel prestare aiuto, nel sacrificare parte del suo tempo, nell'intervenire e nell'intercedere, erano proverbiali; la sua influenza su uomini che esercitavano il potere era leggendaria. Di lui si diceva: «Ah, ne fa quello che vuole, lui, della polizia». Arrivavano anche a esagerare affermando: «I *sahib* inglesi lui se li gira su un dito, così». E non si trattava di un successo da poco, dato che gli inglesi, distaccati, sprezzanti e arroganti, ben difficilmente scendevano a familiarizzare con i "locali".

Faredoon Junglewalla, leccapiedi, filantropo e accorto uomo d'affari, era famoso per la sua dedizione alla comunità e agli amici. La gente arrivava da lontano per chiedere aiuto nella conquista di un posto di prestigio, di licenze, contratti, concessioni e favori. C'era chi veniva persino da Bombay, lontana più di tremila chilometri, fiducioso che

Faredoon l'avrebbe tirato fuori da questo o quel guaio, come Mr. Adi Sodawalla, il cui fratello, Mr. Polly Sodawalla, languiva in una prigione di Londra.

Mr. Adi Sodawalla, pallido, spaurito e supplice, se ne stava seduto dall'altra parte del tavolo di Faredoon per esporgli il suo caso.

«Raccontami tutto... ogni particolare», raccomandò Faredoon.

Mr. Adi Sodawalla narrava i fatti con sincerità e umiltà. Di tanto in tanto gettava uno sguardo a quegli occhi socchiusi, a cui nulla sfuggiva, e si sentiva incoraggiato dall'espressione benevola e comprensiva stampata sul bel viso di Freddy.

Mr. Polly Sodawalla, oggetto del racconto di suo fratello, era andato in Inghilterra con una valigia piena di oppio di contrabbando, che aveva sconsideratamente depositato con gli altri bagagli nella stiva della nave. Al momento dello sbarco, troppo stanco per espletare le formalità di ingresso, non si era preoccupato di sdoganare e prelevare i bagagli. Con in mano solo la valigetta che aveva con sé in cabina, andò a riposarsi in un albergo di Earl's Court. Quando il giorno seguente si presentò per ritirare il bagaglio, scoprì che la valigia, gettata di qua e di là con poca grazia insieme con le altre, si era aperta mettendo alla luce il suo contenuto segreto.

I funzionari di dogana e i poliziotti dell'ufficio stranieri, che avevano pazientemente atteso la sua comparsa, lo accolsero con lusinghiero interesse e lo spedirono in prigione.

Intervenne l'Interpol. Mr. Polly Sodawalla non poteva sperare di sottrarsi a un lungo soggiorno nelle prigioni di Sua Maestà Imperiale.

Il fratello, nel riferire tutta la storia a Freddy, aveva messo l'accento sulle rigide temperature delle umide celle inglesi.

Alla fine del racconto, fissò con ansia Freddy, il quale si abbandonò sullo schienale della sedia girevole, intrecciò le mani sul petto e gettò indietro il capo per fissare il soffitto. Lui capiva benissimo che Faredoon era molto irritato.

«Bastardo! Stupido e pigro d'un bastardo!» esplose Freddy pronunciando lentamente le parole. La sua voce era dura. «Ma lo sai quanto denaro ne avrebbe ricavato tuo fratello, se tutto fosse andato liscio? Almeno cinquantamila rupie! Anche un lattante avrebbe provveduto per prima cosa a sdoganare i bagagli. Ma lui no! Sua Maestà Imperiale era troppo stanco, prima doveva correre in albergo a lavarsi le orecchie, raggomitolarsi su un divano come un innocente agnellino e schiacciare un pisolo. Merita solo di restarsene in prigione!»

«Ha ragione, signore. Gli spacco i denti», trillò con voce vibrante Mr. Sodawalla, brandendo un pugno, in verità minuscolo, per compiacere Freddy.

«Insomma, se si fosse fatto beccare da un solerte funzionario delle dogane», continuò Freddy, «se qualcuno gli avesse fatto la spia, avrebbe tutta la mia simpatia. Mi darei da fare di cuore per un poveretto vittima della sfortuna, ma non posso perdonare un imbecille!»

«Ma è mio fratello! La prego, la scongiuro di aiutarlo per amore di nostra madre. Da quando ha avuto quella notizia, la poveretta non fa che piangere. "Oh, mio figlio diventerà un blocco di ghiaccio. Oh, morirà di polmonite", si lamenta senza sosta. A sentirla mi si spezza il cuore. Avrà la gratitudine eterna di tutta la famiglia. Solo lei può salvarlo».

Freddy increspò le labbra. «Bisogna certo far qualcosa», convenne. «Non per quel bastardo d'un poltrone, ma per il buon nome della nostra comunità. Non possiamo lasciare che un parsi stia in prigione per aver tentato di spacciare oppio!»

Mr. Sodawalla tirò su col naso, si asciugò gli occhi con un immenso fazzoletto bianco e si alzò rivolgendo uno sguardo implorante al potenziale salvatore del fratello.

I Sodawalla non erano benestanti. Faredoon tirò fuori

dai suoi fondi personali i soldi per salvare lo sfortunato spacciatore. Venne inviato a Londra un emissario con documenti speciali. Si stabilirono contatti influenti e si fecero pressioni. Faredoon ci si impegnò con tutte le sue forze, e in capo a due mesi Mr. Polly Sodawalla, ritornato uomo libero, si imbarcava per lasciare Londra.

Ma se Faredoon non volle un soldo dai Sodawalla, non ebbe alcun scrupolo ad alleggerire Mr. Katrak, commerciante in diamanti di Karachi, di cinquantamila rupie.

Mr. Katrak se ne stava seduto davanti a Freddy con la sua veneranda barba, le mani tremanti posate su un bastone da passeggio col pomolo d'oro. Il figlio, Bobby, sedeva vicino a lui a testa bassa. Era un ragazzo di circa ventiquattro anni, tarchiato e dall'espressione altezzosa, che però in quel momento appariva alquanto ammosciata. A Freddy piacque quel viso aperto, quella bellezza linda e ben curata, pensando che sarebbe stato un buon compagno per Yasmin.

Bobby Katrak possedeva una sfolgorante Rolls Royce Silver Ghost, dotata di un superbo cruscotto e di due trombe elegantemente arrotolate che come due argentei cobra si innalzavano ai lati del parabrezza azzurrino, nonché di vari altri accessori pure d'argento. Aveva l'abitudine di sfrecciare a grande velocità e aveva finito con l'investire un vecchio mendicante cieco in un'arteria di intenso traffico. S'era preso uno spavento del diavolo ed era scappato rombando a quasi sessanta all'ora. Cinque uomini avevano fatto in tempo a prendere il numero della targa. E comunque, siccome questo succedeva nel 1920, la sua era l'unica Silver Ghost in tutta Karachi.

Il vecchio mendicante morì il giorno dopo all'ospedale.

«Gliel'ho detto un sacco di volte di non correre a quel modo», piagnucolò Mr. Katrak. «Quante volte ti ho detto di non superare i venticinque! Ma no! Lui deve andarsene in giro a rombare a più di cinquanta e persino a più di sessanta chilometri all'ora! Guarda adesso in che guaio ti sei ficcato! Sono mortificato di venire a darti tutto questo fastidio, Faredoon».

Faredoon scosse la testa e con la lingua fece piccoli schiocchi di disapprovazione all'indirizzo del figlio di Mr. Katrak.

«Bobby, devi dare ascolto a tuo padre. È suo diritto darti consigli, dopo tutto. Ora io non credo che tutta la colpa sia della velocità. La prima regola da osservare è il rispetto della legge. Tu non devi mai sfuggire alla legge... tutt'al più puoi aggirarla! Dovevi fermarti e cercarti uno o due testimoni. Certamente qualcuno avrà visto che non era stata colpa tua... magari con l'aiuto di un po' di soldi! Poi tu saresti potuto andare a denunciare la faccenda alla polizia. Ma non l'hai fatto e ti sei ficcato in un guaio».

Faredoon si rivolse poi a Mr. Katrak: «Ho parlato col mio amico: sai chi voglio dire. Mi sono rivolto a lui dicendogli che il ragazzo è come un figlio per me. Ha detto che cercherà di tirarlo fuori dai guai. L'ho convinto che non era colpa di Bobby, ma siccome non è andato a denunciare l'incidente, le imputazioni sono gravi. Comunque il mio amico ha promesso di occuparsene. Potrebbe andare personalmente a Karachi per trovare un paio di testimoni, mettere insieme una denuncia predatata presso qualche *thana* della polizia... ma», e qui la voce di Freddy divenne un sussurro incredulo sibilato con vocetta acuta, «il bastardo vuole cinquantamila rupie!»

Mr. Katrak sbiancò in volto. Volse lo sguardo al figlio che abbassò ancora di più la testa. Poi tornò a guardare Freddy e compilò l'assegno.

Freddy diede a Mr. Gibbons, che in quel momento era ispettore generale di polizia, le diecimila rupie su cui si erano accordati, e depositò le rimanenti quaranta nel suo fondo speciale. Questo era il fondo in cui andava a pescare per aiutare gli altri, e qualche volta se stesso.

Quando il vecchio amico Mr. Toddywalla capitò in ufficio con le sue eterne recriminazioni a proposito di Jal, il suo quintogenito, che si era di nuovo ficcato nei pasticci, rimase sorpreso e offeso perché Freddy, invece di mettersi dalla sua parte e offrirsi di dare una lavata di capo al ragazzo come al solito, assestò qualche gentile manata sulle spalle di Mr. Toddywalla e disse: «Tu non sai quanto sei fortunato ad avere questo ragazzo. Come dicono gli inglesi, hai una "pecora nera" in famiglia. Anch'io ne ho una: il mio Yazdi! Non finisce di darmi grattacapi». Freddy sospirò pensando agli assurdi scarabocchi sul foglio di diario che aveva in tasca. «E io ringrazio il cielo se continuerà a essere una "pecora nera". Posso fare assegnamento su di lui come tu sul tuo Jal».

Mr. Toddywalla spalancò la bocca, non riuscendo a credere alle proprie orecchie.

Freddy fissò con espressione commossa il suo amico strabiliato. «Tra qualche anno tutti i nostri figli saranno sposati. Saranno loro a prendere in mano i nostri affari... e noi non avremo più nessuna preoccupazione. Dimmi un po', che cosa sarebbe un uomo senza pensieri? Senza problemi da risolvere? Un povero parassita inutile e gettato in un angolo che aspetta solo di morire! Ma il tuo Jal e il mio Yazdi, saranno loro a salvarci. Loro ci creeranno sempre qualche problema, tenendoci il sangue ben caldo per la rabbia e in ebollizione per l'agitazione. Ci terranno in vita!»

Nel suo stordimento, Toddywalla tirò su una presa di tabacco con tanta forza che andò avanti a starnutire violentemente per un minuto intero. Il suo amico aveva certamente perso la testa.

Dopo che Mr. Toddywalla se ne fu andato, Freddy estrasse dalla tasca la busta e stirò il foglietto strapazzato sul tavolo. Lesse di nuovo le righe tracciate con scrittura precisa e inclinata:

Alla bellezza dei suoi occhi
Gli occhi nel tuo occhio mi toccano
non so dove nel profondo.

Mi chiedono di indagare
con molta leggerezza nel desiderio
mentre il mondo ci tiene separati.

Essi mi comandano
attraverso il pigro scintillio di un fuoco semispento
di affondare di più nello stordimento dell'amore negato.

Mi sollecitano a donare
attingendo nella mia profondità.
Che cosa devo fare?

Freddy sentì una vena pulsargli per la rabbia sulla fronte. Era adirato e indignato che un suo figlio potesse scrivere tali svenevoli astruserie. Per quanto riguardava la poesia, il massimo che Freddy potesse accettare era *La carica della cavalleria leggera*[1], ma questa roba mai!

In preda a gelida rabbia, scarabocchiò sotto l'ultimo verso della poesia: «Se devi pensare e comportarti come un eunuco, perché non ti metti i braccialetti di tua sorella? E ti prego di non strappare le pagine dal diario di scuola!»

Ficcò il foglietto in una busta nuova e lo indirizzò a Yazdi.

Il conflitto tra i due andava inasprendosi. Freddy se ne stava con le labbra serrate e l'espressione severa, Yazdi abbattuto e silenzioso. Durante i pasti nessuno dei due parlava e alla sera la conversazione languiva. Freddy era sempre pronto a riprendere e criticare.

Una settimana dopo, nella sua posta trovò un'altra poesia. Su un foglietto c'era scritto:

Che cos'è che mi fa cercare
e desiderare di conoscere
la tua intimità?

Perché l'incerto vuoto che c'è in me
vuole sentire
la tua forma?
Chi sei tu?
Togli il velo.

[1] *The Charge of the Light Brigate*, famoso componimento poetico di Tennyson.

Sono una profondità incerta, io
e la sete è una febbre.
Incurante delle benedizioni di Ahura sono io,
perché cerco l'impossibile...

Come posso andare contro la forza assurda della società?
O di mio Padre?

Quella sera Freddy, quando salì in casa, trovò Yazdi solo nella sala da pranzo. Mentre il figlio, imbronciato, gli volgeva la schiena ossuta per uscire furtivamente dalla stanza, Freddy lo richiamò e gli porse la busta sgualcita.

«Ho corretto queste astruserie. Sembra che tu abbia sprecato tutta la tua istruzione sbavando dietro alle ragazze. Non c'è una sola frase ben fatta o corretta!»

«Tu non lo sai l'inglese, papà, ma ti intendi di poesia», sogghignò Yazdi.

Freddy avvampò in volto. Si vantava del suo inglese e il disprezzo del figlio lo ferì più di quanto non avrebbe mai pensato.

«E Rosy Watson?» chiese. «Che tipo di inglese parla quella puttana?»

Yazdi gettò al padre uno sguardo furente.

«Come osi calunniare una ragazza che non hai nemmeno visto?»

«Visto? Non solo l'ho vista ma l'ho anche scopata. È una volgare sgualdrinella. Se vuoi saperlo, Mr. Allen dice che i suoi seni sono come uova al tegamino».

Yazdi impallidì. «Tu non l'hai mai vista: stai mentendo, papà, stai mentendo!»

«Perché non vai a chiedere ad Alla Ditta? Chiedilo a lui. Può darsi che combini anche a te un incontro all'Hira Mandi!»

Freddy si era lasciato accecare dai sentimenti, fino al punto di non accorgersi dell'effetto che le sue parole avevano su Yazdi. Ora si spaventò nel vederlo rattrappirsi come sotto un colpo. Il ragazzo divenne bianco come un

170

cencio e Freddy temette che svenisse. Allungò una mano, ma Yazdi si tirò indietro come una lucertola in fuga su per un muro.

«Bugiardo! Bugiardo!» ringhiò, e andò a chiudersi in camera.

Non si presentò a cena, e poi scoprirono che all'imbrunire era uscito di soppiatto da casa e che era tornato solo a notte avanzata.

Yazdi rimase chiuso nella sua camera per tre giorni. Si rifiutava di rispondere a chi bussava e a chi supplicava. Non voleva mangiare e accettava solo un bicchiere d'acqua dalla madre. Putli era al colmo della disperazione.

Il secondo giorno Jerbanoo fece tremare la casa fin dalle fondamenta dando in escandescenze per un'ora intera: che cosa diavolo aveva detto il genero al ragazzo? Era così dolce lui, così ingenuo, così sensibile. E lei sapeva bene come poteva essere brutale il genero! Insensibile, egoista! Il nipote si sarebbe ammalato; sarebbe morto. Già non era che pelle, ossa e occhi. Che razza di padre era Freddy! Lo chiedessero a lei! Non aveva nessuna paura a parlare! Era il più snaturato dei padri! Il più snaturato dei generi! Il più snaturato dei mariti! Era un mostro! Oh, che cos'era successo, che cosa poteva essere successo tra i due? Jerbanoo andò avanti fin quando si afflosciò e si placò in un diluvio di lacrime.

Lo strascico di questo accesso fu strano. Jerbanoo aveva fatto tutto quello che era in suo potere per costringere Putli a dirle che cosa era accaduto. Ma nemmeno Putli lo sapeva. Immaginava che ci fosse di mezzo quella ragazza, e la curiosità smangiava l'anima di Jerbanoo.

Infine Billy, che sembrava sapesse sempre tutto, le si avvicinò furtivamente e le sussurrò nell'orecchio: «Yazdi ha spedito a papà due poesie che parlano della sua ragazza anglo-indiana!»

Dopo tre giorni, Yazdi aprì la porta della camera e raggiunse con fare calmo la famiglia a tavola per il pranzo. Ma era cambiato.

La famiglia non se ne rese conto subito. Yazdi, che era sempre stato dolce, adesso sembrava addirittura trasudare tenerezza. Era estremamente premuroso e gentile. Passava ore a massaggiare la schiena di Jerbanoo e trattava i domestici con un'istintiva cortesia che era quasi assurda a quei tempi. Ma la timidezza, quel soprassalto che sembrava sempre stesse per scuotere la sua esile figura, fu sostituita da una corazza di fine acciaio. Sembrava non aver più paura di niente, chiuso e impenetrabile.

I familiari lo trattavano con riguardo, soprattutto Faredoon. Quando il ragazzo disse che non gli sembrava logico tornare da scuola insieme a Billy, nessuno fece obiezione.

Si rimetterà in carreggiata, prima o poi, pensò Freddy con un senso di sollievo.

Un paio di settimane dopo la storica lite, Yazdi ritornò da scuola a piedi nudi. Aveva regalato le scarpe a un ragazzo della sua classe, che era orfano.

Putli gliene diede un altro paio senza fiatare.

Qualche giorno dopo tornò senza la camicia e all'indomani salì nell'appartamento con addosso solo le mutande fatte in casa. Aveva distribuito gli altri capi di vestiario ai mendicanti che stazionavano nella piazza del Regal Cinema.

I familiari scoprirono che Yazdi non mangiava più la merenda a scuola. Il denaro della sua paghetta e quello che si faceva prestare da Yasmin e Billy lo distribuiva ai derelitti.

Quando Putli gli raccontò tutto ciò, Freddy si prese la testa tra le mani gemendo di disperazione.

Jerbanoo sentì una fitta di dolore al pensiero che il nipote sperperasse il denaro. Il suo piccolo avido cuore ne era crudelmente ferito, e all'improvviso traboccò di simpatia per Faredoon. Il suggerimento che diede in quell'occasione incontrò il favore di Putli e di Freddy.

«Mandatelo a scuola a Karachi. Il cambiamento non può fargli che bene e avrà la possibilità di incontrare un sacco di ragazze e ragazzi parsi».

Yazdi venne messo a pensione in una scuola maschile di Karachi.

Ma il turbamento di queste vicende non si era ancora dissolto quando le stelle di Freddy, che si erano comportate con tanta magnanimità dopo l'incendio, tornarono a essergli nemiche.

Capitolo 26

L'India è terra di magia; lo è sempre stata.

La parola "magia" viene da "Magi", e Faredoon era un discendente dei magi, i sapienti dell'antichità iniziati ai misteri della medicina, dell'astrologia, del misticismo e dell'astronomia: i discepoli di Zaratustra.

La conoscenza esoterica, velatamente accennata nelle Gatha, le poesie di Zaratustra, ora non risiedeva più nelle mani dei parsi. La leggenda dice che essa era svanita nel momento in cui personaggi di pochi scrupoli avevano ridotto quella conoscenza a stregoneria.

In India c'è ancora un ricco retaggio di antica saggezza ariana, di conoscenza esoterica, di fatti incredibili. Buona parte è solo superstizione, ma un'altra parte viene ritenuta tale ingiustamente.

C'è una vera e propria palpitante paura della magia nera, e l'evidenza del suo potere è visibile ovunque. C'è Kali, la dea della morte, della distruzione e della malattia. Nei giorni in cui è lei a dominare, le madri non fanno uscire i bambini. Li ammoniscono a non camminare su uova rotte, su mucchietti di riso cotto, di gesso colorato o di visceri di animali, che vengono messi strategicamente sui marciapiedi dai cultori dell'arte nera. In quei giorni non si deve mangiare cervello e zampe di maiale, e neppure fegato o cuore. Infatti non sono solo gli indù vegetariani a credere nella magia nera, ma tutti coloro che stanno in India.

Esistono fantasmi e spiriti e *dain*, streghe camuffate da donna che sono riconoscibili per i piedi girati all'indietro. E quando a sera le streghe si tolgono lo scialle, pensando di essere sole, dai bracieri scavati nella testa si vedono fiammeggiare tizzoni.

C'è la minaccia del malocchio.

Poi ci sono gli indovini – Sufi, Sadhu, Pir, Baba e Swami – e l'incarnazione dei santi, di quegli antichi trapassati che per la loro saggezza e la loro miracolosa conoscenza appartengono a un'età remota, e i loro interpreti.

Tra questi ultimi c'era il bramino Gopal Krishan.

Gopal Krishan venne presentato a Freddy da Mr. Bottliwalla, sempre timido e sempre celibe, mentre erano nell'ufficio di Freddy. Gopal Krishan li incantava col tono sincero della sua voce morbida e piana e col suo affascinante modo di narrare.

Due anni prima, nel corso di una visita a Jhelum, il bramino aveva comprato un *paan* presso una bancarella di strada. Il *paan* era avvolto in una foglia di pipal vecchia e ammuffita. Egli si ficcò il *paan* in bocca. Ma quando stava per buttar via l'involucro macchiato, a forma di cuore, venne colpito da alcuni segni tracciati su di esso. Il bramino era uno studioso di sanscrito, appassionato delle lingue antiche. Incuriosito, portò i segni sbiaditi alla luce del sole e decifrò lo scritto.

Una volta a casa della sorella di cui era ospite, e con l'aiuto dei libri, faticosamente interpretò il testo. Esso diceva: «Tu, quinta incarnazione del sapiente Rabindranath, mi troverai. Tu scoprirai un tesoro di conoscenza grande come una casa. Esamina questo tesoro attentamente. Usalo per fini onesti. Non sfruttarlo per oro o fama. Queste *janam patri*, mappe natali, sono il frutto di un'intera vita di assidui studi».

La mattina seguente egli si recò alla bancarella dei *paan*. Il padrone diede a Gopal Krishan le poche foglie che gli erano rimaste e gli indicò lo straccivendolo che gliele aveva fornite.

Presso lo straccivendolo, Gopal vide mucchi immensi di queste foglie, accatastate vicino a cumuli di giornali vecchi, bottiglie vuote e rottami di ferro. Erano tutte ricoperte con la stessa sottile scrittura. Le comprò per dieci rupie e se le fece trasportare a Lahore che distava quasi tre chilometri. Il grande cortile, in cui la moglie faceva il bucato, cuciva e prendeva il sole in inverno, venne riempito di foglie.

Come per miracolo, quasi che invisibili mani dirigessero la sua scelta, la prima manciata di foglie che prese per esaminarle gli rivelarono il mistero.

Tradotti approssimativamente, i messaggi dicevano: «Io *pandit* Omkarnath, reincarnazione del famoso matematico e astrologo *pandit* Bhagwandas, ho intrapreso questo lavoro per i posteri. Ogni bambino nato nella terra dei cinque fiumi o ogni uomo che abita nel Punjab avrà il suo futuro rilevato dalle *janam patri*. Troverà i consigli giusti e l'indicazione delle erbe adatte a curare le malattie. Mio figlio Premnath decifrerà le carte, e io interpreterò il futuro».

Le foglie di pipal avevano trecento anni! Per quanto ammuffite e scolorite, esse erano ancora morbide, probabilmente grazie a qualche misteriosa sostanza conservante.

Gopal Krishan proseguì: «Ancora una volta come per miracolo le mie dita pescarono la mia propria *janam patri* e in seguito quella di mia moglie e dei miei figli. Da allora ho cercato di mettere in ordine le foglie, almeno quelle che potevo, ma non finisco di stupirmi nel vedere con quanta facilità io trovi la *janam patri* di coloro che vengono da me per avere un consiglio. È come se la loro presenza guidasse la mia mano, quasi che la loro visita predestinata coincidesse con le foglie che estraggo. Di tanto in tanto, quando sono turbato, cerco una foglia che mi guidi. Ciascuno di noi ha diverse foglie che saltano fuori quando ne ha bisogno».

Freddy osservò attentamente da vicino quell'ometto modesto e poco appariscente. Aveva occhi neri e scuri molto sinceri, la pelle liscia, il naso schiacciato e una simpatica faccia rotonda. Sulla sua persona non c'era niente di pretenzioso: né segni di casta sulla fronte, né il torso nudo e la testa rapata propri dei sacerdoti e degli indovini. Non aveva addosso nessuna corona di rosario, né i bizzarri paludamenti spesso esibiti dagli indovini. Era vestito come qualsiasi *babu* impiegato in un'azienda commerciale. Sul *dhoti* indossava una camicia bianca di foggia europea e una giacca di cotone. In testa aveva un turbante floscio, senza pretese.

Freddy incominciò a credere alla storia dell'uomo. Era infatti un indiano e, sebbene la sua religione predicasse un solo e unico Iddio, credeva anche in decine di divinità indù e nei santi musulmani e cristiani. La sua religione gli parlava del cielo e dell'inferno, ma senza quasi saperlo egli credeva nella reincarnazione. Come altrimenti si potrebbero spiegare l'infelicità, l'ingiustizia e l'iniquità della vita nello schema delle cose?

A Gopal Krishan serviva qualche forma di aiuto per ordinare i milioni di foglie. A tale scopo aveva bisogno di spazio, scaffali e denaro. Una buona fetta del suo magro salario veniva impiegato in quest'impresa.

Freddy rimase commosso dall'altruistica dedizione dell'uomo ed era anche desideroso di trovare la propria *janam patri*. Mr. Bottliwalla aveva già trovato due foglie che lo riguardavano e aveva fatto una ricca elargizione per promuovere la ricerca.

«Sarò onorato di esaminare questo problema», promise Freddy e fissò un appuntamento a casa di Gopal Krishan da lì a un paio di giorni.

Le palpebre di Freddy, sempre leggermente abbassate, si spalancarono di scatto alla vista dell'incredibile ammasso di scolorite foglie di pipal che giacevano nel cortile. Come poteva pensare il bramino di metterle tutte in ordine?

Il cortile era riparato da una rugginosa tettoia di lamiera poggiata su tronchi di bambù. «Questo è il meglio che ho potuto fare per proteggere dalle intemperie il mio tesoro», spiegò imbarazzato Gopal Krishan indicando il tetto.

Freddy non fece alcun commento.

«Venga, la porto nella stanza in cui lavoro e dove forse troveremo anche la sua foglia».

Mr. Bottliwalla e Freddy seguirono Gopal in uno stanzone lungo, sommariamente imbiancato a calce e con le pareti piene di scaffali di legno. Le *janam patri* erano stipate in ordine e accatastate sui ripiani di fortuna. Nel centro del locale c'era un vecchio tavolo con quattro sedie di bambù.

Gopal prese nota della data e del luogo di nascita di Freddy e cominciò a rovistare nei mucchietti.

Freddy se ne sedeva pensieroso e in preda all'ansia.

«Troverà ben qualcosa, non preoccuparti», disse Mr. Bottliwalla, e poi soggiunse: «Ci ha messo solo cinque minuti a trovare la mia, l'altra volta».

«Quante delle tue foglie ha trovato?» chiese Freddy.

«Solo due».

«E corrispondevano al vero?»

«Ma si capisce! Lo vedrai subito anche tu».

Gopal Krishan tornò mostrando una foglia grande quanto il palmo di una mano. «Mi pare di averla trovata», disse sedendosi vicino a Freddy.

Freddy era quanto mai eccitato: come uno che sta per buttarsi in un'avventura.

«Coincide con la sua data di nascita. Dice che il suo nome incomincia con "f", che lei è nato nel sud del Punjab e che appartiene alla setta degli Agni Puja (adoratori del fuoco). Si direbbe che sia quella giusta. Ora gliela leggo. Solo lei può darmi conferma che sia proprio la sua».

Gopal Krishan inforcò gli occhialetti dalla montatura nera e osservando ogni centimetro da quell'umile e vecchio studioso che era, incominciò a leggere e a tradurre quanto era scritto sulla foglia. Due anni di lavoro gli avevano conferito un'incredibile conoscenza dell'antica lingua. A differenza dell'inglese scritto, molti testi indiani sono vergati in una specie di stenografia.

«Il proprietario di questa *janam patri* è un uomo estremamente fortunato», incominciò a dire. «Lei è dotato di garbo e bellezza fisica eccezionali. Alto, chiaro di carnagione, lei incanterà tutti coloro che avranno il privilegio di conoscerla. Brillerà come una stella nel pensiero dei suoi simili. La sua comunità guarderà a lei come a un capo.

«Sua moglie è la reincarnazione di una Devi. È una

santa. Lei avrà la benedizione di sette figli. Tre dei quali saranno maschi».

Gopal guardò Freddy per ricevere conferma e Freddy annuì: «È vero, sette figli».

«I primi anni della sua vita adulta saranno gravemente turbati da una donna più anziana. Ma tale guaio verrà superato. Da quel momento in poi lei avrà eccezionale fortuna negli affari.

«Lei ha una grande attrazione per il fuoco, una comprensione intuitiva della sua misteriosa natura. Trarrà vantaggio dalla sua pura forza come pochi sanno fare. La divina energia del fuoco le sarà sempre di aiuto. Non lo dimentichi».

Non ci fu nulla a tradire la meraviglia di Freddy a questa rivelazione. Non ci fu alcun mutamento nel suo contegno quando col pensiero riandò per una frazione di secondo al rogo fatale che gli aveva aperto la via del successo.

Gopal Krishan fissò Freddy con un'espressione perplessa. «Accende la lampada sacra tutti i giorni? Offre legno di sandalo e incenso al fuoco di casa come prescrive la religione?»

«Oh, sì. Siamo una famiglia religiosa».

«Non c'è dubbio che questo vi ha portato bene. Nei tempi di difficoltà la pratica della devozione vi sarà sempre di aiuto».

Freddy osservò che l'uomo stava dando un'interpretazione leggermente distorta del messaggio contenuto sulla foglia. Pensò bene di far cadere l'argomento, ma lui sapeva che cosa diceva veramente la *janam patri*. Era come una sottile e segreta comunicazione tra lui e la sua *patri*.

Gopal tornò a occuparsi della foglia.

«Farà molti soldi. Darà molto: dei suoi soldi e del suo tempo. Il suo nome splenderà come un'insegna luminosa nel cielo anche molto tempo dopo la sua morte.

«Avrà fortuna nei figli e nei nipoti. A parte una piccola difficoltà negli anni di mezzo, il suo rapporto con loro sarà eccellente e fonte di bene.

«Uno dei suoi figli è il favorito degli dèi. Diventerà un uomo addirittura più importante di lei. La fortuna sarà sempre sotto la pianta dei suoi piedi, conferendogli successo a ogni passo».

Freddy era al colmo dell'entusiasmo. Sapeva che la *janam patri* si riferiva senza alcun dubbio a Soli. Il cuore gli si riempì di gioia e orgoglio mentre l'immagine del suo splendido figliolo gli sorrideva all'interno delle palpebre. Soli era quello che qualsiasi padre avrebbe giudicato un ragazzo premuroso, affettuoso, di spirito pronto e intelligente. Freddy era il più fortunato di tutti i padri del mondo.

Freddy non seguiva quasi più ciò che Gopal Krishan continuava a dire leggendogli l'oroscopo. Era troppo preso dalla felicità e dall'orgoglio per il meraviglioso futuro del figlio.

All'improvviso Gopal Krishan tacque.

«Qui c'è una cosa che non è molto positiva», disse. Poi, schiarendosi la gola e assumendo un tono spiccio, lesse: «Anche il più fortunato degli esseri non può sottrarsi totalmente al dolore. Lei è fortunato in quanto questo dolore le giungerà nei suoi anni maturi, quando ormai avrà goduto la vita appieno e avrà tratto saggezza dagli eventi della vita e del destino. Lei non permetterà che l'amarezza rovini i suoi giorni o il dolore le tolga la gioia di vivere. Gli dèi chiamano a sé coloro che più amano. Si consideri fortunato anche in questa disgrazia».

«Che vuol dire tutto ciò?» lo interruppe Freddy.

«Uno dei suoi figli morirà...»

«Oh, chi?» chiese Freddy d'impeto.

All'improvviso tutti i suoi sensi scattarono all'erta. S'irrigidì sulla sedia.

Gopal Krishan andò avanti a leggere tra sé e sé.

Quando sollevò lo sguardo, gli occhi scuri e liquidi esprimevano tutta la sua pena: «Il suo primogenito sarà preso dagli dèi prima che abbia compiuto ventun anni».

Freddy impallidì. Si aggrappò al tavolo con tale forza

che le nocche gli si sbiancarono. Non riusciva a tirare il respiro. La stanza oscillò e si oscurò.

«Lei si sbaglia», disse con voce così flebile che quasi non la si poteva udire. «Guardi ancora», ripeté con un soffio più udibile.

Soli avrebbe compiuto il suo ventunesimo anno il 22 dicembre, quindi un mese e mezzo da quel giorno.

Gopal Krishan guardò Freddy allarmato. Mr. Bottliwalla, che sapeva come Freddy stravedesse per Soli, si allarmò.

«Deve esserci un errore», fece eco sottovoce, cercando di suggerire con un cenno a Gopal Krishan che lo assecondasse in questo senso.

«No, non credo di sbagliarmi ma non si può mai dire. Potremmo trovare un'altra foglia che suggerisca le misure da prendere o una cura da fare per la malattia».

«La trovi allora. La trovi subito!» gridò Freddy.

«Mi perdoni, Junglewalla Seth, ma purtroppo forse non ci riesco. Non sono mai stato capace di trovare due foglie per la stessa persona nello stesso giorno. La *janam patri* svela i suoi segreti lentamente, solo quando lo ordina il destino».

«Per amor di Dio, uomo», esplose Freddy. Poi urlò: «Stupidaggini! Idiozie pure e semplici!» e si alzò.

«Ma lei ha altri figli maschi...» disse Gopal Krishan. Come poteva sapere che gli altri figli non contavano niente? Almeno in confronto a Soli.

«Cerchi di ragionare», lo pregò gentilmente. Era commosso e sconcertato dalla reazione di Freddy. «Provi a guardare la cosa da questo punto di vista. Coloro che vengono presi quando sono giovani e innocenti sono i più fortunati. Siamo noi peccatori che dobbiamo affannarci e soffrire per tutto l'arco di una vita, rinascita dopo rinascita. Questa è la ricompensa che suo figlio riceve per la virtù passata, per la sua attuale bontà. Egli è più vicino al divino nirvana che non io o lei, più vicino di un'infinità di tempo. Dobbiamo rallegrarci della sua pietà e del suo stato di evoluzione e pregare che le sue future incarnazioni siano altrettanto brevi. Non è infatti per questo che ci affanniamo tanto? Perché possiamo attraversare in fretta la nostra esistenza e raggiungere infine la perfetta armonia con la Sorgente Suprema di tutta la vita?»

«Mi scusi», disse Freddy per tutta risposta. «Sono sconvolto dal messaggio che mi ha appena letto. Devo andare».

Seguito dall'amico che cercava in tutti i modi di scusarsi con lui, si precipitò fuori, senza nemmeno aspettare che Gopal Krishan li accompagnasse all'uscita.

Salì sul *tonga* e al galoppo tornò al negozio. Mr. Bottliwalla assistette alla corsa pazza per le strade affollate con una mano sul cuore e una preghiera sulle labbra.

Quando ebbe raggiunto la casa, la sua mente, incapace di accettare persino la possibilità della tragedia profetizzata, aveva spazzato tutte le sicurezze che gli avevano portato gli anni. In un attimo il suo cervello aveva abbracciato la ragione e rifiutato un'intera vita di fede, superstizione e convinzione nel soprannaturale.

Quando salì in casa, aveva ripreso il controllo di sé. Condusse Mr. Bottliwalla nella sala da soggiorno deserta e lì lo costrinse ad ascoltare una sua critica razionale quanto violenta e feroce della superstizione, dell'astrologia, della reincarnazione e di tutte quelle sciocchezze. Decise di non dire nulla della *janam patri* a Putli. Lei era tendenzialmente superstiziosa e avrebbe potuto credere a quella sciocchezza, spiegò a Mr. Bottliwalla. E quando Mr. McReady, l'affabile barbuto scozzese della Commissione di Pianificazione, si affacciò per bere qualcosa insieme, venne investito dalla veemente tirata di Freddy contro i cosiddetti santi, veggenti e indovini dell'India.

Soli era uscito a cena, ma dopo, insieme con un amico dell'università, raggiunse Freddy in soggiorno. Il padre si stava alzando da tavola per sedersi in poltrona, quando entrò Soli. Era giovane e forte. Non c'era nulla che potesse insidiare la forza della sua voglia di vivere, la sua indomabile vitalità. L'uomo con le sue ridicole *janam patri* era un ciarlatano e un buffone!

Jerbanoo entrò nella stanza e prese a sgridare Soli perché non le aveva detto che sarebbe rimasto fuori a cena.
Soli l'abbracciò scherzando, sollevando il massiccio corpo
della nonna di qualche centimetro dal pavimento. Jerbanoo squittì esilarata e gli altri scoppiarono a ridere divertiti, Freddy più sonoramente di tutti.

Ma il giorno dopo e quello dopo ancora era in preda ai
tormenti dell'angoscia. Improvvisamente un'assurda paura
simile a un gas tossico gli montava dentro e gli stringeva
il cuore. Allora tornava a guardare Soli, a constatarne il
vigore delle splendide membra, l'allegra luce degli occhi e
il caldo sorriso, e si convinceva che la profezia non poteva
essere vera. Ma non è facile liberarsi da un'istintiva fede
nelle credenze irrazionali di tutta una vita. Il Cristo non
era risorto dalla morte? Non esistevano i miracoli? Qualcosa sarebbe intervenuto a cambiare miracolosamente il
corso delle stelle e a sventare il destino. Poteva esserci un
errore nella *janam patri*. Cercò di ricordare i particolari
della storia di quell'imperatore Mogul che con la preghiera
era riuscito a prendere sulla propria persona la morte destinata al figlio. Avrebbe pregato. C'era anche la magia
nera... gli eventi sfortunati delle stelle di Soli potevano
essere trasferiti a qualche altro membro della famiglia...

All'improvviso Freddy troncò questo filo di pensieri,
perché racchiudeva gli insidiosi ingredienti della fede in
qualcosa: la sua più acerrima nemica dal disgraziato momento in cui aveva creduto al bramino.

Capitolo 27

Katy salì di corsa le scale e dal pianerottolo gridò con voce esultante: «Mamma, Soli ha fatto una solenne tombola! Voleva andare in piedi sulla bicicletta. Gli sta bene, così impara a fare lo spaccone!»

Putli, intenta a strofinare energicamente un pomodoro in cucina, la ignorò. Freddy invece, che era in sala da pranzo, scattò su dalla sedia e si gettò a capofitto giù per le scale, andando a sbattere contro Soli, che stava salendo per lavarsi le sbucciature.

«Sei caduto!» lo investì, ansimante per la paura, la voce rotta per l'impatto.

«Ma non è nulla, solo qualche graffio», disse Soli stupito.

Freddy si sentì quasi venir meno dal sollievo.

«Alla tua età potresti anche lasciar perdere certe acrobazie con la bici», lo redarguì, voltandosi per risalire e finire il tè.

Il giorno dopo, quando a cena Soli accusò un mal di testa, il cucchiaio di Freddy cadde rumorosamente a terra, e alzò il capo per piantare gli occhi sul figlio.

«Sei tutto rosso in faccia. Va' subito a metterti a letto!» gli ingiunse.

«Mi sta solo venendo il raffreddore, non è nulla», protestò Soli.

«Va' a coricarti, ti ho detto! La mamma ti porterà un po' di minestra calda».

Mentre Soli si alzava da tavola, Freddy soggiunse: «Putli, bisognerebbe misurargli la temperatura».

«Potevi anche lasciargli finire la cena», obiettò Putli sorpresa dal comportamento del marito. Aveva il volto bianco come la tovaglia. Tuttavia seguì Soli che stava già uscendo dalla sala.

«Mamma mia! Quante storie per niente!» bofonchiò Jerbanoo con la bocca piena di riso al curry, astenendosi prudentemente da altri commenti.

Quando Putli gridò dall'altra stanza: «Ha solo 37 e 2», Freddy gettò un'occhiata a Jerbanoo. «Lo vedi? Lo sapevo che aveva la febbre! Ora chiamo il dottore».

Freddy gettò il tovagliolo vicino al piatto in cui c'era ancora del pesce al curry e andò a lavarsi le mani.

«Ma che ti prende?» chiese Putli inseguendolo. «È solo un raffreddore. Gli porterò del brandy col miele e vedrai che domani starà benone. Nel caso non gli fosse passata la febbre, allora andrai a chiamare il dottore. Ti pare?»

Freddy acconsentì di malavoglia.

Quella notte non chiuse occhio.

Quando la mattina seguente si accorse che Soli non aveva più febbre, esultò in modo esagerato. Soli avrebbe voluto andare a scuola, ma Freddy lo costrinse a rimanere a letto per curarsi l'infreddatura. Una volta in ufficio, Freddy decise che doveva mettere fine al suo stato di angoscia perenne. Si convinse che era assurdo perdere la calma a quel modo. Ecco che cosa succede a dare ascolto a impostori e ciarlatani, si disse.

La posta dell'ufficio quella mattina conteneva anche due lettere private da Karachi. Freddy aprì una delle buste e sul suo volto comparve un sorriso compiaciuto. Era di Mr. Katrak, il quale proponeva formalmente il matrimonio tra Yasmin e suo figlio Bobby.

«Putli ne sarà felice», pensò Freddy, decidendo di dare quella buona notizia la sera dopo cena.

Quando Mr. Katrak era a Lahore, Freddy gli aveva gettato l'amo riguardo la propria disponibilità a tale accordo. Ma lui non aveva abboccato all'istante e Freddy, nonostante le cinquantamila rupie che gli aveva spillato, si era trovato di fronte a tali difficoltà per la soluzione del caso di Bobby che Mr. Katrak continuava ad avere bisogno della sua assistenza e del suo intervento. La cosa era condotta con molta furbizia, naturalmente, tanto che Mr. Katrak non poteva dire con sicurezza se Freddy per caso non la stesse manovrando a suo proprio vantaggio.

Freddy allora aveva gettato l'amo una seconda volta.

Mr. Katrak, che aveva molti debiti di riconoscenza verso Freddy e che era sulle spine non comprendendo la ragione del prolungarsi e del complicarsi della faccenda, decise di giocare la carta del matrimonio.

Senza contare che non c'erano motivi a sconsigliarlo. La ragazza era molto carina, beneducata e di buon temperamento. Bobby inoltre aveva dimostrato di apprezzarla nel corso della cena offerta da Faredoon durante il loro soggiorno a Lahore.

Il fatto che le sue manovre avessero funzionato a dovere diede a Freddy la piacevole sensazione d'un successo riportato.

«Ah, ma tu non hai la più pallida idea di come l'ho condotta, questa storia d'amore», si vantò quella sera con Putli quando lei levò gli occhi radiosi dalla lettera. «Sono come quel dio bambino, quel Cupido che fa innamorare. Ho scoccato le mie frecce e li ho centrati nel cuore».

«Come sarebbe a dire?» indagò Putli.

«Una freccia ho dovuto lanciarla prima nel cuore del vecchio Katrak», fu l'enigmatica risposta di Freddy. Voltò le spalle alla sbalordita consorte, quindi scomparve nel bagno.

L'altra lettera veniva dal sorvegliante di Yazdi a Karachi. Sembrava che il ragazzo avesse finito col calmarsi. Negli studi andava bene e si comportava quasi normalmente.

Una settimana felice per Freddy, dunque. Gli astri gli stavano dando un po' di respiro.

Una settimana esatta dopo quel giorno, Freddy cadde tra le grinfie di un incubo.

A mezzogiorno Freddy salì in casa per prendere alcune carte dalla cassaforte. La porta della camera di Soli era socchiusa e, nel passarvi davanti, vide il figlio intento a leggere un libro, con la testa poggiata sui cuscini.

«Che cosa c'è, figliolo?» chiese Freddy dalla soglia.

Soli posò il libro a faccia in giù sullo stomaco e Freddy rimase attonito nel vedere il colore del suo viso: le labbra erano rosse come quelle di un manichino e sulle guance spiccavano due pomelli di fiamma.

«Sono dovuto venir via da scuola. Mi sentivo girare la testa», spiegò Soli.

Freddy si inoltrò nella camera camminando sulla punta dei piedi e si sedette sulla sponda del letto.

«Hai fatto bene, figliolo», disse; sorrideva, ma la sua mano sul braccio scottante del ragazzo era tutta un tremito. «È venuta a vederti la mamma?»

«Sì, mi sta facendo un tè alla cannella».

«Perché non mi ha mandato a dire che non stavi bene? Fa niente, ora vado a chiamare il dottore».

Gli occhi febbricitanti di Soli ebbero un guizzo malizioso.

«Come pretendi che la mamma ti metta al corrente di tutto, se fai un caso di ogni sciocchezza? È solo lo stesso raffreddore dell'altro giorno».

«Cerca di dormire un po'», gli raccomandò Freddy alzandosi. Mise la mano sulla fronte di Soli e ne scostò teneramente una ciocca di capelli neri.

Soli levò su di lui uno sguardo ironico. Era d'una bellezza incredibile. E così, supino e col viso in fiamme, spaventosamente vulnerabile.

Freddy estrasse i documenti dalla cassaforte. Nel ridiscendere si fermò sul pianerottolo per avvisare Putli: «Vado a cercare un dottore».

Putli continuò a filtrare il tè alla cannella. L'insolita ansia che Freddy aveva dimostrato in quegli ultimi giorni per la salute di Soli aveva finito col contagiare anche lei.

«Gli hai preso la temperatura?»

Putli levò lo sguardo sul marito, che si accorse subito dell'apprensione che lei cercava di nascondere.

«Poco meno di 39», rispose, sul punto di scoppiare in lacrime.

Quando il dottore arrivò, Soli aveva 39 e 5.

Il dottor Bharucha era un uomo di mezz'età, basso e grassottello, dall'espressione gentile e le maniere spicce. Era amico personale di Freddy e godeva della fiducia di tutta la famiglia.

Dopo aver visitato Soli, sentenziò: «Ha una leggera costipazione di petto. Potrebbe essere un'influenza, ma non ne sono sicuro. Sono tante le infezioni che si presentano come un'infreddatura. Tenetelo a dieta e mettetegli pezze fredde sulla fronte se diventa irrequieto. Dovrebbero abbassargli la temperatura».

La febbre invece non calò.

Al terzo giorno il dottor Bharucha confermò quello che era stato il suo primo sospetto: «Tifo. Tenetelo a digiuno, dategli solo un sorso di acqua ghiacciata. È un bel ragazzone robusto, ne verrà fuori senza conseguenze».

Ora che il pericolo aveva mostrato la sua faccia, Freddy resse alla notizia meglio di quanto ci si sarebbe aspettato. Ma la carnagione chiara di Putli diventò del colore del gesso. La paura incise sulla sua pelle arida tante rughe sottili e Freddy istintivamente allungò un braccio per sostenerla.

I ragazzi entravano e uscivano dalla camera in punta di piedi per visitare il fratello. Vedendolo ammalato, Katy e Billy si mostravano imbarazzati e goffi in sua presenza. Durante i primi giorni Soli cercò di metterli a loro agio sorridendo e scherzando, ma diventava sempre più svogliato ed essi capivano che doveva fare uno sforzo per parlare.

Freddy mandò a chiamare Mr. Bottliwalla e insieme andarono a trovare il bramino.

Freddy, che non si era più fatto vivo con Gopal Krishan dopo la famosa visita, aveva l'aria contrita. Posò sul tavolino consunto una busta con cinquecento rupie e disse: «Mi spiace di non essere più venuto a trovarla, ma sono stato molto preso dal lavoro. Ora finalmente eccomi qua.

Spero voglia accettare questa piccola offerta. Un'offerta per il suo meritorio lavoro». Poi, con fare distaccato: «È riuscito a trovare qualche altra foglia che mi riguarda? Mio figlio è gravemente ammalato».

Gobal Krishan scrutò con espressione compunta il volto di Freddy.

«Junglewalla Seth, mi sentirei molto mortificato ad accettare qualcosa da lei ora che è in uno stato d'animo così turbato. Ne riparleremo in un momento più sereno», e restituì la busta a Freddy.

Gopal Krishan dimostrava sincera partecipazione al suo dolore. Il gesto con cui gli rese la busta era stato così garbato che Freddy, invece di sentirsi offeso dal rifiuto, ne rimase profondamente toccato. Gli occhi gli si velarono e il suo viso, sempre così espressivo, traboccava di gratitudine.

Ciò che la *patri* aveva detto era vero: era impossibile non amare quell'uomo, pensò Gopal Krishan, e ad alta voce disse: «Non sono riuscito a trovare le sue *patri*, per ora, ma tenterò ancora, e glielo farò sapere all'istante». Freddy si alzò senza protestare e si accomiatò.

Quella notte i nervi gli cedettero: seduto sul letto, piangeva sommessamente; non tentava nemmeno di nascondersi a Putli.

Straziata dalla sua disperazione, Putli se lo strinse al petto. Si chinò a baciargli gli occhi, il viso e i capelli come non faceva da tanto tempo. Stringendosi al petto il capo e le spalle del marito, lo cullava, avvolgendolo col quel corpicino esile in un amplesso che aveva il calore e la dolcezza d'un mare inondato dal sole. Freddy attinse alla forza di lei e si rinfrancò per far fronte a un'altra giornata.

Durante il giorno andava di sopra una ventina di volte per vedere Soli. Rimaneva in piedi vicino al letto. Si rendeva conto con esattezza del mutamento intervenuto nel figlio in quella settimana. Prima, il suo corpo disegnava sotto le coperte la forma d'un uomo adulto, mentre ora ne emergeva un profilo magro e ossuto. Come poteva un corpo subire un tale sfacelo? Un vivo rossore divampava ancora sul giovane volto smagrito. Gli occhi apparivano innaturalmente grandi, come in una muta e disperata richiesta d'aiuto. Freddy gli passò la mano sulla fronte sempre in fiamme.

Il ragazzo chiuse gli occhi. Si passò la lingua rapidamente sulle labbra riarse e in un soffio chiese dell'acqua.

Ha la voce esile e flebile come quella d'una donna, pensò Freddy, scosso fin nel profondo. Si avvicinò a un tavolinetto colmo di boccettine e di medicinali, e versò un po' d'acqua in un bicchiere. Sollevò teneramente la testa di Soli dal guanciale e gli avvicinò il bicchiere alle labbra.

Quando Freddy uscì dalla camera, vide Jerbanoo seduta presso la finestra della sala da pranzo. Aveva i capelli grigi coperti dal *mathabana* e si dondolava avanti e indietro, recitando orazioni su una corona di grani.

Avvertì la presenta di Freddy e volse su di lui gli occhi stralunati e interrogativi.

Freddy scosse la testa e si strinse nelle spalle con fare disperato. D'impulso le andò accanto, le prese le mani tra le proprie e chinò la testa per baciare la corona.

Putli e Jerbanoo accudivano indefessamente l'ammalato. Jerbanoo era instancabile. Gli applicava pezzuole fredde sulla fronte, gli massaggiava le membra inerti e gli somministrava le medicine tutte le volte che poteva dare il cambio a Putli. Sbrigava commissioni con un'alacrità che nessuno avrebbe sospettato in lei.

Tutti i membri della famiglia si muovevano cercando di non fare rumore, e persino quello scatenato di Billy si tratteneva dal provocare le sorelle. Erano tutti ansiosi di collaborare e avrebbero fatto qualsiasi cosa per dare sollievo al giovane infermo. Hutoxi, Ruby e i rispettivi mariti si aggiravano per la casa, in attesa di poter concedere almeno di tanto in tanto una notte di sonno a Putli e Jerbanoo.

Al quattordicesimo giorno ci fu un peggioramento nel decorso della malattia. Soli si lamentava, si agitava delirante, oppure cadeva in un'incoscienza profonda, quasi mortale. Tutti avevano gli occhi arrossati dal pianto.

Il dottor Bharucha quel giorno venne chiamato tre volte, e alla sera tardi, quando si allontanò dal letto, aveva un'espressione così grave che Freddy corse senza indugio dal bramino a chiedergli, al colmo dell'esasperazione: «Non ha ancora trovato niente?»

Il mite ometto che si prendeva cura di quelle foglie scosse la testa. Freddy, che raramente cedeva alla violenza, gli si scagliò addosso e lo afferrò per il bavero della camicia di mussola.

«Mio figlio sta morendo, lo sa?» sibilò, scuotendolo con rabbia. «Che cosa è successo delle *janam patri* che dovevano darci le indicazioni per curare la sua malattia? Che cosa ne è stato dei consigli che lei era così sicuro di trovare, mascalzone?»

«Mi dispiace», balbettò Gopal Krishan.

«Le dispiace? Le dispiace? Mio figlio morirà stanotte e lei non si è preoccupato di dare nemmeno un'occhiata?»

In quell'istante Freddy scorse la moglie del bramino, inquadrata sulla soglia della porta. Era una donnetta bassa, tarchiata, dalla pelle color nocciola, e ora stava fissando Freddy con gli immensi placidi occhi della sua razza.

Freddy trasalì e tornò in sé. Lasciò la presa sul bramino e indietreggiò. La leggera camicia di Gopal aveva uno strappo sotto il colletto.

«Mi perdoni», disse Freddy, la voce irrochita dalla violenza dei sentimenti che si agitavano dentro di lui. «So che mio figlio morirà stanotte».

«Non c'è niente da perdonare, *sethji*». Gopal Krishan mise una mano sul braccio di Freddy per placarlo. «Non deve lasciarsi prendere dall'ira. Fa solo del male a se stesso. Ritorni a casa e cerchi di prendersi una nottata di sonno... suo figlio non morirà stanotte».

Freddy sbarrò gli occhi con un'espressione di inquietante intensità. Afferrò il bramino per le spalle ossute, con dita che penetravano nella carne come artigli.

«Ah, allora non morirà stanotte? E quando allora? Lei ha trovato qualcosa», sibilò. «Mi sta nascondendo qualcosa, bastardo! Voglio vedere con i miei occhi, di qualsiasi cosa si tratti, capito?»

«Benissimo, visto che insiste. Ma mi tolga le mani di dosso, *sethji*».

Freddy lasciò la presa. Seguì Gopal Krishan nel locale dove erano conservate le antiche foglie. Si sedette, rigido e impaziente, sul bordo di una sedia, e di nuovo scorse la donna dalla pelle scura, in piedi sulla soglia della porta.

Gopal Krishan inforcò gli occhialetti e, fissando lo sguardo in basso, prese a scrutare le lettere mezzo sbiadite di una foglia. Spostò la *patri* sino a portarla esattamente sotto la debole lampadina che pendeva dal soffitto.

«Qui ci sono molte cose che già sa», disse alzando gli occhi. «Traduco solo le parti che la possono interessare. C'è scritto che lei sarà così sconvolto durante la malattia del figlio che si comporterà come un uomo uscito di senno. Suo figlio ha una malattia per la quale oggi non c'è cura. La cura sarà trovata dopo la tremenda guerra e la rivoluzione che insanguineranno la terra del Punjab».

Gopal Krishan qui fece una digressione. «Mi dà pensiero, questo riferimento a una tremenda guerra e a una rivoluzione. Salta fuori di continuo».

Ma Freddy fece un gesto d'impazienza con la mano e Gopal Krishan tornò a studiare la foglia. Lesse in silenzio per un po', poi prese una matita e scarabocchiò dei calcoli su un pezzetto di carta. «Suo figlio uscirà da questa vita tra tre giorni», annunciò a conclusione dei calcoli. «Il consiglio è di tenersi saldi. La sua perdita non sarà definitiva. Lui rinascerà nella vostra famiglia tra qualche anno».

Freddy poggiò il capo sulle braccia. Dopo un po' sollevò il volto, gli occhi rossi e l'espressione affranta, e sussurrò: «Grazie, Panditji».

Quando Freddy giunse a casa, Soli aveva perso conoscenza e Putli se ne stava seduta a gambe incrociate sul nudo freddo pavimento della loro camera, in preda a un pianto disperato.

Freddy prese tra le braccia il corpo esile e inerte della moglie e lo adagiò sul letto.

«Domani Soli starà meglio», cercò di confortarla; e la mise al corrente, poco alla volta, della *janam patri*.

Per tre giorni Freddy e Putli vegliarono presso il letto del figlio. Le loro labbra si muovevano in una muta preghiera senza fine. Al terzo giorno, la febbre si alzò e a sera sopraggiunse il decesso. Freddy pose una mano tremante sulla fronte del figlio: ora era fredda. Era il 5 dicembre.

La salma venne lavata e rivestita con antichi indumenti di cotone bianco. Freddy avvolse il *kusti* intorno alla vita del figlio, recitando le preghiere di rito. Non essendoci a Lahore una Torre del Silenzio, la salma venne trasferita nel Tempio del Fuoco, dove per riceverla era stata approntata in gran fretta una stanza nell'appartamento del sacerdote.

Soli venne deposto su due lastre di pietra e un addetto alla cerimonia funebre vi tracciò intorno tre cerchi con un chiodo ben appuntito. Da quel momento nessuno, all'infuori degli addetti, poteva oltrepassare il cerchio esterno.

Su un lenzuolo bianco steso a terra sedevano le donne afflitte, le spalle appoggiate contro il muro, di fianco alla salma. Faceva molto freddo e, per difendersi dal gelido pavimento di mattoni, sotto al lenzuolo avevano messo delle coperte ripiegate più volte. Indossavano sari bianchi, eccetto Jerbanoo che se ne stava seduta vicino a Putli col nero vestito di vedova. Katy indossava l'uniforme della scuola. Le signore parsi, la testa coperta, abbracciavano le donne in lutto e, dopo brevi frasi di cordoglio, si allontanavano piangendo, per andare a sedersi sui lenzuoli stesi davanti al feretro. Le frasi che si scambiavano sussurrando provocavano un sommesso mormorio accorato.

Putli, la testa affondata nel sari, piangeva silenziosamente, disperatamente. Di tanto in tanto Jerbanoo e Hutoxi le si chinavano vicino per abbracciarla, consolarla e asciugarle le lacrime.

Qualcuno portò loro una tazza di tè, e Jerbanoo convinse Putli a berne qualche sorso. «Per favore, basta», supplicò Putli affranta. «Non mi va giù».

Putli fissava la salma come se così facendo potesse riportarla in vita. Cogliendone lo sguardo, Jerbanoo singhiozzò forte e si pulì rumorosamente il naso nel sari. Poi trasalì. Non le era venuto in mente di controllare se il becchino aveva tracciato i cerchi in maniera corretta intorno a Soli. Ma sì, certo li aveva fatti bene, e dopotutto non era importante. All'improvviso i rituali che lei di solito controllava con occhio attentissimo, le parvero privi di senso. Soli era morto, questo era il punto. Tutto il resto contava ben poco. Il sacerdote e gli addetti al funerale gettavano occhiate timorose verso di lei, aspettandosi di venir ripresi su qualche svista con un eloquente richiamo a bocca chiusa. E invece niente, nemmeno quando la lampada a olio venne sistemata per qualche secondo sull'angolo sbagliato. Jerbanoo se ne stava seduta, sprofondata nel dolore, e il sacerdote, rendendosi conto che lei non era in grado di dare suggerimenti, si impegnò come non mai perché venisse correttamente rispettato ogni particolare della cerimonia.

Il cane del sacerdote, che lui aveva scelto per le due macchie, simili a un paio di occhi, che aveva sulla fronte, venne condotto nella stanza. Si credeva che quei quattro occhi avrebbero potuto tener lontani gli spiriti maligni e individuare ogni minimo segno di vita: facoltà molto apprezzata in un'epoca in cui la medicina era ai primordi e in cui capitava che ogni tanto un cadavere si riscuotesse e si tirasse su a sedere. Gli occhi spalancati di Putli volevano suggestionare il cane ad avvicinarsi alla salma, ma quello invece se ne allontanò, e lei si rese conto di comportarsi in modo assurdo. Soli era morto.

La sera sul tardi i convenuti alle esequie se ne andarono. La famiglia Junglewalla e gli amici intimi presero posto sui lenzuoli per passarvi la notte.

L'altare del fuoco venne portato nella stanza e sistemato a terra su un telo bianco. Seduto a gambe incrociate, il sacerdote incominciò a recitare passi delle scritture avestiche. Salmodiò per tutta la notte, e tenne il fuoco acceso e la stanza profumata con i bastoncini di legno di sandalo e di incenso.

All'alba incominciarono ad arrivare tutti coloro che volevano presentare le loro condoglianze: la processione durò tutta la mattina. Le donne si stipavano nella piccola stanza in cui era esposta la salma. Gli uomini si mettevano a sedere sulle panche del portico, o se ne stavano in piedi davanti all'abitazione della famiglia del sacerdote.

Il cortile tra l'appartamento del sacerdote e l'edificio in pietra del Tempio del Fuoco era gremito di gente di altre religioni. Cristiani indiani, musulmani, sikh, indù e alcuni funzionari inglesi aspettavano pazientemente di vedere la salma quando sarebbe emersa dai misteriosi riti. Freddy si recava di tanto in tanto nel cortile, salutando con cenni della testa, il viso sconvolto, e i convenuti gli facevano le condoglianze, senza avvicinarsi troppo. Sapevano che non dovevano toccarlo.

Yazdi giunse direttamente dalla stazione alle due, e si fermò sulla soglia, scrutando l'interno della stanza. Le donne ripresero a singhiozzare nel vedere i suoi occhi disperati e persi, e la sua figura emaciata ferma sulla soglia. Gli occhi stravolti e increduli si appuntarono sul cadavere del fratello: era avvolto fino al collo in un telo bianco e le piccole narici pallide erano chiuse con tamponi di ovatta. La tremolante lampada a olio gettava una luce macabra sul volto di Soli, distorcendone in modo orribile i lineamenti. Yazdi ebbe un sussulto così forte che gli scosse convulsamente tutto il corpo. Mettendogli una mano sul braccio, Freddy lo condusse via. Lo strinse poi in un abbraccio appassionato, i loro corpi aderirono l'uno all'altro, scaldandosi e confortandosi a vicenda. Freddy coprì di baci il viso di Yazdi, nel tentativo quasi di proteggerlo istintivamente dallo shock e dal dolore che quella visione gli aveva inflitto.

Alle tre entrarono nel locale i necrofori con un catafalco

di ferro. Lo posarono vicino alla salma, recitando una breve preghiera: «Facciamo questo secondo i comandamenti di Ahura Mazda...» e si sedettero ciascuno su un lato. Erano paludati con vesti bianche. Avevano persino le mani infilate in guanti bianchi legati ai polsi. La fronte e i lati del viso erano fasciati con fazzoletti bianchi, le cui cocche libere erano state avvolte intorno al collo, fino a coprire parte del mento.

Putli guardò quegli impressionanti personaggi con occhi atterriti, finché non riconobbe sotto i grotteschi paramenti bianchi i due generi.

Gli altri due erano Cyrus, figlio di Mr. Chaiwalla, e Mr. Bankwalla. Si sentì pervadere e sopraffare dalla gratitudine. La comunità parsi era troppo esigua per permettersi dei becchini di professione, per cui questi quattro uomini si erano offerti volontari per la circostanza.

Le preghiere a beneficio dell'anima erano terminate. Ora tutti i presenti stavano sfilando a uno a uno per rivolgere un ultimo sguardo e un inchino alla salma.

Fecero entrare ancora una volta il cane nel locale.

Putli, quando i portatori stesero un telo bianco sulla salma, e la posero sul catafalco che poi si caricarono sulle spalle, si abbandonò a un pianto irrefrenabile.

Le donne se ne stavano da parte. Il catafalco, seguito dagli uomini, venne portato fuori. Coloro che sostavano nel cortile e che aspettavano già da ore, rimasero sorpresi nel vedere che il volto di Soli era stato coperto col telo bianco. Si udì un mormorio di disappunto.

Freddy scorgeva l'ondeggiare dei volti come attraverso una visione fantastica: emergevano a uno a uno dal mare del suo dolore per imprimersi nella sua memoria per l'eternità. C'erano volti di amici, di gente che lui aveva aiutato, di gente che gli aveva dato una mano. C'erano vicini, funzionari e commercianti; c'erano principi e medicanti. C'erano Mr. Allen, Mr. Gibbons e il bramino Gopal Krishan, come anche Harilal, l'impiegato, e Alla Ditta il ruffiano, e il volto incartapecorito dell'inglese che aveva tratto in salvo dalle fiamme Jerbanoo. C'erano studenti universitari e fratelli dell'istituto Sant'Antonio. Mani carezzevoli e affettuose lo toccavano.

Il catafalco venne portato fuori del cancello e Freddy constatò che la strada era gremita di gente fino in fondo, dove sostavano il carro funebre e tutti i *tonga*. Erano volti familiari e tutti, in quel momento, particolarmente cari.

Con gesto impulsivo Freddy fermò il catafalco e con mani tremanti tirò via il telo dal volto di Soli. Baciò la guancia fredda ed esangue del figlio. Scandalizzati, gli uomini della comunità gli si affollarono intorno. Quando su una salma sono stati officiati i sacri riti, le persone di altre credenze religiose non sono ammesse a posarvi sopra lo sguardo. Qualcuno disse: «Faredoon, questo è un sacrilegio. Comportati come si deve!» e Faredoon, cercando disperatamente di dare un tono fermo alla sua voce, disse: «Sono stati qui ad aspettare tutto questo tempo per vedere mio figlio. Lasciate che lo vedano. Che importanza ha se non sono parsi? Sono miei fratelli, e se io posso guardare il viso di mio figlio, anche loro devono poterlo guardare!» Il catafalco prese a muoversi lentamente tra i presenti che, silenziosi e con la testa bassa, si stipavano nella via.

Nel piccolo cimitero Freddy seguì le operazioni. Il corpo venne velocemente racchiuso tra quattro lastre di marmo e quindi calato nella fossa. Quando vi fu gettata sopra e spianata accuratamente la terra, uno dei portatori batté tre volte le mani, gli uomini si rivolsero verso il sole calante e recitarono preghiere sul loro filo sacro.

La cerimonia di intercessione per la salvezza dell'anima che se ne era andata durò quattro giorni e quattro notti. Alla sua chiusura, Freddy comunicò la donazione che intendeva fare, come voleva la tradizione. La sua famiglia avrebbe costruito una scuola a Karachi.

Al quinto giorno andò a visitare la tomba e Jerbanoo, tra un singhiozzo e l'altro, comunicò: «Voglio che il posto alla destra di Soli sia riservato a me. Putli, promettimi che mi seppellirai là».

Putli e Freddy la fissarono ammutoliti. Data la fonte, tale dichiarazione non solo era inattesa, ma rappresentava un gesto di coraggioso e generoso sacrificio.

Così gli astri avevano ritenuto opportuno comportarsi nei riguardi di Soli.

Capitolo 28

Ciò che Freddy aveva colto mentre si stringeva al petto Yazdi il giorno del funerale, era un'intuizione esatta. La sensibilità eccezionalmente acuta di Yazdi era stata messa a durissima prova; qualcosa nell'intimo del ragazzo aveva ricevuto una ferita insanabile. Egli non riusciva a entrare in sintonia con gran parte del mondo circostante. Troppe cose erano insensate, malvagie e ingiuste, come la sordida attività di Rosy Watson, l'inconcepibile brutalità del padre e la morte di Soli.

Ancora una volta Yazdi si richiuse in sé. Riaffiorarono i sintomi che già si erano manifestati nel passato. Era generoso e gentile al di là della norma. E quando ancora una volta tornò da un'uscita mattutina con le sole mutande, Freddy decise che era ora di rispedirlo a Karachi.

Le giornate erano fredde e frizzanti. Nell'aria c'era un che di allegro e i bazar di Lahore avevano assunto un aspetto festoso in preparazione del Natale. I negozi di dolciumi, abbigliamento, giocattoli e scarpe erano decorati con carte e lampadine multicolori. All'angolo della fila di edifici commerciali, lo spaccio civile e militare era tutto addobbato con un vistoso dispiegamento di bandierine britanniche e festoni colorati. Gli affari sono affari. E se anche la famiglia era prostrata dal lutto, il negozio di Freddy non voleva deludere i clienti. Non si rinuncia alla possibilità di un profitto solo perché si è accasciati. Era passato troppo poco tempo perché Faredoon potesse badare al negozio, e quindi si ritirò in ufficio, dandosi da fare solo per coloro che avevano bisogno del suo aiuto. L'altruismo di cui si sentiva traboccare lo rendeva più gentile. Regalò abbeveratoi per i cavalli dei *tonga*, panchine per un passeggio lungo i moli di Karachi e fondi per il cimitero di Quetta. Prese a interessarsi al misticismo e studiò la traduzione delle Gatha, i versi dell'Avesta attribuiti personalmente al Profeta. Era affascinato dalla saggezza di quei testi sacri. Il tono discorsivo e affettuoso del dialogo tra Dio e Zaratustra gli ispirò l'idea di tenere una serie di conferenze sul legame che vedeva tra Zaratustra e il sufismo. Si fece una fama di studioso.

Tutte le responsabilità che Soli era andato a mano a mano assumendo su di sé, e le infinite mansioni che erano sempre state svolte da Freddy, vennero all'improvviso scaricate sulle spalle di Billy, che vi ci si tuffò dentro come un'anatra nell'acqua. Era oltremodo interessato e ansioso di imparare, e apprese i sistemi del commercio come può fare solo uno che ne abbia la vocazione. Freddy gli impartì alcune lezioni sommarie e rimase meravigliato nel constatare la prontezza con cui afferrava tutto: era persino più svelto di Soli, ma Faredoon provava lo stesso compiacimento che si può provare quando si istruisce un impiegato eccezionalmente dotato. Sentiva un orgoglio limitato e un affetto ancora più modesto verso quel nanerottolo tutt'ossa e dal naso spropositato che aveva usurpato i diritti di Soli.

Billy aveva una licenza di due mesi per la preparazione degli esami di maturità che si tenevano in febbraio. Passava le giornate nel negozio e la sera studiava in strada sotto la luce di un lampione per risparmiare elettricità, perché prendeva sul serio le responsabilità che gli erano state improvvisamente attribuite, e il suo futuro ruolo di capofamiglia. Si aggirava per la casa spegnendo luci, litigando con i servi spreconi e criticando le spese nella conduzione della casa.

Mise un freno all'abitudine di Jerbanoo di andare in dispensa a prendersi merendine tra un pasto e l'altro.

«Per amor di Dio! Sei peggio di tuo padre!» protestò lei adirata.

Putli, che predicava per far capire a Billy quali erano i suoi doveri di futuro capofamiglia dopo la scomparsa di

Soli, si mostrava indulgente. Era lei quella che gli voleva più bene, tanto che il vuoto lasciato dalla morte del primogenito fu ben presto colmato da lui. Nonostante tutti gli allegri addobbi natalizi, nel negozio regnava un'atmosfera cupa, e non solo a causa della scomparsa di Soli. Billy aveva immediatamente introdotto una serie di riforme restrittive. Non tollerava che qualcuno arrivasse con cinque minuti di ritardo o che oziasse, o che facesse una scappata fuori per sbrigare qualche affaruccio privato. Mise drasticamente fine ai furtarelli di dolciumi e alla sparizione di qualche bottiglia di liquore (attribuita a rottura e passata sotto silenzio da Freddy e Soli).

I suoi occhietti vividi e attenti erano sempre pronti a scattare sui commessi, e la scenata che faceva se mancava al controllo una minima particella di merce dava loro la sensazione di essere vittime di una vera e propria persecuzione.

Il negozio parato a festa sembrava un clown morto di crepacuore, ma con la risata ancora stampata in faccia. Poco alla volta Freddy si riprese dal dolore. Un anno dopo, al matrimonio di Yasmin, il suo umore era almeno apparentemente tornato alla normalità.

Jerbanoo era scesa in campo contro il suo nuovo avversario, ed era riuscita a intimorire il sedicenne Billy, al punto che questi si guardava bene dal farle delle osservazioni.

Con la partenza di Yasmin per Karachi dopo il matrimonio, Katy era rimasta unica destinataria delle sgradite attenzioni di Billy.

Capitolo 29

Yasmin era entrata nella sua nuova casa solo da una settimana quando Freddy ricevette da lei una lettera che lo mise in allarme.

Yazdi, scriveva Yasmin dando conferma ai peggiori timori di Freddy, aveva disertato l'università. Dissipava il denaro dell'assegno mensile e delle tasse di iscrizione distribuendolo ai mendicanti. Vagava per la città e dormiva sulle panchine del parco o sui marciapiedi. Da una settimana non si aveva più nessuna notizia di lui e lei temeva che fosse andato a prestare la sua opera in una comunità di lebbrosi alla periferia di Karachi. L'incaricato della sua sorveglianza non aveva voluto dare notizie dettagliate sulla situazione per non turbare Freddy nel bel mezzo del matrimonio di Yasmin, ma ora chiedeva di essere sollevato da ogni responsabilità. Era dolente, ma aveva fatto tutto quanto era in suo potere.

Freddy emise un profondo sospiro e bloccò l'invio dell'assegno mensile. Bloccò anche l'invio del denaro per le tasse universitarie.

Rimasero senza notizie di Yazdi per tre mesi. Quando una sera fece la sua comparsa, la testa rasata come un santone e il corpo scheletrico coperto a malapena da un sudicio *dhoti*, Putli e Jerbanoo scoppiarono in lacrime.

Yazdi veniva a pretendere la sua parte di patrimonio familiare. In cambio, giurava di non farsi più vedere.

«Se non mi vedete non avete motivo di entrare in crisi per me, e io prometto di non darvi altre preoccupazioni».

«E che cosa farai del denaro?» chiese il padre.

«Darò da mangiare ai bambini che rischiano di morire di fame, comprerò medicine per gli infermi lasciati a

202

marcire come escrementi nei bazar pieni di gente. Voi preferite non pensarci nemmeno. Io li ho uditi, i gridi dei bambini a mezzanotte. Chi sono? E i mostri perversi che li tormentano? Voi vi tappate gli occhi e gli orecchi. Ma io conosco ben altre cose. Ogni mattina vedo i cadaveri mutilati delle prostitute nei canali di scolo e la sofferenza mortale di migliaia di vite senza scopo, senza valore».

«Tu hai l'illusione di poter essere utile a qualcuno abbandonando la tua famiglia e la tua casa. Ma prova un'altra strada, figliolo. Ti indicherò altri modi per renderti utile al prossimo. Resta un po' qui con noi e vedi come va. Scoprirai che cosa vuol dire essere ricchi, non ricchi nel senso più banale, ma ricchi nel senso della corretta tradizione. Sai benissimo che la ricchezza impone dei doveri, e per ogni rupia che spendi per te, ne potrai spendere cinque per gli altri!»

Yazdi si dimenava, in preda all'impazienza.

«Senti, figliolo, tu sei uno tra i pochi favoriti dalla fortuna che hanno il privilegio di poter dare. Dimmelo, ce ne sono tanti che hanno la possibilità di dare? No, la maggioranza è condannata dagli astri a ricevere! Rifiutando il sistema di vita che ti è stato destinato, non fai che sottrarti alle tue responsabilità verso i meno fortunati!»

«Ma io non me la sento di star qui a sguazzare nel lusso di questo palazzo!» urlò Yazdi, indicando con un accusatorio largo gesto della mano il loro modesto appartamento. «Non posso riempirmi la pancia e dormire tra lenzuola di seta mentre i miei fratelli non hanno un tetto sotto cui ripararsi!»

«Ma di che lenzuola di seta vai parlando?»

«Oh, sai bene che cosa voglio dire, papà! Lasciami fare la vita che voglio. Lo so che mi prendi per pazzo, ma lasciami in pace!»

«Non riesco a capirti, figliolo!» disse Freddy pacato. Il suo volto, contraddicendo le parole, era triste ma illuminato dalla comprensione.

«Ma provaci!» lo scongiurò Yazdi. Gli confidò quanto

fosse rimasto sconvolto dalla morte di Soli. Aveva sofferto arrovellandosi e infine, dopo mesi e mesi, era arrivato ad accettarsi così com'era. Ora viveva in pace con se stesso. Sapeva che cosa voleva. Doveva vivere in armonia con la sua coscienza che non ammetteva cedimenti. Non poteva pensare di condurre una vita diversa. Se questo voleva dire che in lui c'era qualcosa di sbagliato, non ci poteva fare niente.

Freddy ascoltò pazientemente. Il giorno dopo, definita con generosità la somma da assegnare a Yazdi, la mise in amministrazione fiduciaria. Yazdi non avrebbe mai potuto in tutta la vita mettere le mani sul denaro, escluso l'assegno mensile che la banca gli avrebbe erogato a richiesta. Yazdi voleva andar via subito. La madre singhiozzava e provò a convincerlo. La nonna e le sorelle lo scongiuraro-no, ma capirono che non c'era speranza.

Yazdi salutò tutti e scomparve. Di tanto in tanto aveva-no sue notizie ed erano informati dei suoi vagabondaggi dai recapiti che lui di volta in volta faceva pervenire alla banca. Freddy rinunciò a ogni speranza di veder guarire il figlio, perché infatti è solo una follia voler ficcare l'occhio sotto la superficie dell'India; è una follia voler spingere lo sguardo al di là degli stretti confini destinati a ciascuno.

Capitolo 30

Lahore si stava rapidamente evolvendo in quel centro commerciale e sociale che, nel corso della Seconda guerra mondiale, le guadagnò la fama di "Parigi dell'Oriente". Era sede del Governo del Punjab e dell'amministrazione della provincia della frontiera di nord-ovest.

Gli sfolgoranti inverni di Lahore attiravano folle di vacanzieri che, boccheggianti per il caldo, accorrevano da tutta l'India, mentre esangui dame inglesi dai biondi corti capelli acconciati in piatte onde sulle tempie scendevano dalle carrozze e andavano a fare acquisti, strette al braccio dei loro cavalieri dalla pelle rosata, oppure passeggiavano languidamente tra i rosai dei Lawrence Gardens. Spuntarono ristoranti quali Lorang, Standard, Stiffle, dotati di sontuosi e stravaganti bar e sale da ballo, frequentati dai funzionari inglesi e dai maragià. Ma le danze lente che venivano eseguite in questi eleganti saloni offendevano il senso morale di Freddy e lo trattenevano dal frequentarli: lui rimaneva fedele alle esibizioni tradizionali, e a suo giudizio senza pretese, delle ballerine dell'Hira Mandi.

Le piante davano fiori tutto l'inverno. Parchi e alberi mossi dal vento profumavano l'aria, e le migliaia di prati dei bungalow privati erano lussureggianti tappeti verdi.

Particolarmente leggiadri erano i giardini intorno alla Government House, nei quali in media quattro volte nel corso dell'inverno Mr. e Mrs. Faredoon Junglewalla venivano invitati, tramite immensi biglietti ornati da stemmi nobiliari, a tè danzanti ufficiali.

Sebbene tali inviti venissero cortesemente accettati, equivalevano ad altrettanti mandati di comparizione, e a

205

Putli recavano la stessa gioia di una condanna alla pena capitale.

Freddy insisteva perché lei lo accompagnasse.

Dal momento in cui vedeva quel biglietto, Putli piombava in uno stato di depressione nervosa che sfociava in una forma di grave isteria alla vigilia del ricevimento. Queste ineludibili sortite in pubblico le avvelenavano la vita. E allora scongiurava Freddy di portare con sé Jerbanoo, sempre disposta al sacrificio.

Non passò molto che per amore della pace Freddy escogitò lo stratagemma di comunicare la notizia alla moglie casualmente, pochi minuti prima del momento in cui si doveva uscire di casa. Per lui era un'ora di ferro e fuoco: sceglieva il sari, e dirigeva e pungolava la recalcitrante consorte finché non la vedeva al sicuro, issata sul *tonga*. Putli protestava e brontolava lungo tutto il percorso, fino a quando Alla Ditta, che fungeva da cocchiere per questi ricevimenti pomeridiani, non li portava al di là dei cancelli della Government House. Dopo di che lei, rigida come una mummia, cadeva in preda al terrore.

Quando il loro *tonga* si infilava nel lento corteo di carrozze e limousine lungo il viale d'accesso, Freddy si rilassava. Da quel momento in poi il comportamento di Putli era più o meno normale.

Ciò che più la inviperiva era che lei, una donna ubbidiente e timorata di Dio, fosse obbligata a camminare precedendo il marito. La considerava un cosa pretenziosa, barbara.

Quando arrivavano davanti all'ingresso, Freddy porgeva la mano a Putli per aiutarla a scendere dal *tonga*, con tutta la pomposità di un cortigiano incaricato di far da cavaliere alla venerata regina: era una scena provata e riprovata, a cui Putli si prestava con l'entusiasmo di uno zombie.

Freddy la conduceva lungo le passatoie di velluto rosso, fino al giardino. Ma non si limitava a condurla: la incitava, la sollecitava, la spingeva passo dopo passo per tutto il percorso. Nessuno avrebbe potuto immaginare, vedendo l'affettuoso braccio di Freddy intorno alla vita della moglie, con quanta forza la costringeva ad avanzare. Allevata nella tradizione che imponeva alla moglie di camminare tre passi dietro al marito, quel loro modo di procedere costava a Putli la stessa pena che le sarebbe costato andare nuda in pubblico. Sotto le leggiadre pieghe del sari, le sue gambe erano rigide come due trampoli.

Nessuno avrebbe indovinato l'invisibile lavorio delle dita di Freddy, nascoste dal sari, sulla sua vita. Un pizzicotto ben assestato, un po' più in alto, a destra, l'ammoniva che era il momento di tendere la mano. Questo segnale fu causa di una estemporanea iniziativa di Putli in occasione della sua presentazione al Governatore.

Erano in piedi, in un gruppetto di amici sul prato, quando il Governatore, scortato dal suo *aide de camp*, puntò diritto verso di loro. Freddy presentò subito la moglie, che pronta chinò la testa dicendo: «Piacere».

L'affabile, solenne inglese aveva teso la mano, ma, in mancanza della logica risposta da parte della inaspettatamente riservata signora, quasi senza interrompere il gesto, l'aveva alzata a lisciarsi i capelli. A quel punto Freddy diede un così deciso pizzicotto a Putli, che lei tese la mano, con la quale andò ad acchiappare entusiasticamente quella del Governatore che già aveva raggiunto la testa, e gliela tirò in giù, scuotendola energicamente per tre volte. Rimase quindi lì, con un'espressione cupa e severa in volto, in attesa di ulteriori istruzioni.

Quando poi Freddy riusciva a parcheggiare la moglie a un tavolino, di solito in compagnia di un gruppetto di altrettanto impacciate signore indiane, finalmente era libero di aggirarsi tra gli amici.

Arriva ogni tanto sulla terra una creatura – donna o uomo – di aspetto così bello, di tanta grazia, di così straordinario fascino, che tutti i cuori ne sono conquistati a prima vista. Freddy era una di queste creature, e a quarantasette anni il suo fascino era ancora irresistibile. Bastava che facesse la sua comparsa tra le donne e che, sia pur di sfuggita, le sfiorasse con quei suoi occhi ipnotici dalle palpebre socchiuse, che nell'aria si avvertiva un eccitato palpito. Il fatto che lui non vi facesse caso, che non desse segno di reazione, aumentava il desiderio. Dame d'alto rango sognavano di sfidare le ire della società e di infrangere le barriere della razza e della classe per fuggire con lui, vittime di un amore depravato e infelice.

La maggior parte degli importanti ospiti di questi ricevimenti era di rango sociale superiore a quello di Freddy.

Solo una volta Putli commise un errore di comportamento: avvenne nella seconda occasione in cui si trovò in quell'ambiente.

Freddy stava chiacchierando con Peter Duff. Mr. Duff, in un patriottico gesto di buona volontà teso a superare le invalicabili frontiere tribali del nord-ovest dell'India, aveva sposato la figlia del Khan di una tribù, una fanciulla avvenente quanto poco istruita, che aveva sempre vissuto tra le alte mura di fango della fortezza paterna. Mr. Duff si trovava ora assillato da uno stuolo di parenti di lei, bellicosi e litigiosi. Questa moglie musulmana non sapeva l'inglese, e siccome lui non le poteva mettere a disposizione una fortezza avita, era destinata a passare il resto della sua esistenza nella casa paterna, tra le montagne.

Peter Duff stava deliziando Freddy col racconto delle sue agghiaccianti esperienze in qualità di genero nell'ambito di una tribù, quando Putli sopravvenne alle spalle di Freddy e gli diede un discreto pizzicotto. Freddy si girò di scatto.

«Che cosa succede?» le chiese risentito.

«A casa! Io vado. Tu vai!» fece Putli esprimendosi in inglese, perché le era stato raccomandato di non parlare in gujarati in presenza di inglesi.

«Ma non possiamo andarcene fin quando il Governatore è ancora presente», cercò di spiegarle Freddy.

«Si deve andare a casa. Io vado! Tu vai!» insistette lei.

Freddy l'afferrò deciso per il braccio e la sospinse verso un tavolino appartato. La fece sedere e con pazienza le dipinse a tali fosche tinte la rovina, il disonore e il disastro economico in cui si sarebbero venuti a trovare se avessero osato offendere il Governatore con una loro intempestiva partenza, che Putli non tentò mai più di andar via prima del tempo. Non finì però mai di detestare i ricevimenti o di irritarsi ogniqualvolta le toccava camminare precedendo il marito.

Quando Yasmin, dopo quattro anni, ritornò a Lahore, Putli rimase scandalizzata nel vederla piantare in asso Bobby per correre a salutare i parenti, come avrebbe fatto una qualsiasi disinvolta inglesina. Pensando che la povera fanciulla si fosse lasciata trascinare dall'entusiasmo del momento, Putli la perdonò. Ma in seguito, quando vide che Yasmin precedeva il marito nello scendere le scale o nel salire in carrozza, la prese in disparte per rimproverarla di quel suo disdicevole comportamento. Che cosa avrebbero pensato Bobby e i suoi genitori nel vederla così maleducata?

«Ma a lui piace così, mamma», protestò Yasmin ad alta voce. «Comunque è stupido camminare dietro al marito come un animale tenuto per la cavezza. Ah, mamma, papà non è proprio riuscito a farti diventare un po' più moderna?»

Bobby rivolse una risatina alla suocera, un ghigno impudente che racchiudeva tutta la sfida del "gap generazionale", ma Putli, con volto funereo, ostentò il suo disappunto rifiutando di sedersi prima che tutti gli uomini non fossero stati serviti. Come dimostrazione pratica di comportamento esemplare, seguiva Freddy per tutta la casa alla precisa distanza di tre passi, senza che lui se ne accorgesse, e scattava alla sua minima necessità con tanta prontezza da lasciarlo a bocca aperta. Il comportamento di Yasmin non mutò d'una virgola.

Bobby, lasciata la moglie presso i genitori, tornò a Karachi.

La visita di Yasmin era stata determinata dall'imminente viaggio di Putli e Jerbanoo a Bombay per trovare moglie a Billy.

Capitolo 31

Behram Junglewalla, detto Billy, era un giovanotto taciturno, laconico, tirchio e testardo. La sua espressione arcigna e inquisitoria ispirava diffidenza a prima vista, proprio perché era così esplicita. A differenza del padre, Faredoon Junglewalla, Billy aveva un carattere lineare: ci si rendeva subito conto di come stavano le cose con lui e – una volta chiarito che nella sua mente c'era un'unica idea fissa – non si potevano avere dubbi su quelli che erano i suoi punti fermi. Era sospettoso, e questo lato della sua personalità saltava agli occhi immediatamente, in qualsiasi situazione. Era avaro. Coloro che avevano a che fare con lui capivano benissimo la situazione e raramente la loro fiducia nella sua abilità veniva tradita.

Lo scopo della vita di Billy era uno solo: il *denaro!*

Egli esisteva solo per produrre, accrescere e accumulare denaro. Era un notorio e accanito taccagno. L'unico capriccio che si concedeva erano i ravanelli, e, molto più avanti nella vita, il vino.

La sua frugalità era forse l'eredità di un'ininterrotta genealogia parsi. All'epoca del matrimonio aveva vent'anni. Gli astri, facendo sfoggio di tutta la loro potenza, dopo aver mandato in esilio Yazdi e aver messo fuori causa Soli, avevano lanciato Billy sulla via che gli doveva consentire di rilevare il florido commercio di Freddy ed ereditarne la sostanziosa fortuna.

Billy si era fatto grande, e anche le sue orecchie erano cresciute. Le morbide cartilagini si erano fatte più dure e ora sporgevano come i manici di una teiera. I quattro peli scompaginati dei suoi baffi ora formavano un cespuglietto abbastanza fitto sotto la sporgenza accidentata del naso, al di sopra del quale si apriva trionfante la scriminatura dei capelli. Questi ultimi, di un colore nero-azzurro e untuosi, si proiettavano ai due lati per terminare in una svolazzante schiuma di riccioli.

Alto poco più di un metro e settanta, dalla mascella volitiva, era di una magrezza scheletrica ma senza nemmeno un pizzico di quell'irresistibile fascino che hanno per diritto di nascita tutti gli eroi macilenti della narrativa romantica. Behram Junglewalla era l'unico che avrebbe continuato la stirpe Junglewalla, e di conseguenza il suo fidanzamento venne combinato e trattato con tutta la sagacia con cui si lancia sul mercato il marchio di una nuova sigaretta americana. Tutti i giornali di Bombay e Karachi pubblicarono il seguente annuncio in grassetto, racchiuso in una cornicetta dal motivo floreale.

CERCASI. Giovane celibe parsi, prestante, alto, scuro, partito appetibile, con florida attività indipendente in Lahore, desidera conoscere scopo matrimonio avvenente signorina parsi di carnagione chiara, istruita e di buona famiglia. Opportunità eccezionale per una ragazza con le caratteristiche richieste. Non si pretende dote. Massima riservatezza. Inviare offerte a Casella Postale no. 551, Lahore.

Se un particolare era stato ritoccato e migliorato, che importanza aveva? Tutto è permesso in amore e in pubblicità.

Arrivò una caterva di lettere. Erano scritte quasi tutte in gujarati e furono oggetto di ponderato esame da parte di tutti i familiari. Difficile credere che ci fossero tante ricche e squisitamente graziose ragazze. Dopo un po' essi si fecero scaltri nel leggere tra le righe e nel separare la pula da tutto il resto. Delle cento e più lettere ne vennero scelte cinque.

Jerbanoo, gli occhialetti bassi sull'impertinente naso a patata, le sottopose a un'autopsia finale. Come un tuffatore d'acqua profonda che torna a galla con la perla magica, lei irruppe in camera da letto sventolando una lettera sotto il naso di Freddy. «Eccola! Eccola! Sapete da chi arriva questa offerta? Buttatele via, tutte le altre!» ordinò, categorica.

Quella lettera era di Khan Bahadur Sir Noshirwan Jeevanjee Easymoney.

«È uno dei parsi più ricchi di Bombay!»

E non solo uno dei più ricchi, ma anche uno dei più straordinariamente virili. Era noto per la sua numerosissima prole. Nessuno ricordava o teneva conto del numero esatto dei suoi eredi... Venti, ventuno, ventidue? Chissà!

«Tutti da una sola moglie?» chiese scettico Freddy.

Jerbanoo, che sapeva vita, morte e miracoli di tutte le famiglie parsi, alzò un dito e annuì: «Una sola!»

Sbarrando gli occhi in segno di compatimento, Putli emise un gemito: «Poveretta! Sarà magari forte come una cavalla, ma anche se così fosse!»

«Devo averlo visto, una volta», disse Freddy pensieroso, cercando di ricordare in quale circostanza. «Ah, sì! Alla Borsa Cotoni di Bombay. Un bel tipo, imponente. Vestiva e parlava come un lord. Molta personalità, molto fascino. Ma non capisco come mai abbia risposto alla nostra inserzione».

«E perché non avrebbe dovuto? Anche la nostra è una famiglia nota e rispettata. E i ragazzi di buona famiglia non crescono sugli alberi!»

Faredoon ponderò l'acuta obiezione di Jerbanoo: «Sarà. Ma sono sicuro che avrebbe potuto trovare un pretendente più a portata di mano. Comunque sarà bene che andiate a Bombay a vederla con i vostri occhi. La gentile offerta di Sua Signoria potrebbe essere zoppa, o cieca, o pazza!»

Faredoon non aggiunse altro, e nella mente delle due donne si insinuò il seme di un dubbio atroce.

Khan Bahadur Sir Noshirwan Jeevanjee Easymoney, che aveva già maritato quindici figlie e ne aveva ancora tre da sistemare, stava sempre con gli occhi aperti, alla ricerca di papabili aspiranti sposi tra i giovanotti della provincia.

Avendo ricevuto l'investitura reale di baronetto, si muoveva nell'atmosfera rarefatta dei lord, baroni e baronetti, distante mille miglia dall'ambiente di Faredoon Junglewalla. Indagini condotte da Sir Easymoney per sollecitazione della moglie, rivelarono che molti avevano sentito parlare del "ragazzo", e che, cosa ancora più importante, lo tenevano in alta considerazione. Egli dunque le diede il "via libera a procedere".

Ci fu un gran correre di postini per recapitare lettere dall'una all'altra dimora. Putli trovava affascinante lo stile di lady Easymoney. Mostrava grande disinvoltura nel gujarati e nelle espressioni più fiorite. Faceva sfoggio di tutte le più accattivanti formule dello stile epistolare vecchio stampo. «Veniamo con questo scritto a chiederLe di farci l'onore d'una visita», scriveva, «e speriamo che Lei porti con sé la sua riverita madre, il suo esimio consorte e l'adorato figliolo». Oppure: «I tempi sono mutati. Oggigiorno i giovani vogliono constatare di potersi intendere tra di loro!» Lei non riusciva a immaginare per quale ragione mai i loro figlioli potessero non piacersi, considerato che uscivano ambedue da famiglie per bene. Ma queste erano le strane pretese della nuova generazione!

A Putli non sfuggì il sarcasmo, e ne fu molto soddisfatta.

Yasmin, che non aveva ancora avuto bambini, venne chiamata per prendere in mano le redini della casa, mentre Putli, Jerbanoo e Billy venivano accompagnati in stazione da un nutrito stuolo di parsi.

Billy si intestardì a viaggiare in terza classe. Rimasero in treno per due notti e un giorno, e nel secondo giorno Jerbanoo puntò i piedi.

«Ascolta! Non ci siamo sciroppati tutta questa strada per appiopparti l'erede di gentucola da due soldi. Behram Junglewalla, tu stai per sposare la figlia di Khan Bahadur Sir Noshirwan Jeevanjee Easymoney! Con che faccia pensi di mostrarti al finestrino di una carrozza di terza classe? Ti farai ridere dietro! Ci metterai tutti alla berlina! Ah!»

Billy si lasciò convincere. Un'ora prima dell'arrivo alla stazione di Bombay, si trasferirono tutti, comprese le cento valigie, le taniche d'acqua, i panieri di vivande e le lenzuola, in uno scompartimento di prima classe.

Mr. Minoo Toddywalla, fratello del vecchio amico di Freddy a Lahore, e la rispettiva consorte li ricevettero alla Colaba Station.

Putli e Jerbanoo erano già state in passato a Bombay. Per Billy invece era la prima volta. Mentre l'imponente carrozza a quattro ruote di Toddywalla li conduceva attraverso l'affaccendata metropoli, lungo le spaziose superbe arterie, tra gli alti palazzi di pietra, gli autobus e i tram, Billy si sentì sopraffare da una specie di reverente timore e dalle prime fitte di un complesso di inferiorità. Nella grande città si sentiva uno zoticone di campagna.

Capitolo 32

Ricevettero l'invito a visitare il palazzo Easymoney da lì a un paio di giorni, il mercoledì 15 settembre, alle quattro.

Il 15 settembre arrivò e Putli era esaltata ed eccitata come una sposa. Passò ore dilaniata dall'incertezza su quale sari scegliere. Mrs. Toddywalla, stanca infine di tutti quei tentennamenti, decise per un sari di seta cinese color panna, dal bordo giallo e azzurro ricamato a piccolo punto. Putli dovette aggiustarselo per ben tre volte intorno al corpo prima di riuscirci in modo soddisfacente. Ne appuntò l'estremità finale sui capelli. Con dita tremanti si incipriò maldestramente il volto con una spolverata di talco.

«Sei splendida!» la rassicurò Mrs. Toddywalla contemplando la sua ospite vagamente spettrale, e Putli riuscì a sfoderare finalmente un pallido sorriso. Anche Jerbanoo era estremamente tesa, ma nascondeva qualsiasi segno di nervosismo dietro il suo solito modo di fare deciso. Almeno una di loro doveva rimanere con la testa sulle spalle!

Il più nervoso comunque era Billy. Stava già scoppiando nel completo a righe verdi e senape che gli serrava la figura ossuta. Il colletto alto gli irritava la pelle. Ma non osava infilare un dito nel collo, per paura di sciupare il nodo della cravatta, eseguito secondo l'ultima moda. Venne annunciato che la "Victoria" a due cavalli di Mrs. Toddywalla era pronta. La padrona di casa diede un bacio di buon augurio alle donne, le fece salire in carrozza e le salutò sventolando la mano.

Billy se ne stava seduto tra la madre e la nonna e continuava a tirare il collo e a deglutire per allentare il groppo sotto il pomo d'Adamo. Le donne si accorsero del suo nervosismo e gli misero ambedue un protettivo braccio intorno al corpo assalito da un tremore incontrollabile. Nessuno dei viaggiatori era interessato alla vita frenetica della città, al delizioso lungomare del Marine Drive, perché erano tutti assorbiti dai loro sogni e dalle loro paure.

Jerbanoo fu la prima ad accorgersi che erano arrivati in un quartiere molto silenzioso ed elegante. Alti muri di cinta celavano solo parzialmente alla vista un profluvio di vegetazione in mezzo a cui di tanto in tanto si intravedeva qualche superbo palazzo.

Il cocchiere, alto a cassetta, si voltò per annunciare che stavano arrivando. Tese la frusta per segnalare che effettuava una svolta, e infine fecero il loro ingresso nel portale degli Easymoney. Percorsero un breve viale nella fresca ombra verde di palme di cocco e di piante dalle immense foglie, che si arrampicavano su per sfolgoranti alberi di *gulmohar*. Balenarono ai loro occhi fontane e candide statue greche, e poi ecco la casa. Sarebbe più appropriato chiamare "monumento" l'imponente struttura di pietra rosa e marmo, dalle colonne massicce e dalle piccole finestre protette da zanzariere.

I passeggeri scesero dalla carrozza e Billy rischiò di far svolgere il sari di Jerbanoo, calpestandolo involontariamente. Si rassettarono le vesti e rimasero lì, fermi davanti a una superba scalinata di marmo grigio e bianco. Un servitore sorridente scese per sorreggere Jerbanoo. Sfoggiava un turbante rigido bianco e una fusciacca rosso e oro. Aveva modi così disinvolti e rispettosamente confidenziali che Jerbanoo si sentì tornare tutta la sua sicumera. Salirono fino all'ampio portico semicircolare sorretto da colonne, e quando si trovarono nel centro del pavimento di marmo, dal portone di legno intagliato uscì rapida una figurina in sari che corse loro incontro. La padrona di casa era tutta sorrisi, mossette, cordiali fossette sulle guance. Putli, che si era immaginata una gagliarda amazzone sapendola genitrice di ventidue figli, considerò stupefatta quell'esserino. Lady Rodabai Easymoney abbracciò Jerbanoo e strinse al petto Putli, cuore palpitante contro cuore palpitante, in un caldo amplesso. Erano della stessa corporatura e altezza. Fu un amore a prima vista!

Nei pochi secondi che furono necessari a Sua Signoria per slanciarsi verso di loro a braccia spalancate, ogni minimo elemento del suo abbigliamento, ogni curva della sua persona, si stamparono nella mente di Putli. Il sari di crespo di seta azzurra, i tre fili di perle grigie, i cerchi d'oro alti una quindicina di centimetri ai polsi, il balenio cristallino dei brillanti alle orecchie, gli anelli di rubini e smeraldi. Portava i capelli lisci, tirati indietro e raccolti in una semplice crocchia, come Putli, e Putli capì per istinto di avere davanti a sé una donna in tutto e per tutto simile a lei. Sapeva che le origini di Sua Signoria erano modeste quanto le proprie. Che il marito non era nato nella ricchezza e negli allori in cui viveva adesso. Ed era anche sicura, per quella rapida occhiata gettata sulle mani magre e rovinate dai lavori, tutte percorse da grosse vene azzurre, che la signora doveva essere fanatica quanto lei in fatto di pulizia e accuratezza. Con tutta probabilità, Sua Signoria lavava i pomodori col sapone.

Stringendo la mano di Putli e di Jerbanoo, lanciando veloci sguardi compiaciuti all'indirizzo di Billy, Rodabai le introdusse in un sontuoso salotto. Era un locale ampio, fresco, illuminato da lampadari di cristallo e dalla luce del sole che filtrava tra i tendaggi di broccato. Su una parete era appeso un immenso arazzo francese e i mobili d'oro antico erano in stile Luigi XIV. I tappeti stendevano sotto i loro piedi un soffice giardino persiano con scene di caccia e fiori.

Jerbanoo e Putli si scambiarono eloquenti occhiate e si sedettero riguardosamente sulle poltrone dalla tappezzeria ricamata. La padrona di casa si dava da fare intorno a loro con tale premurosa e trepida ospitalità da metterle a proprio agio pur nella soverchiante eleganza del luogo. Che cosa poteva offrire alle sue ospiti? Forse del vino?

Jerbanoo, attenendosi a un comportamento di dignità e riserbo che informò tutta la loro missione, accettò. Il ruolo di Jerbanoo era sostanzialmente quello di osservatore e consigliere. Aveva accompagnato Putli per darle il proprio autorevole e corpulento ausilio, simile all'accompagnamento del contrabbasso in una banda.

«Preferirei qualcosa di fresco, grazie», disse Putli, soggiungendo, «Anche per Behram, grazie. Non ha ancora preso gusto per gli alcolici, grazie a Dio!»

«La mia Roshan ne sarà felice quando lo saprà. Anche lei non li tocca», disse Rodabai gettando un sorriso di apprezzamento a Behram. Uscì svelta dal salotto, seguita da un domestico, per andare a preparare le bibite.

«Hai fatto caso? Mica quelle scemenze tipo "ragazzo prendimi questo" e "ragazzo portami quello". Sembra proprio un tipo spontaneo e semplice come noi!» osservò Jerbanoo, tutta gentile, riferendosi alla padrona di casa momentaneamente assente.

Putli ascoltò le considerazioni della madre con occhi luccicanti.

Pian piano il salotto si affollò. C'erano due zie dal volto burbero e dalla bocca tutta gengive, sei o sette sorelle maggiori già sposate, e uno stuolo di bambini. Tutti fissavano lo sguardo sul pretendente.

Billy farfugliava, faceva andare su e giù il pomo d'Adamo, tirava il collo come un cigno che volesse liberarsi dal torcicollo e divaricava le mandibole fino a toccare le orecchie. Era tutto in sudore sotto la capigliatura dalle onde incollate con la brillantina. E se incominciava a puzzare? E se gli scendeva giù dalla fronte un rivoletto di unto? Le mani gli stavano diventando tutte appiccicaticce.

La sorella più anziana introdusse nella sala la promessa sposa. Roshan aveva un aspetto pietosamente anemico e sotto i sovrabbondanti ornamenti e un sari giallo si intuiva la piattezza del seno. Guardò timidamente gli ospiti che subito, pur nella luce smorzata, si accorsero che era butterata dal vaiolo. Memore dei dubbi di Freddy, Putli in qualche momento aveva temuto di peggio. La sua fantasia le aveva prospettato una serie di mostri claudicanti, gobbi e col labbro leporino. La realtà non era a questo livello. L'espressione della ragazza infatti le piaceva e i lineamenti erano armoniosi sotto lo sfregio non gravissimo. Nel subconscio si agitavano invece gli interrogativi sulla dote.

La ragazza venne presentata a Putli e a Jerbanoo e poi condotta a sedersi su una poltrona intagliata vicino a quella di Billy. Se ne stava a testa china, alzando pudicamente gli occhi per rispondere alle cortesi domande che le rivolgevano gli ospiti in visita. Aveva una voce ben modulata ma appena udibile.

Dopo una fitta iniziale di delusione, Billy si trovò ad apprezzare il suo comportamento misurato, e quando lei lo guardò timidamente di sottecchi, il cuore prese a battergli più forte.

Nel salotto vennero spinti dei carrelli. Erano colmi di pasticcini, dolci indiani e sandwich al caviale. Billy sollevò gli occhi dal tappeto verso quelle tentazioni della gola, e rimase col fiato mozzo.

Aveva scorto un paio di lisce caviglie tornite che finivano con squisita grazia femminile in un paio di scarpette da tennis. Rialzò lo sguardo e si trovò davanti la ragazza più stupefacente mai vista o immaginata. Indossava una tenuta sportiva che sottolineava le sode rotondità delle sue parti posteriori e il minuscolo incavo, tipo bottiglia di coca-cola, della vita. Al di sopra di questa, sporgeva il seno più rigoglioso, alto e ben formato che avesse mai sognato.

La ragazza sorrise a Billy, il quale, non credendo a se stesso, appuntò lo sguardo altrove. I suoi occhi cercarono convulsamente il tappeto come un piccione cerca la colombaia. Ma in essi si era impresso l'ovale perfetto del viso, l'onda dei capelli neri e gonfi e gli occhi fiduciosi e innocenti che gli sorridevano da dietro un paio di occhiali dalla montatura a giorno.

«Questa è la mia Tanya. Viene dal tennis», disse Rodabai per giustificare la tenuta informale della fanciulla. Sospirò. «La prossima volta tocca a lei, penso, ma non ho fretta, ha solo sedici anni».

219

«Il classico tipo della signorinetta moderna, eh?» disse Putli con tenera indulgenza.

«Ah, sì! Eccome!» Sua Signoria fece un'espressione buffa e rassegnata. Tanya volteggiò leggera sulle stupende gambe color nocciola chiaro e si chinò a baciare la madre, quindi Jerbanoo e Putli, sotto lo sguardo ammaliato di Billy. Andò poi alla volta di Billy e si fece posto accanto alla sorella. Roshan si scostò docilmente e Tanya si sedette di traverso sul bordo della sedia. Disinvolta, posò una mano sulla coscia di Roshan e sottopose Billy a un esame decisamente inquisitorio e distaccato.

Billy si sentì balzare il cuore in gola.

«Salve», disse lei sorridendogli di nuovo.

«Salve», gracchiò Billy, deglutendo. Non aveva mai visto una dentatura così smagliante, un sorriso così ammaliatore, un paio di labbra come queste!

Non riusciva a tirare il fiato, quasi, ma subito si disse: tanto meglio così, perché nella testa gli balenò il dubbio di avere l'alito cattivo. Rimaneva comunque il fatto che respirare in presenza di lei equivaleva a inquinare l'aria.

«Allora diventerai mio cognato!» esclamò la ragazza con fare disinvolto.

Billy volse lo sguardo su Roshan. Lei diventò rossa, e anche lui si sentì avvampare sotto la pelle scura.

«Che sport hai fatto oggi?» chiese lui di rimando, contento di deviare dagli spinosi argomenti che potevano venire a seguito della considerazione di lei. Si stupì di essere riuscito a spiccicare quelle parole.

Gli occhi tondi, meravigliati, di Tanya, si illuminarono. «Ah, vuoi dire per questa roba qui?» domandò, sventolando la gonnellina. «Ho giocato a tennis, solo qualche set! Abbiamo quattro campi da tennis dietro casa. E c'è anche la piscina. Chiedi a Roshan di fartela vedere. È tutta di marmo verde. E tu sai nuotare?»

«Sì», rispose Billy, e volse lo sguardo altrove. Ripensava ai suoi due avventati tentativi nella scalcinata piscina dell'università di Lahore. Si era dimenato e aveva annaspato rischiando di affogare.

Si sentì sopraffare da un deprimente senso di inferiorità.

Ma Tanya cinguettava a ruota libera, tempestandolo di domande e assillandolo con le sue maniere esuberanti e spontanee. In breve lui si sentì a proprio agio, diventò di buon umore e prese a intrattenere le ragazze con sbuffi e comiche contorsioni facciali.

Billy fu travolto dall'irresistibile impulso di fare effetto su queste facoltose e adorabili fanciulle. Accennò a quanto influente fosse suo padre, alla ricchezza e al rango della sua famiglia, con una disinvoltura di cui fu il primo a meravigliarsi. E quando, esagerando, si vantò: «Mio padre è il re senza corona di Lahore!» si affrettò a smorzare la fanfaronata soggiungendo, con un sorrisetto melenso a mezza bocca: «Ed io la regina!»

Le ragazze scoppiarono a ridere. Sapeva dosare perfettamente i suoi interventi e continuò a fare il buffone.

Infine Tanya comunicò che tutti la chiamavano Tim e soggiunse: «Ah, sei proprio uno spasso. Mica l'avrei detto a guardarti!»

Billy le rivolse un sorriso che, date le dimensioni della sua bocca, andava da un orecchio all'altro. Sembrava un affascinante gnomo tutto boria.

«Tim, qual è il tuo colore preferito?» le chiese di punto in bianco (ormai si chiamavano Tim e Billy).

Tim allungò quelle sue straordinarie gambe e fissò il soffitto come a cercarvi ispirazione. All'improvviso appuntò gli occhi ingenui su Billy. «L'azzurro», disse decisa. «L'azzurro è il colore che preferisco!»

«Anche per me l'azzurro è il colore più bello!» disse Billy serio, decidendo lì per lì. A dire la verità era un argomento su cui non si era mai soffermato.

Jerbanoo, nella sua funzione di contrabbasso della banda, si era comportata in modo semplicemente egregio. E diede il tocco decisivo alla fine, quando fece scivolare cinque sovrane Regina Vittoria nella mano di Roshan.

Al momento di andarsene, Billy abbracciò la futura suocera, strinse la mano alle sorelle e alle zie e salutò tutti sventolando calorosamente la mano dalla carrozza. Ai suoi occhi, Jerbanoo e Putli erano le madrine e la carrozza la zucca di Cenerentola.

Capitolo 32

Durante il viaggio di ritorno verso casa Billy non udì nemmeno una parola delle supposizioni e dei commenti entusiastici di Putli e Jerbanoo, e la mattina seguente se ne andava per la casa chiamando tutti Tanya.

«Ma che è questa storia? Tanya, Tanya, Tanya! È Roshan che tu sposerai, non dimenticartelo!»

Jerbanoo era esasperata.

«No, io sposerò Tanya», annunciò Billy avanzando a balzelloni con quella sua figura ossuta e baciando Jerbanoo. Poi volteggiò verso la madre. «Sposerò Tanya, vero?» chiese, chinandosi con fare sbarazzino sulla madre intenta a svuotare una noce di cocco.

«Non fare lo sciocchino», lo redarguì lei recisa, senza quasi riuscire a parlare, mentre continuava a lavorare sulla noce di cocco, ma ancora illudendosi che lui stesse solo scherzando.

«Sei tu che non devi fare la sciocchina, mamma! Ti immagini davvero che io possa sposare quell'oca rinsecchita, butterata e mezza morta di Bombay?»

Venne fuori un pandemonio. La dichiarazione di Billy diede luogo a un alterco acceso e concitato. Gli vennero fatti predicozzi, si cercò di ricondurlo a ragione, lo si minacciò. Lo si adulò, blandì e intimorì. Persino Mrs. Minoo Toddywalla si gettò nella mischia. Billy ghignava e Mrs. Toddywalla, non abituata a quel suo strano modo di fare, perse la pazienza e si irritò oltremodo.

«Già! Hai anche questa brutta abitudine!» tuonò Jerbanoo. «Nessuna ragazza con un po' di comprendonio ti sposerebbe. Noi te ne troviamo una semplicemente deliziosa, beneducata e simpatica, e tu la chiami oca mezza morta di Bombay? Ma non ti vergogni? Va' a darti un'occhiata nello specchio con quel tuo vizio di ghignare come una scimmia!»

«Non ne ha colpa, lui. Mica vuole essere villano», disse Putli a difesa del figlio e delle sue smorfie. Sapeva che più lo si rimproverava e più lui allargava la bocca in quel suo ghigno. Infine cercò di dare voce alla speranza che aveva in petto.

«Ah, Billy, non sai quello che dici; è solo un capriccio assurdo! Rivedrai Roshan e ti passerà. Puff! Così!»

Ma non era un capriccio, e in capo a due ore lei dovette arrendersi all'evidenza che Billy faceva sul serio. Era stato folgorato. Si era innamorato. E si comportava un po' come un cerbiatto istupidito e sgroppante, e un po' come un caprone ostinato, che si impennava e sospirava e canterellava, e gridava ai quattro venti il suo desiderio. Se proprio doveva sposarsi, avrebbe sposato Tanya!

«Oddio», gemette Putli stringendosi le tempie tra le mani. «E adesso che cosa dico a quelli là? Con che faccia mi ripresento a Rodabai? Che cosa penserà di me?»

«Penserà che ti comporti come una villana. Ti giudicherà un'ingrata, che rifiuti così la sua generosa offerta. Quanto a Billy, lo giudicherà un villanzone imbecille, e te una madre rammollita e scema... e dopo un'offesa del genere non vorrà più stare a sentire altre proposte!»

La riunione si sciolse su questa analisi della situazione da parte di Jerbanoo, e il nostro intrepido eroe si allontanò a vele spiegate verso un'orgia di acquisti.

Tornò carico di pacchi, in cui c'erano articoli di abbigliamento in tutte le sfumature dell'azzurro.

Quella prodigalità spendereccia, quell'assurdo saltellare di qua e di là canterellando erano talmente fuori dalle consuetudini di Billy che Putli incominciò a preoccuparsi seriamente. Le tornarono in mente strazianti casi di suicidio, mal d'amore e pazzia nella propria famiglia. Di alcuni aveva solo sentito parlare, altri li aveva visti con i propri occhi, e ora temeva per l'equilibrio mentale del figlio.

Eppure non c'era da sorprendersi se Billy, vent'anni,

adulto e con tanto di barba, si comportava come un adolescente ostinato. Nell'India dei tempi di Billy le fanciulle venivano tenute segregate, sempre sotto la stretta sorveglianza di genitori, fratelli, nonni, zie e zii. Tutti stavano con gli occhi ben aperti. Persino i giochi scatenati ma innocenti dei piccoli venivano puniti severamente, e se un maschietto veniva sorpreso con la mano in un certo posto, su quella mano si abbatteva uno schiaffo. Nei negozi non c'erano commesse, e per strada si vedevano ben poche donne. A Lahore esisteva un'unica scuola mista, e le sole ragazze con cui un maschio poteva parlare erano quelle della propria famiglia.

In tale atmosfera repressiva, l'amore può essere innescato dalla più piccola delle scintille. Sboccia nei punti più strani e nei momenti più imprevedibili, e assume le forme più bizzarre. Si può vedere l'alluce impolverato di una donna che spunta dal sandalo e innamorarsene all'istante, sebbene il viso della donna e tutto il suo corpo siano coperti secondo il *purdah*. Ti puoi innamorare solo scorgendo la nuca di un uomo, o sentendone la voce attraverso una parete. Un medico, Mir-Taki-Mir, diventò poeta tastando il polso di una donna. Ne aveva visto solo la mano, e toccato solo il polso. Il suo volto mai visto fu descritto in parecchie opere, colme di ispirazione e bellezza.

Questo avviene per lo più tra i musulmani e tra la maggior parte degli indù che tengono le loro donne nel *purdah*. Tra i parsi non esiste nulla del genere, ma la generale atmosfera repressiva che domina in India contagia anche loro. Non c'era niente di strano dunque che Putli avesse paura.

A sera il sole sostava basso e ovattato da vapori sul mare davanti al bungalow dei Toddywalla, gettando riflessi rossastri attraverso le finestre. Putli si lasciò cadere in un soffice divano del soggiorno. Aveva il viso gonfio per l'angoscia e il gran piangere in segreto. Si passò stancamente la mano sulla fronte, mormorando: «Oh Dio, aiutami, aiutami tu... che cosa devo fare?»

Ma a mettere fine alle sue lamentazioni non fu Dio, bensì Mrs. Toddywalla, che dichiarò: «Non rimane altro da fare che provare ad assecondare il ragazzo. Tentare non costa niente. Mica sarà la fine del mondo».

«Ma la ragazza non vorrà saperne di lui. Behram, l'hai visto che tipo moderno e affascinante è quella lì. Non vorrà certo andare ad abitare così lontano. E Lahore le sembrerà un paesucolo in confronto a Bombay!» esclamò, cercando di far leva sul buon senso del figlio.

Mr. Toddywalla osservò il viso di Billy, che all'improvviso si era fatto più piccolo e tirato. Il collo magro si era insaccato nelle spalle ossute. La luce se n'era andata dai suoi occhi, e Mr. Toddywalla avvertì una grande pena per il giovanotto.

«Chi non risica non rosica!» sentenziò, come avrebbe fatto Freddy al suo posto, quasi dando voce al filo di speranza che c'era ancora nel cuore affranto di Billy. «Dovete fare una controproposta».

Putli rimase a bocca aperta. Lei e Rodabai si erano trovate talmente d'accordo su tutto! Avevano scoperto tanti punti in comune! Sua Signoria l'aveva persino messa a parte della delicata questione della sua stitichezza cronica. Avrebbe fatto una cosa del genere se anche lei non avesse avuto l'impressione, come Putli, che le loro anime erano gemelle?

Putli, col fiato mozzo per la sorpresa, aveva ammesso che anche lei soffriva dello stesso inconveniente. Si erano scambiate pareri su purghe, sistemi e pozioni, e Rodabai aveva mostrato a Putli la siringa per la glicerina, un immenso clistere di vetro. La loro amicizia rischiava di essere stroncata sul nascere a causa dell'ostinazione di Billy.

Il giorno seguente Putli prese posto dietro a una scrivania di mogano per stendere la lettera. Malinconicamente guardò l'orizzonte metallico del mare fuori dalla finestra, poi chiuse gli occhi per pregare. Sentiva l'anima tremarle di paura e avrebbe dato qualsiasi cosa per avere vicino Faredoon. Una brezza umida circolò fluttuante tra i fogli sul tavolo, che erano trattenuti da fermacarte di vetro, bronzo e onice. Alla fine, dopo un lungo sospiro per riprendere fiato, Putli leccò il pennino. Lo intinse delicatamente nel calamaio blu acquistato da Billy. La fronte le si solcò di rughe per la concentrazione mentre vergava la prima riga di convenevoli su un blocco di carta da lettere azzurra. All'inizio la sua grafia era incerta, ma si fece più tonda e sicura a mano a mano che procedeva. Le prime parole erano di scusa. Erano di una tale spaventosa umiltà, di tale fantasiosa autoaccusa, che chiunque non avesse conosciuto Rodabai avrebbe pensato che fosse un orco.

Putli la supplicava con le mani giunte, si metteva in ginocchio ai suoi piedi, era così mortificata che si sarebbe coperta il viso di cenere, chiedeva perdono. Si era affezionata a Roshan appena l'aveva vista – già l'amava come una figlia – ma che cosa poteva farci? Suo figlio aveva perso la testa. Si era innamorato della più giovane delle figlie di Rodabai, Tanya. Si rifiutava di mangiare; si rifiutava di bere; piangeva e vaneggiava, e lei era terrorizzata. Lui delirava d'amore per l'avvenente Tanya, tanto che non poteva immaginare la sua vita senza di lei. Minacciava di suicidarsi. La fanciulla l'aveva folgorato. Il suo primogenito, una delle più belle creature di Dio, era morto. Un altro maschio li aveva abbandonati per andare a finire chissà dove. E ora la vita dell'ultimo figlio che le rimaneva era nelle mani di Tanya. Lei si rimetteva alla mercé degli Easymoney, li pregava per la vita di suo figlio, per la sua felicità.

Behram non voleva alcuna dote. Voleva solo la fanciulla. Sarebbe stata accolta a braccia aperte anche se fosse arrivata con le sole vesti che aveva indosso! Dio era stato generoso con Putli, che poteva permettersi di coprire la ragazza di gioielli e di sete. Prometteva solennemente di tenerla sotto la vigile cura dei suoi amorevoli occhi. La lettera venne infilata nella relativa busta azzurra, su cui venne apposto l'indirizzo, e che fu consegnata al cocchiere perché la recapitasse. Putli si gettò bocconi sul letto, desta ma in un deliquio di stanchezza, in attesa del fato.

Capitolo 34

Rodabai lesse la lettera e sospirò. Sempre la stessa storia. E pensare che questa volta si era proprio illusa. Invece, ecco questa lettera.

A dire la verità, Roshan aveva vent'anni, tre più di quanti Rodabai volesse ammettere, e due sorelle più giovani di lei si erano già sposate. Ora le portavano via anche Tanya. I ragazzi da prendere in considerazione come promessi sposi erano pochi, tuttavia, e lei non era tipo da lasciarsi sfuggire una buona offerta. Le era piaciuta la mamma del ragazzo, quella piccola donna dal volto sereno, e la famiglia era eccellente, senza alcun dubbio. Ciononostante avrebbe preferito che fosse stata Roshan a trovar marito.

Porse la lettera a Tanya senza far commenti e aspettò che il suo innocente stratagemma sortisse il risultato sperato. La lettera ebbe l'effetto previsto. Quale ragazza, che non sia mai stata sfiorata, mai baciata, e che a sedici anni sia vergine, può resistere all'esaltante adulazione che sta dietro l'angoscia di un giovane deciso a darsi la morte per lei? Ed era la prima lettera d'amore che Tanya riceveva. Indiretta, in certo senso, perché scritta dalla madre del pretendente, ma pur sempre lettera d'amore. Quella passione la riempì di orgoglio. La sua fantasia prese il volo e lei si innamorò dello smilzo giovanottello che due sere prima aveva fatto ridere tanto di gusto lei e la sorella.

Era rimasta molto addolorata, diceva Rodabai nella lettera di risposta al dignitoso messaggio di Putlibai. Causa del suo dolore era la descrizione dell'afflizione in cui versava il suo rispettabile figliolo, Behram. Ma la sua angustia sarebbe stata maggiore se Putlibai lo avesse giudicato con eccessiva severità. Questi sono gli effetti dell'amore giovanile, e del destino; lei rivolgeva i suoi ringraziamenti a Dio perché questo giovane di buona educazione e di buoni principi aveva comunque offerto il suo cuore a una delle sue figliole. Non era importante a quale: le erano ambedue ugualmente care e lei era parimenti felice della scelta di Behram.

Fin da quando aveva ricevuto la sua lettera, anche Tanya purtroppo digiunava e sospirava d'amore per il ragazzo che aveva inconsapevolmente conquistato. Se il fato provvedeva con tanta fantasia a compiere le sue meraviglie, era un presagio positivo. La loro vita di sposi sarebbe stata felice.

Sapeva che il soggiorno di Putlibai a Bombay sarebbe stato breve, quindi la faccenda andava definita al più presto possibile. Potevano tornare a trovarla con Behram sabato pomeriggio? Avrebbero potuto unire i due promessi sposi nella cerimonia del "pegno" e discutere altri particolari.

Billy non stava più nella pelle, Putli piangeva di sollievo. Jerbanoo era inorgoglita dal fatto che questo suo nipote così poco promettente si fosse dimostrato degno di una ragazza di quel livello... e di tale famiglia!

Billy indossava un completo blu cobalto, camicia celeste, cravatta blumarine e scarpe di pelle scamosciata azzurra. Lo si fece sedere su una piccola piattaforma di legno decorata con deliziose sagome in gesso di pesci. Rodabai segnò col cinabro la fronte di Billy, gli diede un tocco dello stesso colore sulla punta delle scarpe e gli appiccicò del riso sulla fronte. A parte Billy, alla cerimonia erano ammesse solo le donne. Le sorelle e uno stuolo di zie e cugine cantarono motivi tradizionali mentre Rodabai ornava Billy con ghirlande. Gli diede la busta contenente il denaro del "pegno". Gli regalò un orologio d'oro massiccio con catena e gli ordinò di scendere mettendo avanti per primo il piede destro. Poi toccò a Tanya salire sulla piattaforma, e a Putli officiare il rito. Regalò alla fanciulla ventuno sovrane Regina Vittoria, mentre tutte le altre donne presenti cantavano. A Billy sembrava di essere una bolla di sottilissimo vetro azzurro che da un momento all'altro poteva alzarsi in volo e scoppiare. Non aveva mai pensato a una Tanya vestita di sari. Era voluttuosa come una dea del tempio, e anche di più. E la striscia di pelle che rimaneva nuda in vita era di un colore fulvo dorato!

Quella sera fissarono la data del matrimonio. Considerato il tempo necessario per i preparativi, la data più prossima possibile cadeva una domenica da lì a un mese.

Il giorno seguente, Lady Easymoney prenotò tre file di posti in un cinema. Billy e Tanya sedettero nel mezzo, nel cuore di quella deliziosa schiera di sorelle, cognati, zie, zii, cugini e relativa figliolanza.

Verso la fine del film, una pellicola tragica indù intitolata *Shakuntala*, Behram afferrò la mano di Tim. Aveva dita corte e grassottelle, una presa appassionata, teneramente interrogativa.

Vennero spediti telegrammi a Lahore con l'annuncio della data del matrimonio. Lettere esultanti e piene di notizie, fitte di istruzioni per tutte le cose da portare, vennero inviate a Faredoon, Yasmin, Hutoxi e Ruby, e il clan di Lahore si affrettò a prepararsi per il viaggio a Bombay.

Jerbanoo e Putli avevano giornate lavorative di sedici ore, nelle quali visitavano gioiellieri, sarti, negozi di sari e di tessuti. Rodabai e tutte le diciassette figlie dovevano ricevere capi di abbigliamento: sari, sottovesti, corpetti, *sudreh*, *mathabana*, mutandine e una catenina d'oro. La sorella maggiore avrebbe avuto in dono una catena più pesante e Rodabai una parure completa di collana, orecchini e anello d'oro e rubini.

I quattro fratelli di Tanya, due dei quali studiavano in Inghilterra, avrebbero ricevuto tagli di tessuto e camicie con relativi gemelli, mentre Sir Noshirwan Easymoney poteva aspettarsi altri doni, come perle per bottoncini da sparato e spille di brillanti per cravatta.

C'erano poi ovviamente dozzine di completi da scegliere per Tanya: bluse e sottovesti assortite, parure di gioielli e profumi.

Billy passava le mattinate chiacchierando sottovoce, felice di fare domande e di intervenire con garbo, e passava le serate nella casa-monumento degli Easymoney.

Billy ebbe un solo incontro con Sir Easymoney, immediatamente prima che la famiglia uscisse per andare al cinema.

Sir Easymoney torreggiava su Billy. Gli aveva dato paterne pacche sulle spalle e lo scrutava con quei suoi occhi, uno nero e uno di vetro grigio, con tale cordialità che le ginocchia tremanti del ragazzo diventarono di gelatina. Sir Easymoney abbracciò Jerbanoo e Putli e sprofondò con eleganza la sua persona azzimata in un divano. Il completo che indossava veniva da Savile Row, le scarpe di vernice risplendevano come specchi e con le lunghe gambe graziosamente accavallate occupava un ampio spazio della sala. Jerbanoo e Putli, soggiogate dalla sua magnificenza, guardavano a bocca aperta il padrone di casa, con l'aria di timidi agnelli che stavano per esalare l'ultimo respiro. Ma nonostante la sua affettazione britannica, egli manteneva una grazia e un fulgore che erano del tutto indiani.

Ogni sera, due o tre sorelle con relativa prole accompagnavano Billy e Tanya in giro per Bombay. Se ne andavano in pompa magna su una delle carrozze di Sir Easymoney, con due lacchè in sgargiante livrea e alti turbanti, uno in piedi sul retro della vettura, l'altro seduto a cassetta, vicino al cocchiere. Passavano senza fermarsi davanti ai monumenti significativi, ai musei e alle gallerie, scendendo solo in qualche viale di passeggio. Qui le sorelle si mettevano a sedere su una panchina, mentre i bambini, accompagnati dai lacchè, si precipitavano alle bancarelle per comprare lenticchie arrostite, gelati e latte di cocco. Tim e Billy passeggiavano su e giù lentamente e quando, grazie all'interferenza di qualche passante, non erano sotto gli sguardi delle vigili sorelle, Billy afferrava veloce la mano di Tanya. Una volta riuscì persino a metterle un braccio intorno alle spalle. Passeggiavano tra le massicce colonne di pietra della Gateway to India, lungo la Cuff Parade, Ducksbury e Worli Sea Face.

Una sera decisero di percorrere tutto il Marine Drive fino all'affollata Chowpatti Beach. Comunicarono questo proposito alle sorelle, che sedute sulla diga del lungomare non obiettarono, solo una di loro li richiamò per raccomandare: «Non fate tardi».

Billy prese la mano di Tanya. Da una parte soffiava una leggera brezza, dall'altra scorreva l'intenso traffico cittadino. Camminavano lungo il passeggio sulla diga, facendosi strada tra i venditori ambulanti e passando davanti alle panchine di pietra. A occupare una di queste Billy scorse la figura macilenta e coperta di stracci di un vagabondo, il viso protetto da un giornale. Si sentiva felice al di là di ogni immaginazione.

Sulla spiaggia, affondando con le scarpe nella sabbia, assaggiarono beati le leccornie calde e speziate in vendita sui carretti. Si sedettero sulla sabbia per un po', fin quando Tanya a malincuore disse: «Mi sa che faremmo meglio a tornare».

Ripresero la passeggiata tra il viale di traffico e il mare, oltrepassarono il vagabondo cencioso, quando ecco che Billy si sentì battere il cuore all'impazzata, mentre le gambe gli cedevano. Si voltò per guardare meglio la figura sulla panchina, ed ebbe l'impressione che il giornale fosse stato precipitosamente rimesso sul volto.

«Mio Dio!» disse Billy.

«Che c'è?» chiese Tanya, allarmata dal turbamento che gli si era dipinto sul viso.

«Un attimo solo», disse lui voltandosi incerto per tornare sui suoi passi. Ora capiva perché i suoi occhi si erano appuntati due volte su quello sconosciuto addormentato sulla panchina, su quello solo tra i tanti derelitti cenciosi.

Si fermò a un passo dalla panchina, sporgendosi un poco. «Yazdi?» chiese. «Yazdi?»

Yazdi si fece scivolare il giornale dal viso e si mise lentamente a sedere. La barba di tre giorni lo faceva apparire pallido e vecchio.

«Mi avevi visto?» Ora Billy era sicuro che Yazdi aveva deliberatamente cercato di nascondersi dietro il giornale.

«Come stai, Billy?» chiese Yazdi con gentilezza. I suoi occhi erano pieni di sentimento come Billy li ricordava, eppure lo scintillio impavido che vi era entrato dal momento dello scontro con Faredoon si era rafforzato, conferendogli uno sguardo di fiera indipendenza.

Tanya era rimasta esitante dietro Billy, e Yazdi, nel vederla, si alzò.

«La mia fidanzata», lo informò Billy. «Yazdi, mio fratello».

Yazdi fissò Tanya intensamente. Billy notò i piedi nudi e il volto emaciato del fratello e all'improvviso fu assalito dal tremendo timore che, a quella vista, l'amore della ragazza per lui potesse vacillare. Era diviso tra questa paura e il legame col fratello che non vedeva da tanto tempo. Prendendo per un attimo il polso di Yazdi, disse: «Vado ad accompagnarla dalle sorelle. Ci stanno aspettando. Non andartene, sarò qui tra un minuto. Devo parlarti».

Tanya, rispettando il desiderio di Billy di rimanere solo col fratello appena ritrovato, si voltò per andarsene. «Io vado, tu rimani pure qui».

«No, ti accompagno», insisté Billy, prendendola per mano. Girandosi, da sopra la spalla ripeté: «Non te ne andare, per favore. Sarò subito di ritorno».

Si affrettarono per raggiungere le sorelle sedute sulla diga, alla fine del passeggio, e Billy, mentre stringeva le robuste dita di Tanya, riviveva la sensazione che gli aveva dato il polso del fratello. La sensazione di un fuscello, di una cosa fragile.

Billy tornò indietro in preda all'ansia. Teneva ferme con una mano le monete che gli tintinnavano in tasca, e rallentò il passo solo quando scorse Yazdi ancora steso sulla panchina. Sapeva che non si sarebbe mai perdonato se lui se la fosse svignata.

«C'è la mamma, qui», gli comunicò ansante, sedendoglisi vicino. «Siamo in casa del fratello di Mr. Toddywalla a Colaba».

«Lo so».

Billy gli lanciò uno sguardo sconcertato.

«L'ho intravista un paio di volte», disse Yazdi, come se questa fosse una spiegazione assolutamente razionale.

«L'hai vista? E non l'hai nemmeno salutata?»

«No», rispose Yazdi. «Che senso aveva? Non avrebbe capito questo mio modo di presentarmi. Si sarebbe solo rattristata».

«Oddio», fece Billy fuori di sé. «Ma dovete vedervi!» Estrasse il portafoglio nuovo di zecca, ne tolse tutte le banconote e le spinse nelle mani di Yazdi.

Lui le prese con un pallido sorriso forzato e le ficcò distrattamente nella tasca della camicia. «Forse andrò a procurarmi una camicia e dei pantaloni nuovi e verrò a trovarvi».

«Devi farlo», lo scongiurò Billy. «Ti darò altro denaro. Questo è quanto avevo in tasca». Scorgendo il lampo divertito e canzonatorio negli occhi di Yazdi, soggiunse con fare scherzoso: «Pensa a quanti mendicanti potrai trasformare in ricconi!»

Risero, per la prima volta a loro agio dall'inizio dell'incontro. Quattro anni avevano lasciato il segno su ambedue.

«È proprio a questo che serve il denaro», disse Yazdi.

«Papà ha fatto bene a mettere il tuo denaro in amministrazione fiduciaria». Il tono di Billy era di amara ironia. Ma poi si disegnò sul suo volto una strana espressione e lui chiese sottovoce, con timore: «Sei comunista?»

«Forse», rispose Yazdi. «Forse sono un seguace di Mazdak».

«E chi sarebbe?»

«Il primo comunista del mondo. Un antenato zoroastriano. Secoli e secoli fa aveva capito che tutti i beni materiali, comprese le donne, dovrebbero essere in comune!»

Per fortuna non c'era lì Tanya, pensò Billy, e Yazdi, quasi leggendogli nel pensiero, aggiunse: «La tua fidanzata è molto carina».

«E non la dividerò con nessuno!» disse Billy.

Yazdi fece una risatina. «E allora, dammi notizie di tutti», disse sorridendo.

Billy gli diede le notizie di casa. Gli disse del matrimonio di Yasmin con Bobby, dei due ultimi bambini di Ruby e dell'operazione di ernia di Hutoxi, e poi di Jerbanoo e di Putli. Descrisse a Yazdi lo stato di depressione in cui era piombato il padre alla morte di Soli, e ancor più dopo la partenza sua, di Yazdi, e come lui avesse dovuto prendere in mano tutti gli affari. Billy doveva andare a visitare i loro empori di Peshawar, Jullundur e Rawalpindi. Il papà ormai si occupava solo della corrispondenza. Billy aveva conseguito il diploma di maturità classica.

«Stanno arrivando tutti per il matrimonio», lo informò orgoglioso. «Hutoxi, Ardishir con i bambini, Ruby con i suoi. Suo marito non può venire perché sta lavorando a un progetto edilizio. Ma Bobby, il marito di Yasmin, sta arrivando direttamente da Karachi in nave. Verranno anche papà e Katy. Li vedrai tutti in una volta se vieni!» Chiacchierarono per una mezz'ora, infine Billy, dopo aver ottenuto da Yazdi la promessa che sarebbe andato presto a trovarli, si alzò e se ne andò.

«Ho visto Yazdi oggi», annunciò Billy a Putli e Jerbanoo quando fu nella camera che dividevano per la notte.

«Ah! Quando?»

«Dove?»

«Era sul passeggio del Marine Drive».

«Che aspetto aveva?»

«Sudicio, più magro... felice».

«Che cos'ha detto? Ti sei fatto dare il suo indirizzo?»

«Gliel'ho chiesto. Mi ha detto che non ha fissa dimora. Mangia e dorme dove gli capita».

«Oddio! Dovevi portarlo qui con la forza! Gli hai detto che stava arrivando papà?»

Billy annuì.

«Non dovevi dirglielo! Così non verrà».

«Gli hai detto del marito di Yasmin, Bobby?»

«Ah, povero figlio mio», si mise a piangere Putli.

Quella notte rimasero svegli fino a tardi... ma Yazdi non si fece mai vedere.

Capitolo 35

Le sorelle di Billy giunsero una settimana prima delle nozze. Accolte con grandi manifestazioni di cordialità, furono condotte da Lady Easymoney in persona nella sua dimora. A ognuna venne assegnata una stanza fastosamente arredata con lampadari di cristallo, molti armadi, letto con baldacchino e cuscini di velluto.

A Hutoxi e Ardishir furono assegnate due camere comunicanti al primo piano, una per loro e una per i bambini. Quando, la mattina seguente, Hutoxi aprì le tende per dare un'occhiata fuori dalla finestra, rimase esterrefatta. «Adi! Adi! Vieni qua!» gridò con voce eccitata, chiamando il marito con frenetici cenni della mano.

«Che cosa c'è?» chiese Ardishir Cooper ancora mezzo addormentato.

«Vieni qua subito! Vieni qua subito!» sussurrò sottovoce.

Barcollando Adi si avvicinò alla finestra, dove rimase inchiodato dallo stupore. Sotto i loro occhi si stendevano acri e acri di giardini e boschi. Ma ciò che più aveva colpito Hutoxi era la piscina color smeraldo e l'elefante che vi stava vicino, le zampe anteriori piegate. Mentre lo guardavano, esso tuffò l'estremità della proboscide nell'acqua e si fece una doccia. Seminascosto in un boschetto di manghi, c'era un cammello e, a sinistra, in uno spazio recintato da siepi, alcuni cervi e un pavone. Hutoxi si precipitò nella stanza attigua per svegliare i bambini.

La mattina, tutti coloro che abitavano nel palazzo scendevano nel caotico traffico della sala da pranzo per rimpinzarsi di uova, *paratha* trasudanti burro, sottaceti, pesce e carne fredda affettata. Su una graziosa consolle dal ripiano di marmo erano disposte le bottiglie di vino, a cui attingevano le zie sdentate, con la scusa delle sue virtù salutari. I mariti erano fedeli al whisky.

Nella casa doveva esserci almeno un centinaio di persone, pensò Hutoxi mentre si serviva la prima colazione a una tavola di mogano dove c'era posto per un'ottantina di coperti. Ogni mattina, al momento della prima colazione, un cameriere metteva un Black and White appena stappato davanti ad Adi.

Zii dall'aspetto cadaverico e dalla bocca piena di denti falsi ricevevano lo stesso trattamento e ci mettevano un'eternità a finire la prima colazione. All'ora del pranzo tornavano a tavola per masticare e ruminare, masticare e ruminare come mucche al pascolo. Poi con gli occhi annebbiati andavano vacillando lungo i corridoi, e si mettevano a russare per tutto il pomeriggio.

Servi scalzi, le spalle cariche di sacchi di farina, zucchero, riso e spezie, attraversavano la sala da pranzo alla volta della cucina, barcollando sotto il peso ed emettendo piccoli versi di avvertimento per farsi strada. Sua Signoria sfrecciava dietro di loro e per tutta la casa, con un mazzo di chiavi d'argento tintinnanti alla cintola, gli occhi vigili e premurosi nel provvedere a ogni minimo bisogno dei suoi ospiti.

In casa non mancavano mai gli ospiti, che anzi rimanevano in visita per periodi che andavano da sei mesi a un anno, quando non diventavano membri fissi della famiglia.

Freddy arrivò quattro giorni prima del matrimonio, e la nave di Bobby Katrak gettò l'ancora nel porto di Bombay sul tardi di quella stessa sera.

Era stata una giornata frenetica per tutti. La cerimonia del *Mada-sara* prese tutta la mattina e comportò un gran movimento su e giù dalla piattaforma decorata con i pesciolini. Quando i promessi sposi ne discesero per piantare il virgulto di mango che doveva garantire loro la fertilità, ecco salirvi sopra le sorelle, per essere inghirlandate di fiori e segnate col cinabro, e per ricevere le parure di vestiti e le sottili catenelle d'oro. Poi fu la volta delle zie e degli zii dalle bocche sguarnite di denti, che erano rimasti in ansiosa attesa. Anch'essi vennero ornati di ghirlande e segnati col cinabro, e ricevettero piccole buste contenenti denaro. Sua Signoria provvide personalmente a rendere omaggio a Jerbanoo e a Putli, e infine, sollecitata dalle insistenze di tutti, salì anche lei sulla pedana.

Sir e Lady Easymoney, alcuni degli zii e delle zie più importanti andarono con la famiglia Toddywalla a ricevere Freddy alla stazione.

Faredoon Junglewalla fu ricevuto con grandi cordiali sorrisi e con ghirlande di fiori. Jerbanoo si fece strada fino a trovarsi in prima fila quando Freddy comparve sulla porta dello scompartimento. Sventolò le mani e gli diede solenni colpi con le nocche sulla testa per benedirlo, costringendolo così a chinarsi fino a toccarle i piedi.

Quando Freddy fu presentato a Sir Easymoney, i due uomini si scambiarono una vigorosa stretta con tutt'e quattro le mani. In qualità di padre dello sposo, Freddy aveva una posizione leggermente più importante. Tra i due uomini scoccò subito la simpatia, com'era avvenuto tra le mogli, e Sir Easymoney, che di solito non si curava molto del parentado, si diede un gran daffare per Freddy. Tra una solenne presa di tabacco e l'altra, infatti, dava ordini alle persone del suo seguito perché badassero ai bagagli, ai facchini e alle carrozze. Imitando le maniere degli inglesi del suo rango, Sir Easymoney faceva precedere l'ordine da un autorevole: «Guarda qui, vecchio mio, perché non...?» oppure da un benevolo: «Ottimo».

Freddy, che già da tempo non indossava più i pantaloni flosci e la giacchetta tipo redingote tradizionali, era affascinante nel suo completo marrone, anche se non aveva la stessa disinvolta eleganza di Sir Easymoney nel suo impeccabile abito grigio a quadri. E quando Easymoney si tolse gli occhiali, Freddy rimase colpito dall'impressionante occhio di vetro che mandava bagliori quasi elettrici dal volto scuro e ben rasato.

Quella sera tardi gli Easymoney organizzarono per i Junglewalla una cenetta privata, a cui seguirono quattro chiacchiere confidenziali in uno studio dalle pareti rivestite di cuoio e tappezzate di libri. I più giovani erano andati a ricevere Bobby al porto.

Sir Easymoney era espansivo e cordiale, Lady Easymoney tesa per la preoccupazione di accontentare tutti. Dopo cena, allo scopo di mettere gli ospiti a loro agio, Sir Easymoney si tolse l'occhio di vetro, la giacca e la cravatta, indossò un paio di pantaloni flosci e infine lui e l'ospite si sprofondarono in due poltrone di pelle dallo schienale reclinabile, poggiando i piedi sugli appositi sgabelli. Quattro zii se ne stavano in cerchio, un po' in disparte, tutti attenti, mentre le loro consorti si erano messe vicino alle signore che sedevano compassate in sedie rigide, di fronte agli uomini. A un cenno di Sir Easymoney, Sua Signoria si precipitò a piazzare due sputacchiere vicino agli uomini comodamente sdraiati. Un cameriere in turbante bianco e oro servì i liquori.

«Quando ero con l'esercito in Sudan», prese a dire il padrone di casa dando avvio alla storia del suo occhio, e Lady Easymoney aprì la conversazione nel suo settore parlando dei molti parti, ciascuno diverso dall'altro.

Capitolo 36

«...L'acqua era praticamente finita. Solo alcuni di noi avevano un fondo di borraccia. I miei uomini crollavano a terra e si trascinavano carponi, quando ecco che la nostra guida, dall'alto di una collinetta, ci gridò che aveva avvistato palme di datteri. Vi posso assicurare che ci mettemmo a strisciare un po' più in fretta!

«L'oasi appariva stranamente deserta. C'era un piccolo villaggio, ma non si vedeva l'ombra d'un uomo, d'un cammello o d'un cane. Sapevo che non era prudente avanzare come stavamo facendo. Avremmo dovuto prendere delle precauzioni, ma i miei soldati stavano morendo per la sete. Si gettarono sul fango appiccicoso intorno alla sorgente. Anche mentre bevevo mi rendevo conto che eravamo circondati dagli indigeni, nascosti come lupi dietro muretti di fango o piccole alture. Erano arabi, e tra noi i musulmani erano pochissimi. Noi eravamo i classici *kafir* infedeli! Eravamo spacciati!»

A questo punto Sir Noshirwan Jeevanjee Easymoney cambiò posizione nella poltrona e con abile mossa si districò il cavallo dei pantaloni. Emise quindi una cordiale ventata d'aria. La pausa aveva lo scopo di far rimanere l'uditorio col fiato sospeso, mentre quei suoi gesti dovevano instaurare una forma di cameratesca intimità, e dimostrare che, sebbene lui fosse un Sir e avesse adottato le maniere dell'aristocrazia britannica, rimaneva sopra e prima di tutto un autentico e semplice parsi. Si schiarì ben bene la gola e poi sputò.

L'uditorio non fiatava. Gli zii si sporgevano dalle poltrone, quasi fosse la prima volta che ascoltavano quel racconto. Le signore chiacchieravano sommessamente tra di loro, discutendo se erano preferibili le scarpe coi tacchi a spillo o quelle con la suola piatta. Solo Freddy rispose con una cortese emissione d'aria, tanto era ansioso di sapere che cos'era successo all'occhio poi rimpiazzato da quello di vetro.

«E sai che cosa feci allora, amico mio?» domandò Sir Easymoney in inglese, volgendo l'occhio superstite su Freddy. Aveva un naso a becco d'aquila e il labbro superiore, lungo e ben disegnato, sempre tirato in su da un lato. Freddy scrollò la testa educatamente.

«Stesi sulla sabbia la mia coperta, caro mio, e mi inginocchiai come fanno i maomettani per pregare, gridando: "*Allah-ho-Akbar!*" diverse volte. Non conoscevo il resto della preghiera, per cui feci finta di recitarla sottovoce, ora alzando le braccia al cielo, ora andando a toccare la coperta col naso. Lo stesso fecero, sul mio esempio, tutti i soldati.

«Pregammo finché rimanemmo senza fiato – ma prima o dopo dovevamo ben smettere – e allora ecco che si scatenò il putiferio. Ci spogliarono di tutto: divise, fucili, sacchi, coperte, borracce, scarpe. Alcuni di noi furono feriti. In onore del mio rango, a me cavarono un occhio, ma la vita era salva!»

«Ottima trovata! Ottima trovata!» disse tra le risa Freddy, battendosi entusiasta la mano sulla coscia. E così si congratulò col coraggioso anfitrione per la sua astuzia, mentre con l'uso dirompente delle sue "ottime trovate" voleva suggerire che loro due appartenevano alla stessa razza.

Nel corso della serata Sir Easymoney ne diede conferma a Freddy. Stavano discutendo sugli atteggiamenti di fanatismo religioso di alcuni locali, quando osservò: «... Prendi te e me: un piede in India e uno in Inghilterra. Siamo cittadini del mondo, noi!»

E con un "ottimo" per ogni "ottimo" e una scoreggia per ogni scoreggia, la civiltà orientale e quella occidentale si trovarono abbracciate in questi due eminenti personaggi...

Capitolo 37

I Junglewalla partirono da Bombay quattro giorni dopo le nozze. Portarono via il grosso dei bagagli di Tanya. Lei e Billy erano già saliti su un treno per Simla la sera stessa della cerimonia. Dopo un mese di luna di miele sarebbero tornati direttamente a Lahore.

Ad assistere alla cerimonia degli sponsali, che si svolse su una pedana traboccante di fiori, erano convenuti cinquemila invitati. Tanya, in un sari bianco incrostato d'argento e di perle, sedeva timida e compita su una sedia di legno intagliato. Billy sedeva su un'altra sedia identica, vestito d'un completo tradizionale di giacca e pantaloni bianchi, il capo coperto dal *pagri*. Davanti a loro, due sacerdoti in piedi salmodiavano e lanciavano sugli sposi manciate di riso, pezzetti di noce di cocco e petali di rose. Faredoon e Putli stavano dietro a Billy, e Sir e Lady Easymoney dietro a Tanya, con funzione di testimoni.

Il sacerdote officiante fece infine la domanda di rito: «Avete acconsentito a ricevere questa fanciulla di nome Tanya per il qui presente sposo, secondo i riti e le usanze degli adoratori di Mazda, con la promessa di 2.000 *dirhem* d'argento bianco puro e di due *dinar* d'oro della zecca di Nishahpur?»

«Sì», risposero Freddy e Putli.

«E voi e la vostra famiglia, con mente pura e sinceri pensieri, parole e azioni, e con rispetto della giustizia, avete acconsentito a dare questa fanciulla in matrimonio per tutta la vita a Behram?» chiese il sacerdote ai testimoni della sposa.

«Sì», essi risposero.

Il prete allora chiese: «Avete deciso di stipulare questo

contratto con mente pura e finché morte non vi separi?»
«Sì», risposero Billy e Tanya all'unisono.

Il sacerdote invocò quindi la benedizione divina sugli sposi e impartì loro consigli su come comportarsi correttamente.

La coppia venne letteralmente sepolta sotto ghirlande di fiori e migliaia di buste contenenti banconote e monete d'oro.

Furono nozze memorabili. La gente ne parlava ancora a distanza di anni. Nelle aree esterne del Taj Mahal Hotel si rasero al suolo le siepi per far posto alle carrozze e alle limousine. Nelle pareti divisorie delle sale dei banchetti, di ricevimento e dell'atrio, si praticarono aperture per accogliere meglio gli invitati e rendere più scorrevole il servizio. Si fecero arrivare i fiori da Bangalore e Hyderabad, formaggi da Surat e caviale dal Golfo Persico. Si servirono aragoste, anatre selvatiche e cacciagione varia. A ogni invitato si assegnò una bottiglia di whisky e una di Borgogna, mentre ambulanze con i motori rombanti erano pronte a portare a casa o in ospedale coloro che avessero ecceduto nel bere o nel mangiare. Duecento famiglie parsi, che vivevano in case popolari per indigenti e che non erano state invitate al ricevimento, ebbero ciascuna in dono un sacco di farina, una scatola di burro chiarificato, lenticchie e una confezione di dolci indiani. A rallegrare la festa c'erano una banda della polizia, una della marina, un'orchestra da ballo e una di musica da camera. E non mancavano i cantanti.

La baldoria si protrasse fino alle ore piccole, ma Tim e Billy lasciarono il ricevimento nuziale verso le dieci, si cambiarono d'abito, presero le valigie e si fecero portare in stazione. A salutarli c'erano solo i parenti più stretti. Qualcuno consegnò a Tanya un pacchetto di telegrammi mentre il treno si stava già muovendo. Tanya e Billy sventolarono i fazzoletti fuori del finestrino finché non videro affievolirsi e offuscarsi le luci della stazione. Tim allora si ritrasse, si asciugò una lacrima, e si sedette. E Billy vicino a lei.

«Bene!» esclamò lui imbarazzato.

Il treno diede uno scossone e sferragliò su uno scambio, riportando improvvisamente Tanya alla realtà. La novità del viaggio, il novello sposo, l'entusiasmo per il piccolo, lussuoso e per lei insolito scompartimento, tutto ciò le fece un certo effetto. Si alzò di scatto in preda all'eccitazione e si mise ad accendere luci e ventilatori, a studiare tutti gli strani congegni che si potevano tirare, spingere, avviare e bloccare. Estrasse il tavolino pieghevole, infilò un bicchiere in un incavo appositamente studiato, e incominciò a disfare le valigie. Ridendo e chiacchierando futilmente, porgeva a Billy gli oggetti che andavano messi nel bagno, e lui entrava e usciva dalla toilette. Le stava alle calcagna, urtandola nell'angusto spazio e chiedendole compitamente scusa ogni volta che entrava in contatto col suo divino corpo.

Asciugamani, bicchieri, sapone e spazzolini per i denti furono sistemati nel bagno; le cuccette, che erano una sopra l'altra, vennero preparate con le lenzuola e sommerse da cuscini, le porte chiuse col chiavistello e le tendine dei finestrini abbassate.

Billy e Tanya si misero a leggere i telegrammi di congratulazioni. Billy si commosse al messaggio del vecchio Harilal, il cui lungo telegramma terminava con un fervido: «...Iddio vi conceda dei figli, secondo la Sua volontà». Un altro telegramma che fece loro molto piacere veniva da Bhagwanda, un ragioniere assunto da Billy l'anno prima. Esso recitava: «Il mio cuore si riempie di gioia all'idea che il mio capo tornerà accompagnato da una sposa».

Lessero e rilessero tutti i telegrammi. E adesso? Billy era irrequieto. C'era un dovere da compiere, quasi rituale nel suo simbolismo, e Billy temeva che non avrebbe mai avuto il coraggio di incominciare ad affrontarlo.

Provò come si stava stesi nella cuccetta superiore, spiegazzandone tutte le lenzuola. Saltò giù, evitando per un pelo di cadere in testa a Tim, si stiracchiò e fece uno dei suoi fenomenali sbadigli accompagnati da un ruggito. Tanya scoppiò a ridere di fronte alla buffa smorfia e al verso leonino, e poi, lanciandogli gli indumenti per la notte, gli ordinò con fare gioioso: «Va' in bagno a metterti questi, e chiuditi dentro».

Billy riemerse solenne e imbarazzato nel pigiama di cotone nuovo di zecca: si sarebbe detto che nelle braccia e nelle gambe avesse più giunture del normale. Le maniche, troppo lunghe, avevano tre profonde pieghe in corrispondenza della piegatura e stiratura, mentre la piega diagonale dei pantaloni dava l'impressione di nascondere un ginocchio supplementare sulle cosce e una caviglia in corrispondenza degli stinchi.

Tanya però non si mise a ridere. La circostanza era troppo grave e le sue conoscenze a proposito troppo vaghe. Ed era innamorata del marito. Se ne stava seduta tutta timida, le mani raccolte in grembo, mentre la carne visibile fuori dell'ampia scollatura e dell'incavo delle braccia nude sembrava essersi inturgidita sotto la stoffa trasparente della camicia da notte.

Billy ne distolse lo sguardo, cercando di nascondere il turbamento, ma quegli sguardi furtivi davano un che di bieco ai suoi occhi e un'espressione estremamente inquietante al suo viso. Si tolse gli occhiali.

Tanya lo spinse da parte per passare e disse: «Ora tocca a me, vado in bagno», e sotto il pizzo di seta del minuscolo corpetto il seno ondeggiò delicatamente, come un soffione di tarassaco.

Billy si lasciò cadere sulla cuccetta, asciugandosi il sudore dal volto. Aveva aspettato con impazienza di rimanere solo almeno un momento. Lesto fece scivolare sotto i guanciali la busta che Putli aveva scritto con la sua fine grafia rotonda.

Si sedettero sulla cuccetta, le gambe penzoloni. Tanya sapeva che stava per avvenire qualcosa, ma le sue previsioni erano quanto mai confuse. Billy sentiva un impulso molto più preciso, ma non sapeva come affrontare la situazione. Di questo passo sarebbero arrivati a Simla senza aver consumato il matrimonio. Un presagio negativo per il seguito del loro futuro. La velocità, il frastuono e gli scossoni del treno acuivano il desiderio a ogni vorticoso giro delle ruote. Billy si schiarì la voce. «Tim, ti posso baciare?»

Tanya si tolse gli occhiali, li posò delicatamente sul tavolino e gli porse le labbra chiuse. Era la prima volta che Billy la vedeva senza occhiali.

Aveva un aspetto talmente infantile da sconcertare, e gli occhi piccoli e volti all'insù erano ingenui e fiduciosi come quelli di una cerbiatta, a dispetto di tutta l'esuberanza e impudenza della sua personalità. Le passò un dito sul leggero solco lasciatole dagli occhiali all'attaccatura del naso; avvicinò la bocca alla sua e Tanya chiuse gli occhi.

Billy si ritrasse. «Non in questo modo!» protestò, con voce bassa e roca. Sul volto aveva un'espressione delusa e irritata. «Non hai voglia di baciarmi?»

«Ma ti ho baciato, no?» chiese Tanya sorpresa.

E all'improvviso Billy capì che era lui il primo a baciarla e che lei non aveva la minima idea di come si facesse.

«Ma in questo modo si bacia la mamma o il papà», le spiegò, e incollò le labbra sulle sue, spingendole la lingua tra i denti. La bocca di lei aveva il delizioso sapore di menta del dentifricio.

Tanya si divincolò, cercando di allontanarlo da sé con le mani. In preda al panico, gli morsicò la lingua.

Billy si ritrasse con un grido. Gli occhi gli bruciavano dal dolore e dall'umiliazione.

«Perché l'hai fatto?»

«Sei uno sporco mascalzone. Nessuno ti ha insegnato l'igiene? Venire a ficcare i tuoi germi nella mia bocca!»

Billy sentì un brivido corrergli per la schiena. Se questa era la sua reazione a un bacio, che cosa avrebbe fatto quando lui avesse tentato qualcosa di più? Per fortuna, pensò, in quel caso non ci sarebbe stato di che temere dai denti. Mise sul letto i piedi mezzo nascosti dai pantaloni del pigiama, e si appoggiò all'indietro. Tanya volse la faccia dall'altra parte.

«Ma è così che si baciano tutti!»

«Ah?»

«Va bene, se la cosa ti disturba tanto, non ti bacerò più. D'accordo?» Aveva un tono conciliante. Tanya rimaneva col viso girato.

La locomotiva emise un fischio acutissimo e si udì un frastuono assordante. Avevano incrociato un altro treno. Tim si voltò di soprassalto.

«Abbiamo solo incrociato un altro treno», disse Billy prendendola tra le braccia, e subito la tensione tra di loro svanì.

Dopo un po', pensò di tentare un diverso approccio e le disse: «Prova a vedere che cosa c'è sotto il guanciale. È una cosa per te».

Tanya affondò le dita sotto la pila di cuscini, alla ricerca, e le ritirò stringendo la busta. Era sigillata.

«Che cos'è?»

«Leggi».

Tim lesse a voce alta, lentamente decifrando il testo in gujarati che Putli aveva scritto a nome di Billy. Come era d'uso per le circostanze liete, era stato adoperato l'inchiostro rosso.

«"Alla mia adorata sposa Tanya, queste 100 rupie, per avere il privilegio di sciogliere il suo nastro. Dal tuo innamorato ed eternamente devoto marito, Behram". Che cosa diavolo...! Ma che nastro?» domandò Tanya.

Billy avvampò in volto. «Del tuo pigiama... o delle tue mutandine», spiegò con un filo di voce.

«Ma non c'è nessun nastro nel mio pigiama o nelle mie mutandine. C'è un elastico!»

Tanya scattò in piedi, sollevò fino al petto l'orlo della camicia da notte e afferrò l'elastico delle mutandine di rayon svasate. «Vedi?» disse, tirando l'elastico della vita col pollice e lasciandolo andare, ma non così in fretta che Billy non potesse cogliere la balenante visione di un triangolo scuro. Zap! Zap! L'elastico tornò di scatto in vita e lei riabbassò la camicia da notte.

A seguito di questa dimostrazione, Tanya era tornata di buon umore. Billy invece no. Aveva l'impressione che la sua famiglia avesse complottato per farlo apparire agli occhi della sposa quello che era: il discendente di antenati vissuti in qualche villaggio perso nella giungla. Un nastro era un articolo volgare e fuori moda, in uso solo presso la sua famiglia di primitivi. La ragazza sarebbe andata a raccontare tutto alle sorelle, che avrebbero riso di lui. Si sentiva tradito e in certo senso inferiore, come quando Tanya parlava dei suoi campi da tennis e della sua piscina, o dell'elefante che il padre le aveva regalato quando aveva compiuto undici anni, o delle lampade da tavolo in cristallo, fatte arrivare appositamente da Vienna per i fratelli quando stavano studiando per l'ammissione all'università.

Tanya aprì la busta e sventolò trionfalmente la banconota da 100 rupie. Tirò giù dalla reticella la borsetta di coccodrillo, in cui chiuse la banconota con uno scatto di esultante possesso.

La gioia di Tanya per quel dono lenì un po' il malessere di Billy. Ma quel persistente senso di inferiorità, e la visione rapida quanto travolgente di quel triangolo nero, lo portarono a uno stato di eccitazione incontenibile. Incapace di controllarsi, spinse all'improvviso Tanya sulla montagna di guanciali, le si gettò addosso e la bloccò col proprio peso. E anche questa volta lei riuscì a stupirlo. Si era aspettato di essere respinto. Il corpo di lei invece si rilasciò, si adattò al corpo di lui, poi si irrigidì nell'attesa.

Era più di quanto Billy potesse reggere... Corse alla toilette a lavarsi.

Fin dalla più tenera infanzia, Tanya era stata protetta da un esercito di bambinaie, sorelle e zie, oltre che dalla madre. Nessun uomo, né vecchio né giovane, né servo né ospite, era considerato al di sopra di ogni sospetto. A giudicare da queste misure, si sarebbe detto che qualsiasi maschio non aspettasse altro che l'occasione per lasciarsi andare ad atti innominabili.

Non mancava una giustificazione a tale forma mentale,

dato che la maggior parte dei maschi viveva senza la compagna per mesi e mesi, tornando al villaggio a vedere la moglie solo una volta all'anno.

Tali misure di sicurezza funzionavano in ambedue le direzioni. Si metteva in opera un sistema difensivo enorme da parte di un'intera società per mantenere le bambine ridicolmente "innocenti". Quanto più facoltosa la famiglia, tanto più ignoranti le figlie. Questa ignoranza, accuratamente coltivata, aveva un grande valore di mercato al momento della scelta di una sposa. Tanya, pur essendo intelligente e intelligentemente allevata, era rimasta nella più assoluta ignoranza delle conoscenze fondamentali riguardo al sesso. Si era segretamente innamorata di questo o di quello, ossessionata e turbata dai sentimenti e semplicemente sconvolta dalle sollecitazioni del suo corpo.

All'età di soli sei anni Tanya era stata accompagnata al *mela* di una ricorrenza festiva dalla bambinaia e da un domestico. Sulla via del ritorno si mise a piangere per la stanchezza e si rifiutò di muovere un solo passo in più. Il servo se la issò sulle spalle. Lei si divertì a quella cavalcata, aggrappandosi alla testa del servo, le gambe penzoloni sul suo petto, fin quando non trovarono una vettura di piazza. Una volta a casa, non la finiva più di ciangottare raccontando del *mela*. Gli altri non stavano quasi a sentirla. Ma tutt'a un tratto Rodabai drizzò le orecchie. «Che cos'hai detto?» le chiese piombandole addosso. Tanya ripeté che, essendo molto stanca, il premuroso domestico l'aveva portata sulle spalle.

Rodabai, premendo una mano tremante sul petto in subbuglio, gettò un grido. Il domestico fu chiamato, rampognato e licenziato. La bambinaia fu strigliata a dovere e perdonata solo perché, gettatasi ai piedi di Sua Signoria, giurò che una cosa del genere non sarebbe mai più successa.

Quando Tanya aveva dieci anni, arrivarono in visita da Poona alcuni cugini, tra cui un turbolento tredicenne che si innamorò di lei. O almeno questo era quanto insinuava il precoce fratellino di nove anni. «Che finocchietto! Perché ti pende sempre addosso? Oppure si è forse innamorato di te?»

Il cugino le insegnava a costruire archi e frecce e la lusingava con piccole impensate attenzioni. Si prodigava in mille modi: le apriva la porta, le cedeva il posto a sedere, e per lei sfidava coraggiosamente il ridicolo tra gli altri ragazzi. Egli però la portava, di sotterfugio, in qualche stanza deserta. Una volta dentro, la faceva coricare su un letto e poi le si stendeva sopra. A lei piaceva quel ritmo del corpo di lui, l'eccitante intimità dei loro corpi, pur completamente protetti dai vestiti, e se ne rimaneva là beata sotto di lui.

Un giorno furono sorpresi dalla vecchia bambinaia dal viso rugoso e i capelli brizzolati. Tanya non dimenticò mai la spaventosa occhiata accusatrice con cui lei fulminò il cugino. Lui si sollevò puntandosi sulle mani e sulle ginocchia, con un vacuo sorriso d'imbarazzo. La bambinaia, ferma là nel suo sari, fissava il ragazzo col volto tremante di rabbia. Non fu necessario pronunciare nemmeno una parola. Il cugino sgattaiolò dalla stanza senza nemmeno voltarsi. Tanya capì, piena di rimorso, che non era stata ritenuta responsabile nemmeno parzialmente del crimine. La colpa era tutta di lui, ma per fortuna la bambinaia non riferì l'incidente a Rodabai.

Fino alla notte delle nozze, dunque, queste erano tutte le esperienze carnali di Tanya.

Billy aveva avuto il diritto di farsi un'esperienza prematrimoniale molto più vasta. Come maschio era suo dovere essere ben informato sull'argomento.

Era stato tre volte con le ragazze dell'Hira Mandi, aveva letto il *Kama Sutra* e aveva parlato di sesso con gli amici in un serio e illuminante scambio di particolari.

Se Faredoon era meticoloso, Billy era metodico, il suo cervello funzionava per categorie. Schematizzando la saggezza del *Kama Sutra*, le proprie esperienze e quelle dei suoi amici, per affettuoso rispetto verso la moglie aveva deciso di attenersi nella notte delle nozze a un piano di azione in tre tempi: primo, eccitare e stimolare Tanya, secondo consumare il matrimonio, terzo (ma qui i particolari erano ancora nebulosi) instaurare un rapporto idilliaco con la moglie. Non pretendeva molto, ma grazie alla sua superiore e nobile saggezza, lei doveva diventare la sua ubbidiente e devota schiava.

Tanya lo aveva portato fuori del seminato con quella sua inattesa reazione alla prima mossa del primo tempo, definita "bacio erotico". Fortunatamente questo episodio era stato cancellato poi dal gradimento da parte di lei del successivo e non programmato balzo sul suo corpo. Billy trascorse parecchio tempo nel bagno per rinfocolare la sua iniziale decisione relativa alla presa di possesso della sposa.

Quando ne uscì, Tanya sembrava impaziente di veder ripetere l'esibizione precedente.

«Perché ti sei cambiato di pigiama?» chiese sorpresa.

«Così, ne avevo voglia», rispose Billy facendo finta di niente e nascondendo il proprio sconcerto per l'ingenuità di lei.

Tanya gli fece posto nella cuccetta. Billy le si stese accanto e incominciò ad accarezzarla. Questo faceva ancora parte della prima fase. Il respiro di Tanya si fece pesante, gli occhi torpidi. Astenendosi scrupolosamente dal "bacio erotico", ansioso di vedere in lei delle reazioni, le stampò casti piccoli baci sui capelli e sul viso. Le carezzò delicatamente il seno e il ventre e, fattosi più ardito, cercò di infilare le dita trepide nelle mutandine di rayon di Tanya, che però non glielo consentì.

Billy era ben informato sulla sensibilità del clitoride, che il suo amico aveva professoralmente definito la "chiave della porta del paradiso". Pian piano, accarezzandola, spostandosi di qua e di là, le infilò la gamba sinistra tra le cosce. Si accorse subito del cambiamento. Il respiro di Tanya si fece frequente e leggero, gli occhi divennero fissi e attenti, come se si sforzasse di cogliere un impercettibile suono lontano. Tanya sentì un incredibile crescendo di eccitazione nel proprio corpo. Non capiva nulla, se non lo straordinario stordimento del desiderio e l'istintivo bisogno che quel crescendo continuasse e la trasportasse chissà dove, certo a una misteriosa vetta. Sentiva l'eccitazione formicolarle nella punta delle dita e sotto la pelle della fronte.

Ci siamo! pensò Billy. Ritrasse la gamba.

Ma a Tanya quella mossa non piacque. Con un colpo di reni si scrollò di dosso Billy e si ribaltò per riafferrargli la gamba tra le cosce, e lui, temendo che tutte le manovre di lei mirassero a morderlo di nuovo, tese una mano per difendersi e cercò di ritrarre le gambe. Nello stretto lettino non aveva libertà di movimento. Tanya gli serrò la gamba, dura come un osso, tra le proprie cosce e, tenendola in una morsa, tutta gemiti e tremiti incominciò a muoverglisi addosso. Lei gemeva e Billy era spaventato ed eccitato. Si sforzava di tenere la gamba nella posizione innaturale e scomoda che lei gli imponeva, e fissava il suo viso e l'esaltante abbandono del suo corpo. «Oh», mugolava lei, «Oh? Oh?» quasi interrogandosi sulla realtà della meravigliosa esperienza e tornando a irrigidirsi, uggiolando e lentamente abbandonandosi inerte su di lui.

Tanya ora giaceva esausta, la testa sul petto di lui. Delicatamente riprendendo possesso della propria gamba, Billy le accarezzò la schiena e avvertì la pelle di lei sussultare leggermente, involontariamente, sotto la leggera camicia da notte.

Tanya sollevò il viso, imbambolato di stupore, rosso e congestionato. «Billy», sussurrò, «Billy, ti amo».

Strisciando col suo corpo, poco più lungo d'un metro e mezzo, su quello di lui, gli baciò le palpebre e i baffi, poi passandogli le dita nella massa intricata dei capelli, la bocca.

Billy avvertì il profumo e il peso del suo seno passargli sul viso... e capì che la consumazione del matrimonio era rimandata.

Capitolo 38

Il treno stridette e si fermò, svegliando Billy. Faceva freddo all'inizio dell'autunno sulle pianure dell'India settentrionale, e dal cambiamento di temperatura capì che erano a metà strada tra Bombay e Delhi. Accese la piccola lampadina da notte sul suo capezzale. Erano le tre. Lo scompartimento era invaso da uno sgradevole puzzo di gabinetto. La porta del bagno doveva essersi aperta mentre dormivano.

Voleva prendere una coperta e scese silenziosamente dalla cuccetta. Si accoccolò vicino al valigione, rovistando alla cieca. Il puzzo era insopportabile. Billy tese una mano per chiudere la porta del bagno, ma con stupore si accorse che era chiusa. Fece un passo verso la cuccetta di Tanya e accese la lampadina schermata del suo capezzale.

Il lenzuolo superiore della cuccetta aveva una chiazza più scura e umida: per incredibile che fosse, Tanya aveva bagnato il letto! Lei si mosse nel sonno e Billy spense precipitosamente la luce. Rimase immobile nel buio, in preda allo stupore. Quando il treno riprese la marcia, andò a chiudersi nel bagno.

Si sedette sulla tazza del gabinetto, ragionando sulla faccenda. Non c'era da stupirsi dunque che nella valigia ci fossero tante lenzuola! Si ricordò dell'espressione del volto di Tanya quando lui aveva fatto un commento al proposito, mentre preparavano le cuccette. Non si era accorto, allora, del suo imbarazzo. Aveva girato la faccia, ignorando la sua osservazione, e gli aveva chiesto di andare a prenderle un bicchiere d'acqua.

Billy non si arrischiò a metterle sopra una coperta. Meglio che lei tenesse per sé quel segreto fin quando voleva. Sentì compassione. C'era un immenso doloroso empito di tenerezza nel suo cuore e un nebuloso bisogno d'amore.

Lasciando una coperta sul valigione, a portata di Tanya, risalì senza farsi sentire nella sua cuccetta.

Quando si svegliò, lame di luce tagliavano l'oscurità là dove le tendine non coincidevano perfettamente.

Tanya lo sentì muoversi. «Sei sveglio?» chiese.

«Sì», mormorò. Immediatamente presente, annusò l'aria. Non si sentiva più quell'odore. Guardò giù dalla sponda della cuccetta. Le lenzuola erano bianche candide per quanto se ne vedeva fuori della coperta. Tanya si era messa a sedere appoggiata al guanciale. Lui osservò che aveva cambiato anche la camicia da notte.

«Dormito bene?» chiese.

Tanya annuì. «E tu?»

«Come un angioletto».

Tanya rise. All'improvviso tirò fuori le gambe dalle coperte e, sollevandole, spinse la cuccetta di lui da sotto. «Alzati! Alzati, pigrone!»

La cuccetta di Billy quasi si ribaltò. Egli saltò giù per fare alla lotta. La sculacciò, e lei automaticamente gli afferrò le orecchie. Erano più disinvolti della sera precedente.

Quando Billy andò in bagno, in un angolo vide un pacco di carta marrone ben confezionato. Sapeva che dentro c'erano il lenzuolo e la camicia bagnati, e si chiese quando avesse fatto quel lavoro.

Capitolo 39

Alla fine di ottobre era già autunno avanzato a Simla, 2500 metri sul mare. Essi vedevano platani e noci fiammeggianti, montagne himalayane fitte di abeti verde scuro, e un impressionante tormentato complesso di vette e abissi vertiginosi.

Il terreno ai piedi delle conifere era tappezzato di morbidi strati rossicci di aghi secchi. Nella tenue luce color ambra sotto gli alberi autunnali, l'atmosfera umida e profumata era percorsa da un presagio di neve. Il Mall serpeggiava pigramente lungo il centro di Simla infilandosi poi nei vicoli fangosi dei bazar infestati dalle scimmie. Alberghi di poco prezzo e mescite di tè richiamavano i passanti, mentre lontano dai bazar si ergevano le alte mura degli edifici governativi.

Simla è centro di vacanze per gente facoltosa, ma in quella stagione la maggior parte dei negozi era chiusa e sprangata nell'imminenza dell'inverno, e la maggior parte dei chiassosi ospiti era scesa verso la pianura, dove l'aria era diventata respirabile, mettendo così fine alla breve vivace stagione. La stazione di montagna si presentava deserta: l'ideale per coloro che andavano in cerca d'un soggiorno tranquillo. Ben presto però anche gli ultimi villeggianti se ne sarebbero andati e allora montagne, bazar e case sarebbero stati ricoperti da una spessa coltre di neve, come le poltrone e i divani che nelle case vengono ricoperti da bianchi teli durante l'assenza dei proprietari.

Gli sposi disfecero i bagagli nella lussuosa suite che avevano prenotato al Cecil Hotel. Billy si sentiva intimidito dallo sfarzo degli arredi e dagli inservienti tutti salamelecchi. Fin dalla visita a Bombay e dall'imparentamento con gli Easymoney, Billy non faceva che stupirsi di quello sfoggio di ricchezza che a loro sembrava tanto naturale. Non perse mai questa scandalizzata sorpresa di fronte all'ostentazione di ricchezza e di beni, nemmeno quando divenne uno degli uomini più ricchi del paese.

Tanya, abituata al lusso, si muoveva nell'albergo come a casa propria. Lo sfarzo le competeva per diritto di nascita. Quando fece un commento sarcastico sugli accessori del bagno, Billy ne fu colpito e allarmato.

I saltuari tentativi di Billy per rimettere in azione il suo piano d'azione a tappe, erano regolarmente vanificati dall'imprevedibilità della fanciulla che aveva sposato. La loro intimità faceva dei progressi, ma l'agognata consumazione non avvenne prima del terzo giorno di vacanza a Simla.

Quella mattina fatale, apertasi all'insegna di un cielo minacciosamente pieno di nubi, decisero di fare un'escursione a Jacco Hill, un famoso "santuario" delle scimmie, sacro agli indù. A Bombay gli avevano detto che non potevano non andare a vederlo: lo spettacolo di migliaia di rumorose scimmie dondolanti e sfreccianti li avrebbe affascinati.

Con un pacchetto di noccioline a testa, e chiedendo timidamente la strada ai passanti, trovarono il sentiero che doveva condurli in cima a Jacco Hill.

Lungo il percorso, che si snodava sotto la volta d'una foresta di conifere, non incontrarono anima viva. Esaltati dallo spirito di avventura, erano felici di quella solitudine, e gridavano ed emettevano versi per sentire la propria voce rimandata dall'eco nel silenzio melanconico che regnava sul paesaggio.

Non si muoveva una foglia. Dalla città che all'improvviso sembrava distante chilometri e chilometri, non giungeva un rumore. Tim incominciò ad avvertire una certa inquietudine.

«Billy, torniamo indietro. Non c'è nessuno qua. Non mi piace».

«Ma di che cosa hai paura, sciocchina? Non vuoi andare a vedere le scimmie?»

«Non mi piace andarci da soli. Ci potrebbero aggredire, come quella brutta e grande che mi ha strappato di mano la banana alla stazione. E poi sta per piovere. Torniamo indietro».

«Fifona, fifona», la scherniva Billy, ma notando un'espressione risentita sul volto di Tanya, cercò di attenuare il suo sarcasmo. «Ci troveremo un sacco di gente, là. Non ci può essere nessun pericolo, altrimenti non ci avrebbero consigliato di andare».

Ma nonostante la baldanza e la logica delle sue parole, Billy venne contagiato dai timori di Tanya.

Camminarono per più di un'ora. La vegetazione bassa si faceva sempre più fitta sotto alberi sempre più alti e il sentiero sempre più stretto, fin quando ebbero l'impressione di trovarsi in una specie di tunnel sotterraneo. Il silenzio che avvolgeva tutto era accentuato dal crocchiare e frusciare dei loro passi sempre più nervosi e affrettati.

Giunsero infine a una tabella gialla con una freccia che indicava la via. Sotto alla freccia era scritto: «Jacco Hill».

«Eccoci!» esclamò Billy, e trascinando per mano la sposa ansimante, l'aiutò a superare l'ultimo ripido tratto della salita, fino alla cima.

Si trovavano sull'orlo di una pianoro ondulato. Al di là dell'orizzonte chiuso dalle pendici delle montagne e dalla foresta, il paesaggio si apriva ameno e vasto ai loro occhi. Persino gli alberi di conifere erano più radi. Il posto però era assolutamente deserto: non un uomo, un uccello o una scimmia. Solo i torreggianti alberi dalle grandi chiome, e una solitudine minacciosa. Il cielo era color ardesia, e nella zona più alta si vedeva un gran rimescolio, un frenetico scorrere di nuvole nere come volute di fumo.

«E le scimmie?» chiese Tanya, delusa ma al contempo sollevata. Gettò uno sguardo rapido e indagatore in alto, tra gli alberi, sperando di intravedere un babbuino, e però anche temendone la presenza. L'atmosfera era già abbastanza inquietante senza quei loro musi raggrinziti e spaventosi. Billy e Tanya sapevano che i babbuini, nascosti in cima agli alberi, c'erano e seguivano ogni loro movimento: migliaia di occhi curiosi. Si sentirono come intrusi in un mondo incomprensibile, selvaggio ed estraneo.

Giunti là, tuttavia, non potevano non continuare. I battiti del cuore leggermente accelerati, mano nella mano, mossero qualche passo per esplorare il pianoro.

Si imbatterono in piccole costruzioni di pietra, come templi in miniatura, quasi che i muratori, mentre stavano costruendo case per bambole, si fossero messi a fare sul serio e le avessero trasformate in *mandir* con pinnacoli a spirale e decorazioni sacre. C'erano, nelle aperture di queste case per bambola-*mandir*, offerte di fiori freschi e di zucchero. Alcune avevano un interno angusto, oscuramente sinistro, difficile da penetrare, e Tim quasi si aspettava di vedervi dentro una o due scimmie intente ad adorare il loro dio-scimmia, Hanuman. Alcune, simili a grotte di cemento poco profonde, erano invase dalla luce. Davanti, enormi impronte di piedi impresse nel cemento avevano in sé qualcosa di soprannaturale: un paio di piedi senza corpo, quasi a rammentare al visitatore la presenza e il passaggio di misteriose divinità.

Le vette dei pini furono percorse da un soffio frusciante. S'udì un tuono lontano, che s'avvicinava veloce, lo zigzagare d'un lampo. Il vento poi sferzò i pini e gemette giù dalle montagne. Scoppiò la bufera. Furono subito inondati da un pesante rovescio di pioggia. I lampi scoccavano bagliori nella verde oscurità della foresta ondeggiante, e il potente rombo del tuono echeggiava tra gli alberi.

Lottando contro il vento e la pioggia, i due sposini corsero verso il bordo del pianoro, alla ricerca del sentiero da cui erano arrivati. Billy ritrovò la tabella gialla. Tanya, con la maglia di cashmere e il sari di seta azzurra scuriti dall'acqua, non riusciva quasi a vedere nulla attraverso gli occhiali colanti di pioggia. Cercò di tagliare attraverso un gruppo di macigni. Non abituata a quel terreno accidentato, scivolò e cadde rovinosamente nel fango. Udì la domanda allarmata di Billy: «Ti sei fatta male?»

Billy l'afferrò da dietro, cercando di alzarla, e sentì pesare la carne di lei sulle proprie braccia magre e pelose. Fu assalito da un languore improvviso, da una passione che lo svuotò d'ogni forza. Non fu più in grado di sostenerla. Caddero sul terreno ghiaioso in mezzo a un groviglio di rami inzuppati di fango.

Di nuovo si udì lo scoppio d'un tuono. Billy la stava baciando, lottando alla cieca contro i bottoni della maglia e intanto sollevandole febbrilmente con l'altra mano il sari. Le gambe di Tanya, denudate, tremavano. E tutto questo in mezzo a tuoni, lampi e pioggia torrenziale!

Dimenticati i mille occhi di scimmia seminascosti nei pini, dimenticata la paura del luogo solitario. Tanya ansimava. Billy le stava sopra, strofinando la faccia sui suoi voluminosi e sodi seni inondati di pioggia. Tanya emise un gridolino e istintivamente aprì le gambe, i fanciulleschi occhi estatici. Lui cambiò il tipo di carezze. Si piazzò su di lei in altro modo. Aiutandosi con una mano, carezzandole con l'altra i capelli e intanto baciandola, andò a tentoni. Tanya gli si incollò addosso, inarcandosi. Dandosi da fare per penetrarla, Billy temeva di spingere troppo o maldestramente, e Tanya, che si dimenava con entusiasmo ma senza esperienza, certo non era di aiuto. La foresta in quel momento risuonò d'un boato spaventoso e Billy, fuori di sé dallo spavento, la penetrò, con violenza, come spinto dal lampo.

Il matrimonio era stato finalmente consumato!

Il mese di vacanza a Simla si chiuse. Billy appoggiò un gomito sul banco, sollevò gli occhiali sulla fronte e tenendo i fogli vicini agli occhi, studiava il conto voce per voce.

«Il caffè l'abbiamo ordinato solo due volte. Me lo ricordo bene. Voi lo avete messo nel conto tre volte».

L'impiegato distolse lo sguardo dal seno di Tanya e lo focalizzò, sognante, su Billy.

Billy ripeté: «Il caffè l'abbiamo preso solo due volte. Voi lo avete messo nel conto tre volte. Perché?»

«Correggo subito, signore», disse l'impiegato tendendo una mano pigra e svogliata verso il conto.

«Aspetti», disse Billy, «è meglio se le facciamo insieme le correzioni».

Eseguì la somma. «C'è qualcosa di sbagliato nel totale!» L'impiegato distolse lo sguardo dal ventre nudo di Tanya e lo volse di malavoglia su Billy. Uno sguardo perso.

«Il totale è sbagliato», ripeté Billy e innervosito, quasi urlando soggiunse: «Sto parlando con lei! Guardi me! Ma non si vergogna?»

L'impiegato abbassò le palpebre con torpore appena un po' contrito.

«Mi dia il conto, signore».

Scorse le cifre, corresse quelle relative ai caffè, il totale, e sottopose la nuova somma a Billy. «Ha ragione, signore. Il contabile aveva sbagliato di venti rupie nel totale».

Billy lo fissò minacciosamente e con un lampo truce negli occhi, «non osi più guardare mia moglie», estrasse dal portafogli un biglietto da duecento rupie. L'impiegato prese il denaro e andò pigramente verso una cassaforte per prendere il resto.

«Abbottonati il golfino!» le ingiunse Billy sussurrando adirato.

Tanya si abbottonò senza fiatare. Il morbido mohair che le copriva il petto e la vita però, non faceva che mettere ancor più in evidenza le sue curve formose. Billy era sempre più contrariato dalle non previste conseguenze della bellezza della moglie. Per l'ennesima volta si rammaricò di non essere maomettano, così da poterle imporre il *burqa*. Gente avveduta, i maomettani, pensò.

Capitolo 40

A Lahore c'era una grande sorpresa ad aspettare Billy. Gli sposini di ritorno dalla luna di miele furono accolti, salutati e condotti di filato dalla stazione a una nuova casa in uno dei migliori quartieri di Lahore, al di là del canale bordato di pioppi.

La casa era il dono di nozze di Faredoon!

Billy se ne stava a bocca aperta mentre la carrozza li portava per il vialetto d'ingresso. Tra le stradine che conducevano a un bungalow di mattoni scuri con ampia tettoia sulla porta d'ingresso, si stendeva un prato lungo e leggermente infossato. Alle estremità della tettoia c'erano due porte, a sinistra quella che conduceva nel bagno e a destra quella che portava nella cucina. Era una casa con la facciata non molto larga, ma che si sviluppava in profondità. Faredoon l'aveva scelta più che altro per la sua forma. Gopal Krishan gli aveva detto che case come queste erano dinamiche e fortunate. Venivano definite "a muso di tigre" ed erano governate dall'ardito e possente spirito di quell'animale. I suoi abitanti avrebbero acquisito molte ricchezze e molto potere, in segreto e nella sicurezza, come le invisibili profondità della casa.

In segreto?

Sì, perché la segretezza nella buona fortuna, nei beni, nella salute o nella felicità in India è un valore positivo, l'ostentazione è un incoraggiamento al malocchio degli invidiosi.

Se Faredoon avesse voluto una casa per sé, Gopal Krishan gli avrebbe consigliato un edificio dalla facciata ampia, protetto dallo spirito del toro. Le case "a muso di toro" erano anch'esse fortunate; conferivano pace e appagamento ai suoi occupanti, qualità che non avevano però molto valore per uno sposo ambizioso che doveva ancora lasciare il suo segno sulla terra.

Le case piccole e quadrate, né profonde né larghe, andavano bene per gente di poco conto e coi piedi per terra.

Erano già stati assunti tutti i domestici. Il cuoco, il cameriere, il giardiniere, il lavandaio e il servo si inchinarono a salutarli non appena il *tonga* si fermò sotto la tettoia.

Billy aveva gli occhi pieni di lacrime di gratitudine, il volto deformato da un tremito di commozione.

Putli eseguì la cerimonia di ricevimento nel portico. Tanya e Billy abbassarono la testa, su cui lei portò in tondo un vassoio d'argento con acqua e riso crudo. Poi ne versò il contenuto ai loro piedi. Fece il sacrificio di un uovo. Lo portò in giro per sette volte sulla loro testa, e infine lo ruppe a terra. Fu quindi la volta di una noce di cocco fresca: la batté energicamente finché si ruppe e ne uscì il succo.

Dopo aver propiziato la protezione degli spiriti e aver fatto tutto quello che era umanamente possibile per garantire la felicità degli sposi, Putli ne segnò la fronte col cinabro e li condusse oltre la porta d'ingresso ornata di fiori freschi.

Sul portico davano il salotto e la sala da pranzo. Dietro a queste c'erano due camere da letto, e ancora più in fondo molte altre stanze che Faredoon aveva pensato bene di chiudere a chiave. Billy avrebbe potuto ricavarne due appartamenti indipendenti per affittarli e ricavarne un utile.

La casa aveva l'arredamento indispensabile. Putli aveva pensato che era meglio lasciare a Tanya l'acquisto di quelle cose che ogni donna vuole scegliersi da sé. I suoi bagagli erano stati aperti e il contenuto sistemato a dovere, mentre i soprammobili della dote erano stati disposti in bella mostra nel salotto.

Il cameriere, alto, con un turbante nuovo di zecca e un bel sorriso stampato sulla faccia, si inchinò. Il pranzo era pronto.

Tanya era entusiasta di giocare alla padrona di casa. Si diede ad acquisti pazzi, portando a casa carrettate di tessuti e mobili. Acquistò lampade e paralumi, statuine di porcellana, vasi, stuoie e tappeti di fibra di cocco.

Stendeva sui divani e sulle poltrone pezze intere di velluto e broccato in varie sfumature per far fare la scelta a Billy. Saliva su sgabelli e appendeva tagli di seta sulle aste delle tende, per avere l'approvazione di Billy.

«Tessuti così preziosi non si adattano alla nostra casa», spiegava Billy, col maggior tatto possibile. «Andrebbero meglio stoffe più semplici».

Tanya, ubbidiente, restituiva gli articoli non approvati e ne portava a casa di più modesti. Billy sceglieva sempre quello che costava meno di tutti.

Quando Tanya scoprì che Billy si entusiasmava sempre per la merce meno cara, lo affrontò senza pensarci un solo minuto.

«Billy, non dire che il marrone sta bene col viola solo perché costa poco!»

Billy fece un ampio sorriso malizioso.

Erano innamorati, e trovavano il modo di intendersi. A Tanya fu assegnata una somma ragionevole di denaro per finire di arredare la casa. Poteva fare quello che voleva, purché non esagerasse. Ma il denaro colava via tra le sue dita corte e dalle nocche grosse.

Le novità l'affascinavano. Aveva una passione speciale per gli oggetti mai visti, che comprava e con cui faceva esperimenti. Aggeggi, soprammobili, un'originale retina per acchiappare le farfalle, una frusta per sbattere le uova o un apriscatole la incantavano quanto automobili speciali o costosi congegni elettrici. Era come un bambino con un giocattolo nuovo, come uno scienziato con una nuova scoperta.

Questo entusiasmo se lo sarebbe portato dietro fino a quando sarebbe rimasta vedova, e oltre, nella vecchiaia, non perdendo mai l'attrazione per i miracoli della tecnologia: ai suoi occhi facevano parte delle meraviglie della vita.

«Vecchia? Vecchia?» rimproverò una volta Jerbanoo che le aveva propinato un lungo soliloquio sull'inutilità e tristezza della sua età avanzata. A quell'epoca Tanya aveva trent'anni.

«Ma tu non sei vecchia!» protestò. «Che cosa sono ottant'anni di fronte ai millenni? Cent'anni di vita non sono nulla: un battito di ciglia, che non dura più di un secondo. Se vivessi trecento anni, forse mi stancherei della vita e mi sentirei vecchia. Ma tu sei giovane!»

Ecco che cosa vuol dire essere innamorati della vita, essere sensibili al suo fascino e alle sue meraviglie a settant'anni come a sette. Tanya, che morì a novantatré anni, mantenne fino all'ultimo respiro questa capacità di stupirsi.

Capitolo 41

Il quartiere in cui abitavano, il bungalow indipendente e il recente stato di benessere di Tanya e Billy influenzarono il loro genere di vita. Fecero amicizia con coppie moderne, decise quanto loro a rompere con la tradizione. In sostanza si trattava semplicemente di un'adesione fanatica ai modi della società inglese in India e della tendenza all'imitazione proprie dei neofiti. Non appartenevano alla massa, questi giovani. Se non fosse bastata la ricchezza a distinguerli, certo li distinse la disinvoltura nel conversare in inglese. Si vergognavano profondamente delle consuetudini tradizionali e prendevano ad esempio le abitudini inglesi, anche se volgari o imitate solo nella forma. Si divertivano spessissimo in feste da ballo, intime, ristrette, in cui coppie sposate ridevano e ballavano con grande sussiego con altre coppie sposate. Queste feste rappresentavano un distacco rivoluzionario dai festini per soli maschi come quelli a cui partecipava Freddy all'Hira Mandi, o le partite di chiacchiere rigidamente limitate alle signore, come quelle a cui partecipava Putli: rivoluzionario quanto una discoteca rispetto a un pranzo di famiglia vittoriano. I ricevimenti erano cosmopoliti, com'era di moda, e comprendevano indiani di ogni confessione – indù, musulmani, sikh, cristiani – europei e anglo-indiani.

Behram e Tanya si formarono una larga cerchia di amici, molti dei quali in seguito vennero invitati soprattutto per promuovere gli ambiziosi progetti di Billy.

Tanya era tagliata per questo tipo di vita, desiderosa com'era di socializzare, e brava padrona di casa. Billy, nonostante il suo complesso di inferiorità, accettò con entusiasmo la sfida sociale.

Ma in essa c'erano dei trabocchetti.

Billy si tuffò nella rivoluzione sociale con la spensierata fiducia dei neofiti, fiducioso che le regole del gioco sarebbero state quelle del "fair play" proprio della mentalità britannica. Non era preparato alla competizione involontariamente innescata da Tanya.

Billy non si aspettava che gli amici potessero concupire sua moglie più di quanto non potessero concupire l'anima di lui, e rimase stupefatto all'incredibile ammirazione che veniva tributata a Tanya. Ne rimase ferito. Questo, pensava smarrito, non era leale. Egli evitava di proposito di guardare le mogli degli amici, mai rivolgendosi a loro ma sempre ai mariti, i quali invece non si facevano di questi scrupoli e fissavano Tanya con desiderio e spudoratezza. Prendevano le parti di lei se osava anche minimamente contraddirlo, e le stavano intorno tutti servizievoli, fino al punto che Billy si risentì.

Sicura del proprio sentimento, inamovibile nella sua fedeltà, Tanya traeva tuttavia piacere da tali attenzioni. Migliorò il suo portamento e si fece più bella. Divenne più ardita nel modo di abbigliarsi e si drappeggiava il sari così da mettere in maggior risalto la perfezione del suo corpo. Incominciò a truccarsi moderatamente e a sottolineare l'incredibile grazia delle labbra... e Billy non riusciva a capire perché.

«Tanya», le disse un giorno, «non guardare la gente diritto negli occhi. Lo so che tu lo fai senza intenzione, ma gli uomini possono fraintenderti. Si fanno certe idee».

Tanya ce la mise tutta per accontentarlo.

Un anno dopo, quando Billy le disse: «Senti, Tanya, te l'ho già spiegato un'altra volta. Non guardare gli uomini diritto negli occhi», Tanya reagì.

«Ma non ci posso fare niente, tesoro. Li devo pur guardare qualche volta! Senti, ho gli occhi piccoli e devo portare gli occhiali, loro non li vedono nemmeno!»

E ancora, un anno dopo, quando nuovamente Billy manifestò la sua insofferenza, lei ribatté: «Va bene, tu insomma non vuoi che li guardi negli occhi! E allora dove vuoi che li guardi? Nelle palle?»

Per qualche strano capriccio della natura, Tanya non aveva ancora figli, il che rappresentava una fonte di grave rammarico per tutti i Junglewalla.

L'unica questione però che costrinse dolorosamente Tim e Billy ad abbandonare le infantili leziosaggini della loro luna di miele, costringendoli ad affrontare i ben più gravi impegni della maturità matrimoniale, fu il denaro!

Mai uomo fu più taccagno, né donna più spendacciona.

Avvenivano tra loro scene tempestose quando si doveva restituire un frigorifero, o qualche altro apparecchio, o un gioiello. Billy non riusciva a perdonare a Tanya quella sua foga nello spendere che era per lui fonte di un continuo rovello. Lacerava la sua sensibilità, innescando un conflitto gigantesco tra la passione per la moglie e la passione per il denaro. E a trionfare era il suo primo amore, il denaro appunto.

Per Tanya era impossibile ridurre le spese, come è impossibile non starnutire per chi soffre di febbre da fieno.

Jerbanoo, sempre pronta a buttarsi nelle crociate, e trovando noiosa la sua vita nell'appartamento, ci si calò dentro a capofitto. Aveva un istinto infallibile nel fiutare i litigi, e non appena intuì che ne stava per scoppiare uno coi fiocchi, decise di andare a passare una settimana con la coppia. Prese le parti di Billy. Gettò benzina sul fuoco, e nell'incendio scaldò il suo piccolo vigoroso cuore. Non riusciva assolutamente a capire quella voglia ostinata e assurda di buttar via il denaro. Era un delitto, quel modo che avevano le giovani spose di chiudere gli occhi su quanto si faceva in cucina... Davano al cuoco qualsiasi cosa lui chiedesse, proprio non avevano più criterio d'una pecora. Grazie al cielo lei le aveva tirate su a suo modo, le nipoti. E anche adesso che erano sposate lei non ci avrebbe messo niente a scacciare a bastonate dal loro corpo i demoni dello spreco e della pigrizia.

Quando stava nell'appartamento si lavorava Putli. «Ma lo sai che cosa sta combinando adesso quella sciocca e insensata della tua nuora?» incominciava a dire. E sebbene Putli difendesse la ragazza davanti a Jerbanoo, non poteva di tanto in tanto non condividere le sue critiche.

Tanya non riusciva a sopportare questa situazione. La sua vita era condizionata da una squadra di pitocchi bugiardi! Minacciò di scrivere al padre per raccontargli quanto era infelice, e ci volle del bello e del buono perché Billy riuscisse a calmarla dopo le tempestose visite di Jerbanoo. Tanya prese l'abitudine di dire parolacce. Si forgiò una limitata lista di imprecazioni, di per sé sciocche e prive di senso, ma pronunciate con tale veemenza che Billy ne rimaneva scioccato.

«Non osare dire cose del genere su mia madre!» tuonò ipocritamente in un'occasione, nel momento più infuocato dello scontro.

Litigavano in inglese, con qualche parola o espressione gujarati infilata qua e là.

«Va bene, non dirò più niente di quell'oca. E che devo dire di quella dannata figlia di mulo di tua nonna? Anche se mi tappi la bocca dirò tutto quello che devo dire, di lei! Guarda che cos'hanno fatto di te: un piccolo spilorcio! E lei ha la faccia tosta di criticare come hanno allevato me! Non lo sopporterò più!»

«Spilorcio? Spilorcio io? E vuoi che ti dica che cosa sei tu? Sei una mocciosa viziata! Così viziata che non hai nemmeno imparato ad andare in gabinetto! Ma se ancora ti bagni di notte! Vedi un po', un'asina grande e grossa come te che fa la pipì a letto!»

Tanya sbiancò in volto. Si lasciò cadere di peso sul materasso, svuotata di ogni forza, e in stato di shock, come se Billy le avesse sparato. Non le aveva mai lasciato capire che si era accorto della sua debolezza notturna. E ora aveva giocato quella carta, con brutalità!

Tanya nascose il volto rosso e rigato di lacrime nei guanciali, il corpo scosso dai singhiozzi. Questa lite, avvenuta circa tre anni dopo il matrimonio, rappresentò una pietra miliare nei loro rapporti. Spazzò via di colpo l'atmosfera da luna di miele che ancora regnava tra loro, e fu la prima volta che Tanya pianse.

Billy era fuori di sé dallo sconforto. Non poteva vederla piangere. «Scusami», disse con voce rotta, «non avrei voluto dirtelo, mai. Non avevo nessuna intenzione di buttartelo in faccia in questo modo. Te lo giuro, mi dispiace molto. Non te lo dirò più. È un segreto, nessuno lo saprà. Ti prego, ti prego, perdonami».

Tanya udì un verso strano. Quando osò gettare uno sguardo tra le lacrime, vide Billy che singhiozzava a più non posso, come lei.

Le sue lacrime smisero di scorrere. Lo guardava sbalordita, a bocca aperta.

Billy si asciugò gli occhi. «Ti prego, non piangere mai più così», la scongiurò tutto avvilito. «Non ti posso veder piangere. Farò quello che vuoi, ma non piangere».

Tanya decise che avrebbe pianto spessissimo.

Tutte le bufere si placarono per un po' quando si seppe che Tanya era in stato interessante. La famiglia era al massimo dell'euforia, e Billy al settimo cielo. Tanya fu sommersa di affettuosi consigli. Putli attaccò foto di paffuti neonati inglesi per tutta la casa. Una dozzina di occhi azzurri spiavano Tanya non appena apriva le ante dell'armadio. Foto incorniciate di bimbi con le fossette, in pose aggraziate, erano appese alle pareti. Solo nel bagno ce n'erano tre. Né Tanya poteva guardarsi in uno specchio senza vedere i neonati appiccicati agli angoli.

Correvano infinite storie in cui genitori di pelle scura avevano avuto bambini di stampo europeo. Tanya, che era stata messa al corrente di questo segreto quando era ancora bambina – avevano fatto lo stesso con le sue sorelle – contemplava fiduciosa le foto. Billy era scettico.

«Il bambino rassomiglierà a me o a Tanya. Come può avere l'aspetto di un inglese?»

E allora Putli, o Jerbanoo, o Hutoxi, andavano in cerca

di esempi: «Non mi credi? Ti ricordi Bacchmai Mehta, ti ricordi com'era scura? E suo marito era nero come il carbone! Ma lei ci credeva. Continuava a guardare foto di splendidi neonati, e quando le nacque Keki, non credevo ai miei occhi. Ero lì, io. Aveva gli occhi azzurri, te lo assicuro, occhi azzurri! E la pelle era bianca, i capelli come la stoppa!»

Le foto rappresentavano neonati che avevano tutta l'aria di essere maschi.

Tanya ebbe una femmina. Dopo il disappunto iniziale, tutti furono d'accordo nel dire che era un buon segno: Laxmi, la dea indù della ricchezza, aveva deciso di metterli sotto la sua protezione.

Era una bambina delicata, di pelle scura, e Tanya, che non era molto portata ad accudirla, divenne il bersaglio di molte critiche indignate e circostanziate.

Qualsiasi cosa facesse non andava bene. Le critiche di Putli assunsero la forma di blandi consigli; quelle di Jerbanoo erano espresse in modo più diretto.

La vita tornò a diventare insostenibile per Tanya. Lo scontro toccò il suo apice in occasione dell'acquisto, da parte sua, di un corredino per la bambina che aveva in quel momento sei mesi.

La famiglia le si scagliò contro: forse che Putli non sapeva lavorare a maglia? E Jerbanoo, Hutoxi e Katy non sapevano forse cucire? Tanya era tanto superba e presuntuosa da preferire indumenti fatti Dio sa da quali sudicie mani invece che quelli fatti da loro? E come se non bastasse, sperperando del denaro!

In quell'afosa serata Tanya, senza dire una parola, ordinò un *tonga* e si fece portare da Freddy. Nel suo ufficio si lasciò andare e si sfogò con un attacco isterico. Freddy cercò di calmare la nuora, che tornò a casa sicura che tutti i suoi guai fossero finiti.

E veramente lo erano, almeno per quanto riguardava l'interferenza di Putli e Jerbanoo. Freddy aveva un debole per la ragazza. Conosceva bene le ingiustizie di cui era vittima e, ovviamente, il fatto che Jerbanoo si schierasse con tanta durezza contro Tanya lo spingeva ancor più a prendere le difese della giovane. Risolse il problema con una trovata caratteristica del suo modo di fare.

Quella sera si mostrò molto sentimentale, quasi fino alle lacrime. Lodò Putli, esaltandone la bontà, tessendo le lodi del duro lavoro a cui si piegava per il bene della famiglia. Parlava con voce rotta e riuscì a spremersi una convincente dose di tenerezza e di apprezzamento anche per la suocera.

Jerbanoo si fece sospettosa. Guardò Faredoon allarmata, chiedendosi dove mai volesse andare a parare.

«Avete bisogno tutt'e due di un momento di respiro», annunciò con tenera comprensione. «È un po' che ci sto pensando. Che cosa ho fatto di buono per voi, io? Sono sempre stato troppo occupato, egoisticamente immerso nel lavoro, e voi mi siete state vicino senza mai lamentarvi! Ma adesso posso dimostrarvi la mia gratitudine. I figli sono sistemati: Billy se la cava benissimo con gli affari. I Teosofi stanno insistendo non vi dico quanto perché vada a tenere delle conferenze a Londra, e credo proprio che potrei starmene via per sei mesi e portarvi a fare una bella vacanza in Inghilterra».

I sospetti di Jerbanoo crollarono di fronte a questa straordinaria dichiarazione. Lei e Putli erano elettrizzate. Se Faredoon avesse presentato l'argomento con minore delicatezza, Putli avrebbe rifiutato la proposta. Come poteva mai prendere in considerazione l'idea di lasciare la casa per sei mesi? Chi avrebbe badato alla nipotina? Tanya era assolutamente incapace. E Katy? Ce n'erano a bizzeffe, di scuse, a portata di mano.

«E allora, che cosa ne pensate?» volle sapere Faredoon, col radioso sorriso di un affascinante benefattore.

Jerbanoo aderì con entusiasmo alla proposta. Andare in Inghilterra! Un sogno dai contorni vaghi e gloriosi! Non riusciva a credere alle proprie orecchie!

Putli avanzò qualche debole obiezione: e Katy? Prima

dovevano pensare al suo futuro. Ma si vedeva che Putli non era aliena dall'accettare e Jerbanoo spazzò via le sue obiezioni.

I figli li aiutarono a rispolverare i pochi vocaboli inglesi che conoscevano.

E così avvenne che Jerbanoo poté scatenarsi per una Londra ignara di quanto stava per capitarle.

Capitolo 42

Putli e Jerbanoo nutrivano, riguardo la patria di quelli che erano i loro governanti, fantasie quasi identiche. Il loro trepidante entusiasmo era basato su supposizioni: immaginavano un reame ben organizzato sotto la munifica autorità di un regnante inglese, fatto a immagine e somiglianza della gigantesca statua della Regina Vittoria, fusa in bronzo duro e protetta da un baldacchino di marmo, situata in mezzo al giardino di Charing Cross a Lahore. Sua Maestà bronzea aveva fattezze austere e maestosi rotoli di grasso. In testa portava una corona e in mano un globo e uno scettro. Il mantello, con decorazioni d'acciaio, scendeva in ampie pieghe intorno al trono.

Poi c'era la statua in marmo del Principe Consorte in sella a un immenso cavallo: barba, occhi superbi, una spada che gli pendeva nel suo fodero dal fianco, lungo lo stivalone.

Per loro, l'Inghilterra era una terra di corone e troni; di nobiluomini alti, con occhi di ghiaccio e abiti sfarzosi, e di nobildonne dai capelli d'oro, transitanti in silenziose lucide carrozze; di lord eleganti, in cilindro e marsina, a passeggio con al braccio signore languide dalle movenze aggraziate e adorabili, chiuse in uno squisito riserbo, e dalle vesti che con lo strascico spazzavano i lindi lungomari.

Se qualcuno avesse osato insinuare che anche gli inglesi defecano, probabilmente avrebbero detto: «Si capisce... anche loro avranno questa necessità, forse», e le loro altissime opinioni sarebbero state incrinate da quel dubbio. Ma siccome nessuno osava avanzare questa ipotesi, l'Inghilterra delle loro fantasticherie scintillava di un fulgore astratto che non aveva alcun rapporto con l'umile fatica umana.

Quando salirono a bordo della nave a Bombay in novembre, un mese dopo la zuccherosa dichiarazione di Freddy, erano come in preda a un sogno, e il loro sangue pulsando sembrava ripetere: Sto andando in Inghilterra! Sto andando in Inghilterra!

A mano a mano che la nave si avvicinava alla destinazione, il cuore di Jerbanoo si gonfiava d'un entusiasmo sempre più prorompente. Andava su e giù per il ponte, piena di sussiego, spingendo in fuori il petto da foca, supersostenuto. Per Faredoon la visione di quell'espressione altezzosa era semplicemente terribile.

Su Putli l'imminenza dell'arrivo ebbe un effetto del tutto opposto. Si ripiegò su se stessa, preoccupata alla prospettiva di avere a che fare con una razza bellissima e che le ispirava timore e rispetto. La bocca stretta in un'espressione ansiosa, il viso ridotto a un triangolo acuto e gli occhi più sbarrati e più privi di humour che mai. Nervosa, dava sulla voce a Freddy a ogni minima occasione.

Avevano avuto il primo duro impatto con la realtà sulla nave, quando si avvidero che erano inglesi quelli che fregavano il ponte e stavano ai loro ordini. Nel giro di due giorni dal momento dello sbarco a Londra, la loro delusione divenne totale.

Vedevano inglesi sudici infagottati in informi panni di lana, che si affrettavano per strada con visi che tradivano la preoccupazione per i problemi quotidiani della vita. Vedevano uomini umili e schivi con occhi tristi e sfuggenti, e altri con i classici occhi scaltri e impudenti dei farabutti di strada. Vedevano inglesi malvestiti che scopavano le strade, pulivano i vetri e portavano via le immondizie. Conobbero commesse, impiegati e uomini d'affari: tutti inglesi, dalla pelle bianca e gli occhi azzurri, a un livello di sconcertante parità con loro stesse. Inoltre l'espressione sul volto dei londinesi non era diversa da quella stampata sul volto della media degli indiani. Dov'erano i re e le regine, i lord e le lady e le loro scintillanti carrozze? Dov'erano gli uomini e le donne dagli occhi alteri e autoritari e dal fare tracotante? Di botto si resero conto che la superiorità ostentata dagli inglesi in India era posticcia, frutto del contesto esotico, né più né meno che la loro abbronzatura.

Sopra ogni cosa, videro Mr. Charles P. Allen, in casa del quale furono ospitati, pulire la tazza del gabinetto da sé, con uno scopino dal lungo manico. Questo fu il colpo finale! Questo, e il fatto che Mrs. Allen non avesse servitù, eccetto una strafottente e sciatta domestica che compariva un'ora ogni mattina.

Mr. Allen aveva invitato i Junglewalla a casa sua. Mrs. Allen, avendo vissuto in India abbastanza per avere un'idea di quanto fosse complicato l'andamento di casa in quel paese, era giustamente molto preoccupata. I figli, Barbara e Peter, erano sposati e vivevano per conto loro a Londra.

Mrs. Allen era molto cambiata da come la ricordavano dai tempi di Lahore. La raffinata indifferenza e l'aria protettiva da consorte d'un sovrintendente erano state sostituite dai modi frettolosi e distratti di una massaia assillata dalle troppe mansioni. Gli occhi azzurri erano esitanti, e il viso incominciava ad assumere un aspetto pallido e affilato che faceva emergere in modo esagerato il naso. I capelli, trattati con la permanente, erano diventati un groviglio rossiccio, crespo e opaco.

La corporatura di Mr. Allen aveva perso di imponenza e l'affascinante fulgore rosato delle sue cosce era stato perentoriamente rinserrato in un paio di calzoni alla zuava di flanella.

Abitavano in una casa squadrata, di pietra grigia, lungo una teoria di altre case uguali, a Finsbury Park. Era costruita su diversi livelli complicati e ingegnosamente architettati, come se ne trovano solo in Inghilterra. I tre o quattro piani superiori e la soffitta erano affittati a studenti. Mr. e Mrs. Allen occupavano il pianterreno, e ai Junglewalla vennero date due stanze nel mezzanino tra il pianterreno e il primo piano.

I padroni di casa erano ospitali al massimo, gli ospiti felici e grati... Jerbanoo esclusa.

Non riusciva a rassegnarsi a quello che lei considerava il proditorio degrado di Mrs. Allen. Se la rammentava circondata da lacchè addestrati a scattare a un suo cenno di comando. Ricordava i ricevimenti sul prato di casa traboccante di fiori. E come non riusciva a riconoscere la superiore Mrs. Allen nell'insignificante donnicciola dedita a tutti i lavori domestici più pesanti e sporchi, così non riusciva a trovare un riscontro tra le sue fantasticherie sull'Inghilterra e i londinesi. Si sentiva vittima di un alto tradimento, i suoi idoli crollavano letteralmente con uno schianto assordante, lasciando dietro di sé solo un fondo polverizzato di disprezzo: uno sdegno che le faceva arricciare il naso e abbassare gli angoli della bocca! Mantenne questa espressione di altezzosità per tutto il tempo del suo soggiorno a Londra.

La povera Mrs. Allen, tappata in casa con Jerbanoo mentre il resto della famiglia folleggiava per Londra, fu vittima dello scatenarsi di tale disprezzo. Non passò molto che a Jerbanoo sembrò umiliante indirizzarsi a una persona di così poco conto chiamandola "Mrs. Allen", tanto che prese ad apostrofare la padrona di casa "Mei-ri" e Mr. Allen diventò "Charlie".

Mr. Allen, Faredoon e Putli andavano a conferenze e spettacoli, oppure giravano per la città e facevano shopping dall'alba al tramonto. Jerbanoo, non riuscendo a tenere quel ritmo, andava con loro solo qualche volta di sera; il resto della giornata lo trascorreva in casa, a tormentare Mrs. Allen, impicciandosi nelle sue faccende, in poche parole rendendosi insopportabile.

La mattina scendeva dal mezzanino con prudenti pesanti tonfi che risuonavano fino in soffitta, e Mrs. Allen si sentiva quasi venir meno. Jerbanoo allora si trascinava ancheggiando in cucina e porgeva una bracciata di indumenti a Mrs. Allen. «Ecco, Mei-ri. Fai lavatina?»

Poi tornava in sala da pranzo, trascinava rumorosamente, centimetro dopo centimetro, una poltrona vicino alla sottile grata della stufa e gridava: «Mei-ri, sgabello!»

Preso possesso per tutta la giornata della migliore poltrona della stanza e di tutto il calore emanato dalla stufa, Jerbanoo poggiava i piedi sullo sgabello. Avvolta in scialli e maglie di lana, continuava a emettere ordini.

«Mei-ri, tè?» Dopo aver spolverato tutto quanto era sul vassoio: «Fine! Porta via!»

E se faceva capolino un raggio di sole: «Mei-ri, sole! Sole!» Mary, convocata da Jerbanoo, trasportava la poltrona all'aperto, poi rientrava di corsa e andava a prendere il poggiapiedi.

Jerbanoo, se non altro, faceva esercizio degli stentati monosillabi inglesi in suo possesso, tanto che al momento della partenza dall'Inghilterra era in grado di comporre piccole decorose frasi.

Mary, piegandosi alle insistenze del marito, serviva in tutto e per tutto l'anziana ospite. Era una donna di carattere accomodante, resa ancora più pacata dal suo soggiorno in India, di cui aveva assorbito il forte senso dell'ospitalità larga e generosa. Era estremamente benintenzionata a trattare i propri ospiti nel migliore dei modi.

Ma Jerbanoo non si limitava ad avanzare delle pretese, metteva il naso dappertutto: Perché non fai il curry, oggi? Perché non la tagli come si deve, la cipolla? Perché non risciacqui bene? Non voglio bere sapone, io! Non hai peperoncino? Io non riesco a digerire!

Talvolta le sue osservazioni erano personali e offensive, frutto del suo modo di vedere indiano: Perché non ti metti una bella gonna lunga? Vestitino è assurdo. Fa vedere che hai gamba brutta. Perché non ti sei fatta il bagno! L'acqua ti morde? Tu siedi, bevi tè ogni due, tre minuti. Attenta, il demonio della pigrizia fa diventare grasso il sedere.

E una volta, domandò persino: «Perché non hai seno?» sporgendo orgogliosamente il suo, abbondante, e battendo una mano su quello piatto di Mary.

«Mica bene. Povero Charlie!»

Jerbanoo toccava, palpeggiava e cincischiava tutto, ficcando il naso indiscreto in armadi, cassetti e dispense, estraendone il contenuto per esaminarlo. Spesso chiamava a gran voce Mary strappandola alle sue occupazioni per fare domande: Mei-ri! Mei-ri! Che cos'è questo?

In capo a due mesi, la pazienza di Mary era ridotta ai minimi termini. La pioggia cadeva inesorabile da quattro giorni. Era stata una giornata quanto mai faticosa. Sventatamente, Mary cercò di contrastare l'offensiva di Jerbanoo ricorrendo ai suoi stessi metodi.

«Perché sei così grassa?» le chiese senza tanti complimenti. «Perché così ficcanaso? Perché così pigra?» E Jerbanoo la ripagò con la stessa moneta: «E tu perché ficchi il naso negli affari miei, Miss?»

Jerbanoo chiamava "Miss" la signora Allen quando voleva essere decisamente offensiva.

Poco dopo, quando Mrs. Allen si chinò per regolare il fuoco, Jerbanoo le tirò su la gonna con una forchetta presa dalla tavola da pranzo per esaminarne la biancheria intima.

Mrs. Allen si voltò di scatto, le strappò dalle mani la forchetta e le si piantò davanti, il viso rosso e gli occhi lampeggianti. Era in preda a un tremito, troppo rabbiosa per riuscire a dire una sola parola.

«Vergogna, vergogna, vergogna! Porti mutandine così piccole?» fece Jerbanoo, disapprovando con schiocchi della lingua.

Quella sera Mr. Allen bussò alla porta della propria camera da letto, preoccupato di trovarla chiusa a chiave per la prima volta in vita sua. Dentro c'era la moglie in preda a un attacco isterico. Il giorno dopo tenne un discorsetto a Faredoon. «Non è che abbiamo qualcosa contro tua suocera, vecchio mio. È solo che lei vuole comandare Mary a bacchetta. Capisci, qui tutto è diverso, non abbiamo camerieri e *chhokra*. La cara vecchietta non se ne rende conto. Sai», soggiunse, abbassando la voce e avvampando in maniera impressionante, «ogni tanto si prende delle confidenze che non dovrebbe».

«Caro amico, non hai bisogno di dire un'altra sola parola. Capisco. Ora ci penso io!» gli garantì Freddy.

Jerbanoo fu messa agli arresti domiciliari nel suo mezzanino. Le si consentiva di scendere solo quando c'erano in casa anche Faredoon o Putli.

Quella sera, dopo che le fu comunicato il provvedimento, Jerbanoo scese a cena con un nervo per capello. Strascicava le ciabatte peggio del solito, tirava su col naso, gemeva, sbuffava e si metteva a sedere facendo quanto più rumore possibile.

Mrs. Allen aveva il volto congestionato e tumefatto. Evitava gli sguardi degli altri, parlava in modo distaccato e solo se era assolutamente necessario.

Mr. Allen disossò l'arrosto. Rimase in piedi per servire tutti e a Jerbanoo porse un'abbondante porzione di carne, sugo e patate.

Jerbanoo gettò un'occhiata alle patate bollite, quasi fossero scarafaggi. Le infilzò con la forchetta e le mise da parte con una smorfia di invincibile disgusto.

L'atmosfera intorno alla tavola da pranzo divenne tesa. Putli se ne stava seduta silenziosa, gli occhi fissi nel vuoto. Faredoon e Mr. Allen tentarono di mettersi a chiacchierare con una vivacità che suonava fasulla.

Mary e Putli si alzarono per portare via i piatti. Jerbanoo, satolla, rimase ferma, con un'espressione un po' meno risentita, davanti a un disastro di briciole e schizzi di sugo.

«Perché non dai una mano a sparecchiare?» chiese Faredoon. «Il gatto ti ha mangiato i piedi, forse?»

Jerbanoo gli scoccò uno sguardo di veleno allo stato puro. «Perché ficchi il naso dappertutto, Mister? Perché?» urlò lei.

Ma Faredoon sapeva tener testa alle sue domande molto più validamente della povera Mrs. Allen. Le puntò contro un dito accusatore e minaccioso. «Perché sei tu che ficchi quel tuo maledetto naso negli affari di tutti! Avanti, dimmi: non cucini, non lavi, non dai una mano: sei un'ospite che non batte un colpo. Perché?»

«E chi me lo permette? Nessuno. Nessuno me lo permette!»

280

«Bene, allora. Te lo do io il permesso. Domani toccherà a te cucinare per tutti».

Mary, che aveva colto quella conversazione dalla cucina, gridò: «Oh no! Non è necessario che si metta a cucinare, veramente». Era semplicemente terrorizzata all'idea della devastazione che Jerbanoo avrebbe portato nella sua cucina.

«Oh sì, sì invece!» gridò di rimando Faredoon. «Ti darà un giorno di libera uscita. Andrai a far visita ai tuoi figli».

Mary non voleva, ma Charlie riuscì a convincerla. Loro due avrebbero passato il sabato con la figlia e poi avrebbero invitato Barbara, Peter e le rispettive famiglie alla cena allestita da Jerbanoo.

Mancavano quattro giorni al sabato.

Il giorno dopo della sua rivolta, Mrs. Allen udì di nuovo gli odiati tonfi giù per le scale. Era atterrita. Si precipitò verso il mezzanino e vide Jerbanoo a metà della rampa.

«No! Torna su! Torna su nella tua stanza!» strillò con tanta decisione e ira che l'avanzata di Jerbanoo subì un arresto.

Mary era ai piedi della scala e con la mano l'incitava a ritirarsi. «Va' di sopra! Su! Su!» E Jerbanoo, facendo docilmente dietro-front, tornò a inerpicarsi verso la propria stanza.

Alla sera, Jerbanoo annunciò che sentiva nostalgia di casa. Sentiva la mancanza dei nipoti. Dovevano tornare subito in patria. Non riusciva a sopportare oltre quel freddo.

«Voglio tornare alla mia Lahore. Non voglio finire i miei giorni in un paese straniero», dichiarava ogniqualvolta riusciva a rimanere sola con Putli o Faredoon.

Giunse il sabato. Mr. e Mrs. Allen andarono via in macchina per passare la giornata da Barbara. Putli rimase a casa per aiutare la madre e Freddy andò a fare la spesa. L'aiuto di Putli consisté nel preparare tutta la cena. Jerbanoo impartiva ordini e sporcava pentole su pentole. Erano già pronti il riso al curry con un saporito stufato di gamberi in agrodolce e un'insalata di cipolle. Rimanevano solo da friggere le cotolette.

Jerbanoo, pronta con un'ora di anticipo sull'arrivo degli ospiti, scese a friggere le cotolette.

Ne frisse la metà e le dispose sul piatto di portata sulla tavola.

Gli aromi prelibati, salendo fin nei piani superiori, giunsero alle narici di Faredoon e gli stuzzicarono l'appetito. Si sentì gorgogliare la pancia. Scese, in punta di piedi entrò nella sala da pranzo e incominciò a mangiare le cotolette. Aveva attaccato la quarta quando venne colto in flagrante da Jerbanoo, che comparve come un fantasma sinistro e maligno sulla porta della cucina.

Faredoon si pulì la bocca con aria colpevole. «Hm, buone queste cotolette», disse con la bocca piena, cercando di farla franca col ricorso ai complimenti.

Jerbanoo, gli occhi di fuoco, una padella di olio bollente in mano, rimase sulla porta della cucina, impietrita e con aria vendicativa.

Faredoon batté in ritirata nella sua tana.

Il fantasma obeso avanzò fino alla tavola da pranzo e a sua volta si ficcò in bocca una cotoletta dopo l'altra.

Quando suonò il campanello della porta, Faredoon e Putli erano ancora di sopra.

Jerbanoo aprì un poco la porta e, offrendo la faccia più indignata di questa terra agli occhi del gruppetto lasciato alla mercé del vento gelido, lanciò la sua accusa: «Ha fatto fuori tutte le mie cotolette!»

Stava incominciando a nevicare.

«Ah!?» esclamò Mrs. Allen, tentando di aprirsi un varco. «Tu non conosci la moglie di Peter, vero? Sheila, questa è la suocera di Mr. Junglewalla».

«Ehi», fece con un cenno del capo Jerbanoo. «Ha fatto fuori tutte le mie cotolette», ripeté e, ribadito questo punto, arretrò d'un passo. Il gruppetto di familiari si infilò a fatica attraverso l'angusto passaggio e Mrs. Allen li fece avanzare, bagnati e in preda ai brividi, nel salotto.

Quando furono tutti seduti, Jerbanoo con ampi gesti delle braccia e formulando la sua protesta con una leggera variante, piagnucolò: «Tutte, tutte, le ha fatte fuori le mie cotolette».

«Ah, davvero?» s'informò Sheila con stupita e cortese compartecipazione.

Per fortuna proprio in quel momento fece il suo ingresso Faredoon, che portò la pace tra i presenti con la sua sola avvenente e affascinante presenza.

Le cotolette passarono in second'ordine finché non si misero a tavola. Poi riprese il teatrale disperato sventolio di mani e la lamentazione: «Ha fatto fuori tutte le mie cotolette! Tutte, tutte, le ha fatte fuori!» fin quando non venne portato in tavola il piatto con le cotolette superstiti, di cui ciascun commensale poté servirsi solo una volta. Jerbanoo a quella vista tirò su col naso, al colmo dell'avvilimento.

«Proprio saporite!» disse Mr. Allen, assaggiandone un boccone.

«Una dopo l'altra le ha fatte fuori tutte!» denunciò Jerbanoo con tono bellicoso. Lanciò un'occhiataccia a Freddy, si diede una manata sul petto ed emise una serie di rutti soddisfatti.

Per fortuna le altre portate erano abbondanti, e il riso al curry con gli scampi stufati fu divorato con grande apprezzamento.

La soddisfazione di Jerbanoo per aver smascherato Freddy nel furto delle cotolette, durò un solo giorno. La sua richiesta di tornare a Lahore si fece sempre più insistente. Era furiosa di doversene stare chiusa nella sua camera, la cui unica finestra dava su un cielo grigio eternamente piovigginoso, su un misero giardinetto e sul retro di edifici anneriti dal fumo. Si sentiva prigioniera e, come una tigre in gabbia, inscenava furiose esibizioni.

Una mattina scura e nebbiosa, Mary sentì di nuovo gli odiati passi giù per le scale. Pochi tonfi e poi un improvviso silenzio. Si precipitò verso le scale, dove vide Jerbanoo seduta come una miserabile su uno degli scalini più alti. Prima che Mary potesse strillare il suo solito: «Su su!»

oppure «Torna indietro!» Jerbanoo vacillò e con voce flebile e spenta disse: «Sto svenendo».

Mary si mosse a compassione. L'aiutò a scendere e la fece sedere sulla poltrona vicino alla stufa. Le sollevò le gambe sul poggiapiedi e l'avvolse in una coperta.

Per una buona ora Jerbanoo rimase seduta, disfatta e meditabonda.

Mary si intenerì ulteriormente. Le servì una tazza di tè con qualche tartina alla marmellata. «Stai bene così?» si informò, e Jerbanoo annuì, grata.

Mary si sentì rimordere la coscienza per aver maltrattato l'anziana signora. Si sentiva in colpa per aver relegato la poverina in quella lugubre stanza. Proprio mentre stava per concludere che si era comportata in modo eccessivamente severo con la povera cara e che le avrebbe dovuto permettere di scendere quando voleva, Jerbanoo gridò: «Mei-ri? Che cosa prepari oggi da mangiare?»

«Ci sarà stufato di manzo e gnocchetti di farina, a mezzogiorno», rispose Mary con voce allegra.

«Gnocchetti di farina!» sbuffò Jerbanoo in un modo che non lasciava alcun dubbio sulla sua opinione a proposito degli gnocchi. «Puah! Se diamo gnocchetti al nostro servo, lui sputa via».

Il volto di Mary si rabbuiò. Divenne duro, le labbra serrate. Le tornò in mente la marea di torti che aveva quasi dimenticato, i sotterfugi meschini e gli interrogativi maligni a cui Jerbanoo l'aveva sottoposta. Non avrebbe mai più provato nemmeno un filo di pietà per quella vecchia strega, si ripromise. Quasi a consolidare Mary nella decisione presa, Jerbanoo tornò a mettere in atto la sua sequela di provocazioni fino all'ora di pranzo.

La mattina seguente, quando Mary accorse ai soliti tonfi e vide Jerbanoo, afflosciata sui gradini, che aveva riattaccato il piagnucolante ritornello: «Sto per svenire», si avventò su per le scale. «Eh no, non è affatto vero! Tu stai svenendo quanto me. Torna su! Torna su!» le ringhiò, rimettendola in piedi con la forza e depositandola nella sua camera.

Era più di quanto Jerbanoo potesse tollerare. Si arrovellò per tre giorni e tre notti, pensando a come organizzare una dimostrazione di protesta e si gingillò con l'idea di saltar giù dalla finestra.

Con ostinazione, con ponderazione, predispose l'ultima linea di difesa contro il nemico.

Jerbanoo trascorse il giorno seguente in preda a un acuto malessere, eroicamente resistendo alle ineludibili leggi della natura. Verso sera era in un tale stato di malessere che la sola idea del cibo le faceva venire il voltastomaco.

Quando Putli bussò alla sua porta per dirle che la cena era pronta, lei rispose, stranamente: «Credo che stasera digiunerò». Putli si mostrò preoccupata per questa decisione, al che Jerbanoo ruggì: «Non puoi lasciarmi in pace?» A tale violenta reazione Putli si sbiancò in volto e corse difilato a tavola.

Jerbanoo spense la luce e si sistemò come meglio poté date le circostanze. Aspettò fin quando non fu sicurissima che tutti in casa stessero dormendo. A mezzanotte aprì cautamente la porta, guardò a destra e a sinistra, e in punta di piedi si piazzò nel bel mezzo del pianerottolo. Aprì a terra un giornale e ci si accucciò sopra, alla luce di una debole lampadina.

Portata a buon fine l'impresa, Jerbanoo andò di corsa in gabinetto. Si lavò servendosi della brocca di ottone che si era portata da Lahore, quindi cadde in un sonno senza sogni.

La mattina dopo fu svegliata da un insolito subbuglio sulla scala di legno. C'era un grande andirivieni: su e giù, di qua e di là. Si mise a sedere in mezzo al letto. Il suo delitto era stato scoperto, come aveva giustamente previsto, da uno degli studenti. Riconobbe la voce di quello che abitava nella soffitta. Aveva un tono isterico. Poi distinse altre voci. La faccia le si illuminò nella gioiosa attesa. Si sentiva come un bambino che avesse innescato un petardo.

Ed ecco una voce acutissima: «Santo Cielo!» seguita da un ululato tipo sirena.

Si udirono arrivare sul pianerottolo altri passi di corsa, provenienti da tutti gli altri livelli della casa. E Jerbanoo si rese conto che non aveva dato fuoco a un unico petardo. Era un'intera batteria di fuochi d'artificio!

Mary pronunciò con toni striduli un'incredibile e inarticolata serie di parole. Poi batté alla sua porta. Jerbanoo si ficcò ancora più in fondo al letto, tirandosi le coperte fin sulle orecchie. Quasi immediatamente udì che bussavano alla porta di Faredoon. Mary strillava, questa volta quasi chiaramente: «Mr. Junglewalla! Mr. Junglewalla! Questo è intollerabile! Mr. Junglewalla, apra subito!»

Evidentemente la porta si aprì. Si udì Mary esplodere di nuovo. «Guardi che disastro! Guardi qui! Quella donna è pazza!»

Jerbanoo udì Mr. Allen esclamare: «Ma che diavolo sta succedendo?» e poi: «Che roba è questa?»

Udì Faredoon ripetere queste frasi e si isolò dal folle putiferio tappandosi le orecchie col guanciale.

Altri colpi alla porta, altri ruggiti e scambi di frasi sotto voce, e Jerbanoo emerse dal guanciale in tempo per udire Mary che sbraitava: «Questa è la goccia che fa traboccare il vaso! Non voglio... non voglio più quella strega in casa mia, nemmeno per un minuto. Fuori! Fuori di qua!»

Infine il vocio si placò. I fuochi d'artificio si erano esauriti.

Jerbanoo saltò giù dal letto, si infilò le ciabatte, si lavò e si mise a fare i bagagli tutta calma e placida. Dal momento in cui aveva dato inizio all'azione, deliberatamente e in pieno possesso delle sue facoltà mentali, ne aveva previsto tutte le conseguenze. Canticchiava tra sé e sé mentre svuotava l'armadio. Sul viso le si dipinse un leggero ghigno di trionfo.

A mezzogiorno Faredoon accompagnò Jerbanoo, vergognosa e apparentemente pentita, a un taxi. La sua partenza passò sotto silenzio. Nessuno le diede l'addio. Mr. Allen non era in casa e Mrs. Allen aveva accolto il caloroso saluto di addio e le scuse di Faredoon con un gelido cenno del capo. Le labbra serrate, aveva girato la faccia dall'altra parte al passaggio di Jerbanoo.

Faredoon ancora una volta sentì la propria vita sfregiata dall'ignominiosa appendice che doveva portarsi dietro. Dopo una sfuriata iniziale, si chiuse in un silenzio rassegnato e amaro. Era montato sul taxi in preda a un accesso di rabbia. Putli, accanto a lui, guardava fisso davanti a sé con un'espressione terrorizzata sul volto. Jerbanoo era stranamente placida e arrendevole.

Il taxi li fece scendere a un albergo in Oxford Street. Quasi a benedire il trasferimento, nel pomeriggio fece capolino il sole e Londra fu gratificata da una lunga e capricciosamente incantevole Indian Summer.

Il morale di Jerbanoo si risollevò. Era felice del cambiamento di panorama. Stava ore e ore sul balcone della sua camera al terzo piano a guardare la folla che si muoveva tra i negozi dell'elegante centro di Londra. Spesso scendeva con l'ascensore e, larga e tozza, si faceva strada tra i passanti di Regent Street, dello Strand e di Piccadilly. Appiccicava il naso sulle vetrine e con l'ombrello dava addosso a tutti coloro che non avevano la telepatica avvedutezza di lasciarle il passo. Attirava l'attenzione di moltissima gente. Erano i tempi in cui i londinesi guardavano ancora incuriositi il lembo del sari appuntato sulla testa e quanto se ne vedeva sotto il pastrano. L'attenzione altrui per lei era come la droga per il tossicomane. La sua fondamentale sicurezza di sé raggiunse picchi mai toccati. Tiranneggiava i commessi dei negozi, gettava occhiate torve di riprovazione ai fannulloni di strada e mortificava tutti coloro che, per cortesia, osavano rivolgerle la parola. Rifiutò l'offerta di Putli di uscire con lei e il marito. «Mi va benissimo starmene per conto mio», sosteneva. «Posso fare a meno di qualcuno che mi dice "non far questo" e "non far quello"!»

A Faredoon andava benissimo non averla con sé. Lui e Putli ripresero a godere delle uscite e della gente che incontravano a Londra. Mr. Allen si era rifatto vivo e tra lui e Faredoon le cose si erano aggiustate.

Jerbanoo attraversava le strade con la spavalderia e la disinvoltura di un carro armato. Considerava lo stridio dei freni e gli occhi inorriditi degli automobilisti come un onore dovutole. Ne uscì sempre indenne, fin quando un pomeriggio non la sfiorò un autobus, che non aveva preso in debita nota il palmo della sua manina alzata a intimare lo stop. L'avrebbe schiacciata se lei non avesse fatto all'ultimo istante un balzo repentino. Il sari si gonfiò come una vela per l'aria sollevata dal passaggio del bus a pochi centimetri da lei. Rimase boccheggiante, senza fiato, con l'ira che aumentava a ogni rantolo.

Un giovane vigile, in divisa blu e casco, se ne stava sul marciapiedi, ben visibile tra i pedoni. Jerbanoo lo avvistò. Riattraversò, e con un autoritario cenno del dito richiamò l'attenzione del malcapitato "bobby".

«Perché non ha preso la targa di quell'autobus? Sta qui solo per bellezza, lei?» gli ringhiò con tanta virulenza che il vigile, che aveva piegato la sua sagoma allampanata per udire quanto gli stava dicendo la piccola vecchia signora, si raddrizzò come se gli avessero sparato nella schiena.

«E perché porta una divisa così elegante? E a che cosa servono questi bottoni dorati? Stanno lì per bellezza?»

Un eterogeneo capannello di londinesi dall'espressione cortese e distaccata si raccolse intorno a loro.

Il "bobby" dal fresco volto giovanile chinò lo sguardo su Jerbanoo, ammutolito.

«Vi piace abbellire le strade?» chiese Jerbanoo agli astanti. «Vi porto io dei vasi di fiori da casa mia, e anche delle statuine di porcellana». Si rivolse quindi al vigile: «Ma lei non è un vaso di fiori, non è una statuina di porcellana. Lei è un poliziotto! E perché allora non ha preso il numero di targa dell'autobus? Perché? A momenti ci lasciavo le penne!»

Di punto in bianco gli diede uno spintone. «Vada ad acchiappare quell'autobus. Vada. Vada. Gli strappo la lingua, al conducente! Gli cavo gli occhi! Vada!»

Uno degli astanti ridacchiò, compiacente. Seguendone

l'esempio, il vigile fece ricorso alla propria riserva di flemmatica indulgenza, intrepido pose un braccio intorno al carro armato e diplomaticamente dichiarò: «Sono desolato, mia cara signora. Vado ad acciuffare quel villano di un conducente!» E si allontanò senza premura.

Gli spettatori si dispersero nella folla serale. Facendo bene attenzione agli autobus, Jerbanoo si apprestò ad attraversare di nuovo la strada. Era stata rabbonita dalle espressioni "sono desolato" e "mia cara signora". La promessa del vigile l'aveva pienamente soddisfatta e, sebbene fosse abbastanza smaliziata da sapere che sarebbe rimasta senza conseguenze, il piglio deciso con cui lui aveva affrontato il caso lusingò la sua vanità. Quando, tornata in albergo, raccontò come fosse sfuggita per un pelo alla morte, Faredoon se ne rammaricò. «Un'altra occasione d'oro perduta», commentò amaramente tra sé e sé.

Capitolo 43

L'albergo non aveva camere con bagno. Il che non andava affatto a genio a Jerbanoo.

C'era un solo bagno in fondo al corridoio, oltre a tre piccoli gabinetti. Jerbanoo, che era abituata a farsi due bagni al giorno, dovette limitarsi per la fila che c'era sempre dietro alla porta, per la spesa e per l'ordine di Faredoon, che le permise di farsi il bagno solo ogni tre giorni.

Di per sé questa limitazione non avrebbe indispettito Jerbanoo quanto l'attrezzatura dei gabinetti. In ognuno di quegli stanzini c'erano solo la tazza con lo sciacquone e la carta igienica. Né lavandino né acqua.

Jerbanoo era abituata a lavarsi dalla testa ai piedi ogni volta che andava di corpo. Per un po' di tempo si arrangiò portandosi dell'acqua nella brocca di ottone che era venuta con lei dall'India. La soluzione però non era soddisfacente. Brontolava, eppure avrebbe sopportato questa scomodità del paese straniero se non ci avesse messo il becco Faredoon.

A Faredoon dava tremendamente fastidio vedere la suocera andare su e giù per il corridoio armata di quell'antiquato recipiente per l'acqua. Si trattava di una brocca simile a un bricco da tè panciuto e senza manico. Recava incise delle decorazioni e aveva un beccuccio lungo e artisticamente arcuato, che era il particolare che più dava fastidio a Faredoon.

Egli aveva la netta impressione che la vista della suocera armata di brocca facesse un effetto quanto mai sgradevole. Le proibì di usarla.

«Che cosa penseranno di me gli inglesi che stanno in questo hotel? Che cosa penseranno di quella ridicola brocca di ottone? Si chiederanno a che cosa diavolo ti serve! E io mi vergogno della confusione che fai con tutta quell'acqua».

Jerbanoo rimase a bocca aperta. Non riusciva a credere alle proprie orecchie! «Ma hai perso il tuo amor proprio? Non mi dire che ti pulisci solo con la carta! Non mi dire che hai costretto anche mia figlia a pulirsi solo con la carta! Ah mio Dio! Ho vissuto sino a ora per arrivare a vedere questa sconcezza!»

Nonostante tutte le proteste di lei, Faredoon non cedette d'un millimetro. Jerbanoo, vedendo che si era incaponito a quel modo, si rassegnò. Non avrebbe più portato la brocca in gabinetto, promise.

A Jerbanoo era stato insegnato che la pulizia equivaleva al rispetto verso Dio, e lei non voleva tradire la sua religione. Non appena Faredoon e Putli uscivano dall'albergo, se ne andava di corsa per il corridoio, la brocca di ottone in mano. Ma non era contenta. La mancanza del bagno quotidiano era una privazione dolorosa.

Di Jerbanoo c'è da dire una cosa: non si poteva irritarla senza suscitare un tremendo vespaio. E Faredoon, con una leggerezza incomprensibile data la sua esperienza, aveva toccato un punto estremamente sensibile. Quel disagio, che le era sembrato di poter sopportare, all'improvviso divenne intollerabile. La piccola tazza del gabinetto le sembrò sempre più scomoda per effettuare il lavaggio, e lo spazio ristretto del bagno le risultò claustrofobico al di là del descrivibile.

Si sentiva sporca e di malumore.

Il rimpianto per la spaziosa vasca costruita con muretti di cemento nel bagno della casa di Lahore diventò una fissazione. Non esisteva nessun'altra comodità di cui sentisse tanto il desiderio. E in una mattina di sole (perdurava l'Indian Summer), appoggiandosi al parapetto del balcone, le venne un'idea.

Si chiese come mai non ci avesse pensato prima.

Il balcone era lungo circa due metri e mezzo e largo uno e mezzo. Alle due estremità era chiuso da un muretto, e sul davanti la ringhiera di ferro battuto aveva un motivo così intricato che costituiva uno schermo soddisfacente. Senza contare che le finestre dell'edificio di fronte le aveva sempre viste chiuse. Se dei guardoni si fossero azzardati a spiarla da dietro i vetri sporchi, era un affare loro, dunque si arrangiassero!

Un giorno in cui Faredoon e Putli non sarebbero rincasati prima di sera, Jerbanoo riempì con l'acqua del lavandino una tinozza che era nella sua stanza e la sistemò sul balcone. Prese la brocca di ottone, si tolse solo i vestiti e, rimasta in mutande a mezza gamba e corpetto di stoffa casareccia, prese a lavarsi con immensa soddisfazione. Il drenaggio non rappresentava un problema, perché il balcone aveva una certa pendenza verso l'esterno e quindi l'acqua scolava in strada.

La stanza sotto alla loro evidentemente era rimasta vuota per qualche tempo. Infatti fu solo al quinto giorno che gli occupanti protestarono.

Jerbanoo era lì che diguazzava allegramente quando dal basso si sentì qualcuno urlare infuriato: «Accidenti! Perdio, qua stiamo annegando!»

Rimase un po' interdetta dal suono di quella voce a poca distanza, non rendendosi conto che era rivolta a lei. All'improvviso colse le parole "acqua" e "balcone" e sospese l'allegro sciacquio, per tendere l'orecchio.

«Che cosa diavolo sta succedendo lassù? Mi sentite? Smettetela! Smettete di fare questo disastro!»

Jerbanoo capì che qualcuno ce l'aveva con lei.

In fretta e furia si buttò un asciugamano sulle spalle e guardò giù dal balcone, dove le si parò il volto rosso, bagnato e incollerito di un inglese dal collo taurino.

Costui aveva trovato, a quanto pareva, l'unico punto in cui non cadeva l'acqua, e si sporgeva imprudentemente fuori dal balcone. Se rimase stupito dal viso scuro e dalla testa scarmigliata che lo fissava dall'alto, non lo diede a vedere. La moglie, una signora di mezz'età, anche lei bagnata e con due occhi spauriti, guardava in su.

«Da dove diavolo viene quest'acqua?» chiese lui.

Jerbanoo era tipo da cavarsela bene in qualsiasi frangente. Resasi conto di quanto pericolosa poteva diventare la situazione, puntò un dito ieratico verso il cielo senza nubi e tuonò: «Pioggia! Pioggia!»

Recitata la sua parte, si ritirò dalla ringhiera e si mise ad asciugare il balcone. Aveva tutta l'aria di una che avesse risolto nel migliore dei modi un problema spinoso. Jerbanoo non si aspettava quindi i violenti colpi che qualcuno prese a battere sulla sua porta alcuni minuti dopo. In corpetto e mutande – tutti e due sgocciolanti – aprì la porta e si trovò faccia a faccia con l'inglese infuriato. Lo riconobbe immediatamente, e pur non sbattendogli la porta in faccia, lo tenne bloccato sulla soglia.

«Allora, che cosa sta succedendo qua? Stava facendo il bucato, forse?»

Jerbanoo lo fulminò con uno sguardo. «E lei non venga a ficcare il naso negli affari miei, mister, come io non lo ficco nei suoi!»

Risposta quanto mai ragionevole, si sarebbe detto, ma l'inglese non ne era soddisfatto.

«Stia bene attenta! Se questa idiozia non finisce subito, vado a protestare in direzione. Che cosa diavolo stava facendo allora, si può sapere?»

Jerbanoo si sentì punta sul vivo da tanta arroganza. «Esca! Esca! Pazzo!» gli gridò, cercando di respingerlo dalla sua posizione. Ma quello la teneva, saldo come una roccia.

«Ora vado a chiamare un "bobby", per capire che cosa sta succedendo qua», la minacciò; poi, deducendo dall'espressione della vecchia che non aveva capito, spiegò rabbioso: «Bobby, ha capito? Poliziotto! Poliziotto!»

La faccia di Jerbanoo lasciò intendere che aveva afferrato. E lasciava intendere anche lo sdegno. «Se ne vada! Se ne vada!» gridò, spingendolo sprezzantemente con ambedue le mani.

«Stia attenta, brutta strega. Farà meglio a dirmi che cosa stava facendo quassù, o la faccio mettere dentro!»

Jerbanoo ci ripensò. Decise di liquidare quell'uomo odioso con una mezza verità.

«Ebbene, vuole saperlo?» chiese con una voce che nonostante il rancore suonava sincera. «Glielo dico! Io mi lavo il sedere. Mica mi pulisco con la carta come voi sporchi inglesi. Mi lavo il sedere!»

Il viso paonazzo dell'inglese impallidì da far paura. Si accasciò e Jerbanoo gli sbatté la porta in faccia. L'uomo andò a prendere la moglie e nel giro di un'ora aveva abbandonato l'albergo, non senza aver prima fatto violente rimostranze alla direzione.

La direzione prese in esame il problema e fece i suoi passi verso Faredoon, il quale decise che era tempo di riportare le sue pupille a Lahore.

Così i Junglewalla tornarono in India all'inizio di marzo, un buon mese e mezzo in anticipo sulla data prestabilita. Vennero a sapere che Tanya era di nuovo incinta.

Capitolo 44

Il periodo di assenza delle sue nemiche fu per Tanya comunque piuttosto duro. Per ironia della sorte arrivò persino a rimpiangerle. La non-ingerenza di Jerbanoo e Putli aveva solo consentito un'evoluzione più rapida ed esplicita dell'attrito tra lei e Billy. Erano ambedue al colmo della tensione, Tanya inerme contro la taccagneria di Billy, e Billy impotente di fronte allo scialacquio di lei.

Billy stava allargando il suo giro d'affari e aveva successo in varie iniziative. Tanya sapeva che stava facendo un sacco di soldi e quindi non riusciva a capire il suo assurdo comportamento. Litigavano furiosamente. Discutevano, ciascuno cercando di far capire le proprie ragioni all'altro, ma le loro battaglie si concludevano, con frustrazione di ambedue, senza un nulla di fatto.

Tanya vomitò per due mattine di seguito. Billy la portò dal dottor Bharucha, che confermò i loro sospetti. Tanya era incinta.

Billy si fece pieno di attenzioni, fino al punto di raccomandarle di prendersi cura di sé mentre lui era tutto il giorno al lavoro. Ogni mattina le chiedeva se desiderava qualcosa, ma, sparagnino come di consueto, di quanto elencato nella lunga lista le portava solo le cose assolutamente necessarie.

Tanya gli chiedeva soldi.

«Che ci vuoi fare con i soldi? Ti do tutto quello che vuoi, non hai che da chiedere!»

In considerazione del suo stato, Billy prese in mano la contabilità di casa. Controllava i conti che presentavano i domestici, e i soldi per la spesa li dava direttamente al cuoco. Tanya venne sollevata dal compito di maneggiare denaro.

I soldi personali di Tanya vennero prudentemente investiti in titoli che nessuno di loro due poteva toccare.

Tanya cadde nell'avvilimento e poi nella disperazione. Cercò di muovere a compassione Billy. Aveva improvvisi capogiri. Aveva delle voglie. Desiderava melagrane e ananas, e Billy le offriva ravanelli.

Billy arrivava a pranzare nel pomeriggio. Si concedeva un'ora per mangiare e riposare. Questo rientro a casa era quasi un rito. Il suono del campanello della sua bicicletta sul vialetto metteva in moto tutti quelli di casa. Tanya, e in seguito anche i tre figli, venivano fuori sotto la tettoia dell'ingresso per accoglierlo e baciarlo mentre lui chiudeva a chiave la bicicletta. D'estate gli prendevano il casco, gli porgevano un bicchiere di acqua ghiacciata e lo accompagnavano in bagno a lavarsi. D'inverno era tutto un tramestio per liberarlo del cappotto e della sciarpa, per massaggiargli le mani ghiacciate e per mettergli il braciere con la carbonella vicino ai piedi.

Egli poi si sedeva a tavola davanti a una terrina di insalata e ne sceglieva un ravanello lungo e bianco. Adagiatolo sul piatto, il ciuffo verde che pendeva in fuori, lo attaccava col coltello. Sciac. Sciac. Sciac. Tre colpi precisi sul piatto, poi i potenti molari scrocchiavano tritando il tubero fresco. Scroc. Scroc. Scroc. E di nuovo i rumorosi scricchiolii della masticazione. Arrivava a casa tutto assorto nei suoi problemi e mangiava senza parlare.

Il cuoco spiava dalla porta della cucina. Non appena i ravanelli erano finiti, serviva un pasto frugale, tanto bollente da spellare la lingua.

Dopo il pranzo Billy si ritirava in camera da letto, si legava un fazzoletto intorno la testa per proteggersi gli occhi, si gettava supino sul letto e cadeva addormentato. Allo scadere esatto del tempo che si era prefissato, scattava in piedi.

Era un programma sempre uguale, che non subì mutamenti, a parte il momento in cui lo scampanellio della bicicletta venne sostituito dal "pot-pot" della Mini Morris acquistata nel 1940.

Tornando alla nostra storia, ci troviamo nel 1929: Freddy, Jerbanoo e Putli sono in Inghilterra e Tanya aspetta un bambino.

Tanya ha già pranzato. Le riesce difficile tenere l'orario dei pasti di Billy, che arriva tardi. In dicembre il freddo è intenso nelle stanze dal soffitto alto e dalle pareti di mattoni dipinte con una mano di calce. Tanya è piombata nel sonno, rincantucciata sotto una pesante coperta, e ora si sveglia al rumore del coltello e dello sgranocchiare di Billy seduto a tavola. Sgusciando, un po' vergognosa, fuori dal letto, si è avvolta in uno scialle, sollecitata dal dovere di tenere compagnia al taciturno consorte durante il pasto. Si siede di fronte a lui.

All'improvviso dice: «Non far così!»

«Che cosa?»

«Mi viene la nausea. Non sopporto quel rumore che fai! Perché tutto questo armeggío per mangiare i ravanelli? Sono solo ravanelli!»

«Fanno bene al fegato. To', prendine un poco», le dice Billy. «Molto meglio delle melagrane. Non sentirai più la nausea».

Tanya fa un gesto violento con la mano e il piatto offerto vola a terra con gran fracasso.

«Voglio melagrane!» dice con voce rotta. «Voglio melagrane!»

Billy è offeso, il viso chiuso e risentito. Tanya è arrivata a detestare questa sua espressione. Potrebbe preannunciare l'inizio di un periodo di mutismo. Una volta un periodo del genere era durato una settimana; lei non era riuscita a rompere il ghiaccio. Smarrita e terrorizzata, l'aveva visto trasformarsi in un mostro mai immaginato. Non riusciva a credere che il ghigno di quella bocca e l'accusa e il sospetto di quegli sguardi appartenessero al tenero spasimante che aveva sposato.

Il cuoco adesso cambiò il piatto di Billy, che ricominciò ad affondare il coltello in un altro ravanello con la decisa consumata abilità di un attore di gran classe.

Tanya ne osservava la fronte corrucciata mentre faceva andare le mascelle, e a un tratto diede di stomaco.

Billy non sollevò nemmeno lo sguardo verso di lei.

Tanya si avviò barcollando verso la propria camera, si stese sul letto e alla bambinaia disse con voce flebile: «Chiama *sahib*, mi sento svenire».

La ragazza andò a portare il messaggio a Billy che, fuori di sé dallo spavento, accorse al letto della moglie. Si trattava di uno stratagemma che Tanya metteva in azione nelle emergenze più gravi.

Billy le dava colpetti sulle mani, le strofinava i piedi, le metteva asciugamani bagnati sul viso, si torceva le mani in preda all'angoscia e mandava i domestici a prendere questa o quella cosa del tutto inutile. Quel suo agitato affannarsi faceva un enorme piacere a Tanya, che quasi piangeva sotto le palpebre abbassate nel deliquio.

Non appena lei incominciò a emergere dallo svenimento, Billy le si gettò accanto, pieno di rimorso, il volto bianco come un cencio e traboccante d'amore!

«Non mi ami più», l'accusò lei in un sussurro.

«Ti amo. Ti amo, tesoro», disse quasi singhiozzando, e Tanya fu felice di udire quelle parole che non sperava di udire mai più.

Arrivò il dottor Bharucha. «Che succede?» chiese, con tono premuroso.

«Voglio delle melagrane», disse in un soffio Tanya.

Era la stagione delle melagrane. I bazar risuonavano dei richiami dei venditori che le offrivano. Le bancarelle dei fruttivendoli rosseggiavano di una quantità di melagrane dai colori accesi.

«Ti porterò tutte le melagrane che vuoi», promise Billy.

Saltò in sella alla bicicletta e pedalò a tutta forza fino al negozio di frutta. Il prezzo era troppo alto, e allora si spinse fino al Mall. Ancora troppo alto, quel prezzo!

Billy si affannò per vicoli di bazar brulicanti di folla, contrattando e facendo controfferte offensivamente basse. Lasciò la zona dei bazar e pedalò fino al *mandi* della frutta.

Aprendosi la strada tra sciami di mosche, fanghiglia, paglia e frutta marcia, finalmente trovò quello che cercava.

Tre ore dopo tornava con la frutta agognata e tutto orgoglioso offriva a Tanya tre melagrane bruno-giallastre, della dimensione e della forma delle mele selvatiche.

«Vattene! Vattene!» gli urlò Tanya, gesticolando convulsamente e lanciando le melagrane di qua e di là come palline di ping-pong.

«Ma cara, mi sono dato tanto da fare a cercarle».

«Non stare a dirmi bugie!» strillò Tanya. «Lahore è piena di splendide melagrane rosse e queste sarebbero le più belle che sei riuscito a trovare?

«Ma quelle rosse non sono le più adatte per te: non hanno niente dentro. Queste sono piene di vitamine. Chiedilo al dottore».

«Non m'interessa niente, brutta bestia!» urlò Tanya. «Non me ne frega niente delle vitamine. Vai in giro per tre ore e torni indietro con questa roba? Dovevo immaginarlo!» Tanya saltò giù dal letto come una furia. Si avventò su una melagrana che era rimbalzata dalla parete ed era finita sotto una sedia e la lanciò fuori dalla finestra, mandandone in frantumi il vetro. Aveva il volto in fiamme e madido di sudore. Billy era terrorizzato. Temeva per il bambino in grembo. «Vado a prenderti quello che vuoi!» esclamò, e uscì di corsa dalla camera.

Tornò dopo tre minuti e trovò Tanya seduta in mezzo al letto, i capelli intrisi di sudore, il respiro rotto dalla rabbia e dall'odio.

«Erano queste quelle che volevi?» chiese, mettendole una grande melagrana rossa in grembo. La riagguantò subito, caso mai lei avesse intenzione di buttare anche quella dalla finestra.

Tanya continuava ad ansimare.

Billy sbucciò il frutto, raccogliendone i succosi granelli rosso sangue in una tazza. «Ecco», disse, portandole la tazza vicino alla bocca.

Tanya si voltò dall'altra parte.

Billy si sedette sul letto, accarezzandole i capelli. Tirò su alcuni grani con un cucchiaio e la imboccò.

«Auff! Non farmi prendere mai più una paura come questa», sbuffò Billy quella notte, stringendo Tanya tra le braccia. Poi saltò giù dal letto nel pigiama tutto strapazzato e incominciò a prenderla in giro: «Vuoi vedere come facevi?» e si mise a mimare il suo attacco isterico.

«Vattene! Vattene!» fingeva di urlare sotto voce. Saltellando sulle gambette nodose, agitando le braccia sgraziate, lanciò una immaginaria melagrana dalla finestra. «Scrasc!» e imitò il fracasso del frutto che mandava in frantumi il vetro.

Tanya rideva.

Billy strabuzzò gli occhi, si lasciò pendere la mascella e atteggiò il viso a un'espressione afflitta, disperata, facendo ricordare a Tanya i felici giorni dell'innamoramento e della luna di miele. Era tornato a essere quel buffone che incantava, quello spasimante che scriveva teneri biglietti su carta azzurra, colui che a Simla era arrivato al punto di non andare in gabinetto per una giornata intera per paura di offendere il delicato olfatto della sua bella, l'appassionato amante che consumava il matrimonio tra i rimbombi spaventevoli dei tuoni!

Il novello ardore di Billy durò un mese intero. Ma si trattava, come nel passato, di un'infatuazione. Quando l'infatuazione si spense, lui tornò al suo unico vero amore, il denaro. Tanya non aveva frecce al proprio arco contro quel rivale tanto ammaliatore. Reagendo come un'amante abbandonata, prese a far guerra alla passione di lui per quell'avversario, e lui di conseguenza prese a odiarla.

Erano coperti di ferite sanguinanti. Ma la volontà e la tenacia di Billy erano superiori a quelle di Tanya, le sue intenzioni più mirate. E Tanya alla fine si rassegnò alle sue angherie. L'unico modo per tener buono Billy era di mostrarsi assolutamente remissiva, e lui diventava sempre più difficile da accontentare.

Al momento del rientro di Faredoon essi avevano ormai

dato un assetto preciso alla loro vita, assetto che con gli anni divenne sempre più rigido e ristretto.

Accorgendosi della strana docilità di Tanya, Faredoon afferrò al volo la situazione. Era in pena per la ragazza, ma pensò bene di non intromettersi nei loro affari, sperando che la vitalità di Tanya l'avrebbe aiutata a non soccombere. Anche Pulti si accorse che doveva esserci stato un cambiamento, ma solo Jerbanoo si ficcò a capofitto negli affari loro, indagandone curiosa i particolari, e lasciandosi alle spalle una scia di litigi che ancora una volta provocarono la rivolta armata di Tanya, che reagì intrepidamente.

Tanya partorì un maschietto. Quando il piccolo, robusto e chiaro di pelle, ebbe un anno, Faredoon capì che Soli era tornato sulla terra. La profezia della *janam patri* si era avverata! Fremette di gioia e i suoi occhi si velarono di felicità. Guardava il piccolo crescere, facendo rivivere momento dopo momento l'infanzia di Soli.

Questo evento aprì l'ultima fase della vita di Faredoon. Perse lo spirito di sfida e di impegno e lasciò la gestione di tutti gli affari nelle mani di Billy. Si dedicò a opere di bene, facendo base nel proprio ufficio. Dava consigli a coloro che ne avevano bisogno e, avendo acquisito una fama di imparzialità e saggezza, fungeva da arbitro in una quantità di discordie. La sfera della sua autorità e influenza era ampia come non mai. E Billy incoraggiava l'altruismo di Faredoon, che dava a lui il modo di attingere a riserve di gratitudine che personalmente non aveva né il tempo né la capacità di crearsi. Sfruttava coloro che avevano debiti di riconoscenza verso suo padre e li aiutava a sdebitarsi.

Capitolo 45

L'andamento della vita di Billy era stato fissato, le sue angherie codificate. Governava la casa con poteri assoluti. Mancando di fiducia in se stesso, doveva assolutamente comandare, ordinare e imporre. Pretendeva una disciplina ferrea e un'ubbidienza cieca e assoluta.

Le angherie di Billy incominciavano allo spuntare del sole. Non aveva quasi ancora finito di aprire gli occhi che già Tanya trasmetteva in tutta la casa i suoi ordini perentori. Gli veniva portato all'istante il giornale, col quale si affrettava alla volta della comoda, che rimaneva di suo dominio per tutta la mattina. Essendo il bagno nella parte anteriore della casa, da lì egli poteva controllare il vialetto privato, parte del porticato d'ingresso, e il giardino. Non si chiudeva mai nel bagno. Se ne stava seduto lì, dietro una leggera tenda di cannucce che lo nascondeva agli occhi degli altri. I figli entravano e uscivano in fretta, la bambinaia entrava a prendere gli spazzolini per i denti o un asciugamano, e il cameriere faceva la sua comparsa con una tazzina di tè su un vassoio.

La comoda, facendo parte della dote ricevuta da Sir Norshiwan Jeevanjee Easymoney, non poteva non essere speciale. E infatti era grande, intagliata, e con intarsi di ottone! Quando il coperchio, che fungeva anche da schienale, era abbassato, sembrava una cassapanca.

Accomodato su di essa come su un trono, Billy sorbiva il tè e leggeva il giornale. Non appena la tazzina era vuota, veniva sostituita con una piena. Spesso Billy mandava qualcuno a prendergli i libri mastri e li controllava attentamente da quel trespolo principesco.

Questa era l'ora delle udienze di lavoro. Chi voleva

parlargli in casa e con calma, gli andava a far visita al mattino. I fornitori, i fattori, i compratori e i commercianti davano un colpetto di tosse da dietro la cortina di cannucce, e lo salutavano: «*Salaam, sethji*», e gli presentavano il caso. Billy li distingueva chiaramente, mentre loro potevano solo intravedere l'ombra di *sethji*, col giornale aperto, seduto su una specie di cassa. Se lui teneva la luce accesa, potevano vederlo meglio. Qualche volta, di sera, se fuori era già buio, potevano vedere *sethji* in tutta la sua gloria, le magre cosce che spiccavano luminose tra la giacca e i pantaloni del pigiama, tra intarsi di ottone e legni intagliati!

Talvolta al mattino vi si tenevano anche delle riunioni, nelle quali Billy, pudicamente nascosto dietro la tendina di cannucce, trattava affari con un gruppetto di uomini. A quell'ora infatti la mente di Billy era nella forma più smagliante. Là egli diede avvio ad alcune delle sue più prestigiose imprese, come il commercio del ferro che, allo scoppio della guerra, lo rese miliardario da un giorno all'altro. Gestiva il suo tempo con la stessa parsimonia con cui gestiva il denaro.

Mentre si lavava impartiva una raffica di ordini senza nemmeno parlare. Ecco disposti in bell'ordine i vestiti, approntata la prima colazione, e nel momento in cui lui entrava nella sala da pranzo, il cuoco metteva a cuocere l'uovo al tegamino. L'uovo doveva essere cotto in quel modo, altrimenti lui se ne andava senza nemmeno toccarlo, irritato verso tutti quelli di casa.

La routine mattutina non subì mai variazioni, salvo quel giorno in cui la comoda venne sostituita dalla tazza con annesso sciacquone, e quell'altra mattina in cui Jerbanoo, scostando la tendina di cannucce, gli comunicò: «Hai sentito? L'ha appena detto la radio: l'Inghilterra e la Germania sono entrate in guerra! Dovremo mandare anche noi dei soldati!»

Billy prese le decisioni relative al commercio dei rottami di ferro nel giro di un'ora dopo quella notizia.

La casa prendeva un andamento più disteso non appena lui usciva per recarsi in ufficio. I bambini all'improvviso si abbandonavano a giochi irruenti, i servi parlavano tra di loro ad alta voce e Tanya si dedicava alle abluzioni mattutine.

Ottenere che familiari e domestici abbiano come unica mira il benessere e l'approvazione del padrone non è un successo da poco. Laddove Freddy governava la casa citando sentenze, e puntava i piedi solo nel caso che qualcuno tenesse un comportamento incongruo o pericoloso, Billy i piedi li teneva sempre puntati. Tiranneggiava tutti, comandando per lo più tramite Tanya. I suoi ordini avevano lei come oggetto diretto. In ordine d'importanza, erano:

Non sprererai il denaro!

Non sprecherai alcunché.

Mi darai dettagliata descrizione del conto delle spese.

Obbedirai a tuo marito e correrai a un suo cenno.

Insegnerai ai figli a obbedire e amare me più di te.

Non avanzerai mai alcuna pretesa.

Tu e i tuoi figli non mi dovrete mai disturbare.

Dovrai spegnere luci e ventilatori tutte le volte che potrai.

La lista dei comandamenti era infinita. Pochi, come Billy, hanno così cieca perseveranza nello schiavizzare chi gli sta vicino.

Tanya viveva in uno stato di perenne allerta, i nervi a fior di pelle. Si prodigava e ubbidiva senza fiatare, perché aveva un'anima romantica. Le persone come lei sono ottimi martiri. Rinunciò a opporre resistenza perché Billy era stato il primo uomo a darle piacere, e l'unico che le era concesso di amare. La tradizione non ammetteva deviazioni. Billy inoltre era talmente ricco che a quel punto l'opulenza del padre di lei impallidiva al confronto. Era la moglie dell'uomo più ricco del paese!

A Tanya scompariva sempre qualcosa: un orologio dalla mensola del bagno, un gioiello che aveva distrattamente lasciato sul comò, del denaro. Nei primi tempi, temendo i rimproveri di Billy, in sua assenza si metteva alla frenetica ricerca dell'oggetto scomparso. Quando lui tornava, fingeva la disinvolta serenità della padrona di casa a cui non è successo nulla di sgradevole, e non dava l'impressione di una che ha perso un anello di brillanti. Billy teneva gli occhi ben aperti per individuare qualche segno rivelatore di apprensione, come il gatto che gioca col topo.

In breve Tanya imparò come regolarsi con Billy. Fu costretta ad adottare le strategie di una cortigiana: lo blandiva, lo adulava, lo supplicava e lo vezzeggiava, fin quando Billy restituiva il tesoro nascosto. Erano in verità queste le uniche occasioni in cui Billy si rilassava e si divertiva con Tanya, e lei alla fine imparò a prestare ai propri beni l'attenzione che lui pretendeva.

Capitolo 46

Era una torrida giornata di giugno. Il caldo aveva già ucciso tutte le mosche e i moscerini di Lahore, e riscuoteva un quotidiano tributo di vite umane. La temperatura si aggirava sui 48 gradi all'ombra. Muoversi era una fatica improba, tutti cercavano di fare il meno possibile, e se ne stavano seduti o tutt'al più si procuravano un bicchiere d'acqua cercando di spendere le loro forze con parsimonia e calcolo, come gli avari costretti a tirar fuori un po' di spiccioli per guadagnarsi la salvezza eterna. Per lo più se ne stavano immobili nelle camere dalle imposte chiuse, come pesci boccheggianti in acque troppo basse.

Le vie erano deserte da mezzogiorno fino alle tre.

La luce del pomeriggio si infilò tra le tende e ferì Faredoon. Si svegliò e girò la testa per evitare la luminosa lama di sole, sfavillante di infuocate particelle di polvere. Si alzò per accostare meglio le tende e si soffermò un attimo a gettare un'occhiata nella strada incandescente. Erano passate le quattro, e tuttavia paraurti, biciclette, cartelloni pubblicitari, stanghe dei *tonga* e persino l'asfalto fiammeggiavano e riverberavano l'implacabile ardore del sole.

Faredoon avvertì un senso di stanchezza in tutte le membra. Accostò le tende e tornò a coricarsi. Sentiva nelle ossa una febbre ardente e secca, una specie di affaticamento doloroso che non era da ascrivere alla calura di quel giugno... e capì che la sua fine era vicina.

Era il 1940. Faredoon Junglewalla aveva sessantacinque anni.

A sera si sforzò di recarsi a tavola per la cena e poi in salotto. Era soprappensiero e svogliato. Hutoxi, Ruby e Ardishir avevano cenato con lui. Katy arrivò più tardi col

306

marito (si era infatti sposata con un ragazzo di Amritsar che aveva avviato una fortunata azienda di ferramenta a Lahore) per partecipare alla solita riunione del dopocena. Vedendo Faredoon stanco e apatico, chiacchierarono tra loro e andarono via presto.

Il giorno seguente Faredoon non si alzò affatto. Putli gli prese la temperatura. Aveva 37 e 2. Mandò a chiamare il dottore: «Non è niente, solo un piccolo colpo di calore», sentenziò il dottore.

Ormai era a letto da una settimana. A mattina avanzata, Jerbanoo approfittò d'un momento che era solo ed entrò.

«Quando la vogliamo far finita con questa storia? Bello, eh, starsene stravaccati a letto, con la gente che ti serve di barba e parrucca, ma lascia che ti dica una cosa: se non ti rimetti in movimento, le articolazioni ti rimarranno bloccate per sempre!»

Freddy la fissò placidamente. «Sto per morire».

Lei gli si fece più accosto e lo scrutò attentamente in faccia.

«Morire? Bah!» sbuffò. «Sciocchezze!» soggiunse, «hai tutta l'aria di uno che scoppia di salute!»

«Eppure morirò».

«Che vuol dire!» fece Jerbanoo. «Anch'io, se è per quello. Tutti siamo destinati a morire! Tutti ce ne dobbiamo andare, o prima o dopo!»

Faredoon si sollevò sui gomiti e fissò Jerbanoo con un'intensità stranamente distaccata ed enigmatica.

«Vuoi sapere una cosa? Getto la spugna. Congratulazioni! Hai vinto tu. Mi sopravviverai», disse Freddy tranquillo.

«Che cosa vuol dire... questa storia che te ne vai prima tu o me ne vado prima io? Nessuno è eterno!»

«D'accordo... ma tu sembri indistruttibile. Con quel colorito dannatamente florido e sano, credo che tu non te ne andrai mai».

Jerbanoo assunse un'espressione di profonda tristezza. Faredoon sapeva come stavano le cose: dire a qualcuno di quell'età che aveva tutta l'aria di vivere in eterno era lo stesso che sfidare la provvidenza, gettare il malocchio.

«Oddio, oddio! C'è qualcuno che sa quanto soffro, io? Quanto sto male? No! E tutto questo perché soffro senza fiatare! Ma i miei giorni sono contati. Lo sento! Lo sento! Ah, me ne andrò prima di te», esclamò, spremendosi una o due lacrime dagli occhi. Gemeva e piagnucolava da far pietà, cercando di contrastare i malefici effetti delle invidiose parole di Faredoon.

«Mi sembra che sia la solita storia, questa», sospirò Freddy con fare stanco. «Avresti dovuto morire già una decina di volte, a sentir te».

Jerbanoo era fuori di sé dalla rabbia. La faccia della vecchia, infiammata di sdegno, ciondolava di qua e di là, come quella d'una paralitica. «Va bene. Va bene. Se è questo quello che vuoi, vivrò abbastanza per seppellirti!» urlò. Si girò e, mostrando l'immenso deretano a Faredoon, uscì solennemente dalla stanza.

Faredoon si meravigliava di se stesso. Era strano, per uno che aveva vissuto intensamente come lui, rassegnarsi alla fine della vita. Si sentiva dentro una specie di languidezza. Tutti gli attimi degli ultimi giorni gli passarono davanti agli occhi, lenti e chiari. Fu sopraffatto da un senso di pienezza e soddisfazione, e non ebbe più alcuna paura della morte. Aveva vissuto, aveva assaporato tutti gli imprevisti, le gioie e i dolori che gli erano capitati, e ora l'idea di morire non lo turbava affatto. Faredoon sapeva che avrebbe continuato a esistere nei figli, nella fortunata dinastia dei futuri Junglewalla!

Ciononostante, Faredoon avvertiva l'istinto di lasciare ancora qualcosa di più di se stesso. Ma non nella memoria, perché sapeva che pochi, a distanza di un anno, avrebbero saputo che una volta aveva vissuto tale Faredoon Junglewalla: quello che voleva era poter continuare ad avere un peso sul pensiero dei superstiti. Continuò a ribadire, senza mai stancarsi, i suoi ingenui e semplici punti di vista sull'impulso positivo che danno i bisogni e i desideri.

Conversò a lungo con ciascuno dei figli, nella camera da letto, impartendo a tutti loro, quasi senza parere, la lezione delle sue esperienze e il frutto delle sue riflessioni. «Ci ho messo un sacco di tempo a capire il Bene e il Male, e tutta la vita per cogliere appena uno sprazzo del Sentiero di Asha, il grandioso progetto di Dio per l'uomo e per il cosmo. Sì, la forza di Dio aiuta l'uomo che si comporta bene, e quest'uomo sarà compensato, a mano a mano, con l'Intelligenza Benevola, il Vahu Mana, l'intelligenza stessa di Dio... Così parlò Zaratustra!»

In tal modo egli sentì di avere una parte nella definizione del loro futuro, una parte nelle infinite generazioni dei Junglewalla.

Una sera i familiari, raccolti intorno a lui nella camera da letto, lo trovarono vivace come nel passato, anche se turbato dalla piega che gli eventi stavano prendendo in India. Era sconvolto dai discorsi che venivano fatti, discorsi di rivoluzione, autogoverno e indipendenza dagli inglesi, e soprattutto dal ruolo di alcuni parsi in tutto ciò. Enunciava le proprie opinioni con una forza e un'enfasi profetica che facevano presa sugli ascoltatori. Essi non vedevano in lui il vecchio canuto, esausto, rassegnato, ma l'uomo che era stato una volta!

Fu spedito un telegramma a Yazdi. Non seppero mai se il messaggio gli pervenne. Faredoon era abbandonato sui guanciali. Un ventilatore cigolava al soffitto, girando e girando, e spostava invano l'aria che il caldo aveva condensato in un glutine trasparente. Billy, Ardishir e Bobby Katrak, che era arrivato da Karachi con Yasmin, se ne stavano in atteggiamenti diversi vicino al letto, il viso sudato chino su Faredoon. Hutoxi, Ruby, Yasmin e Putli erano sedute sulle sedie portate dalla sala da pranzo, allerta e pronte a scattare se Faredoon chiedeva qualcosa. Tanya e Katy chiacchieravano sottovoce sul balcone.

«Sapete chi è responsabile di tutto questo pasticcio?» domandò Faredoon, che però non si aspettava una risposta, e gli astanti rimasero in attesa del discorsetto che sicuramente sarebbe seguito, come sempre. «Ve lo dico io. Quel folle parsi di Bombay, Dadabhoy Navroji! Tutto filava liscio come l'olio; si era sempre parlato di scuotersi dal giogo britannico, di conquistarsi l'indipendenza, ma quel parsi mezzo matto va a montare una cosa chiamata Partito del Congresso e si mette a blaterare idiozie come uno fuori di testa. "Via dall'India! Via dall'India!" E sapete che cosa ha combinato? Ha suscitato un vespaio! So benissimo quali saranno le conseguenze.

«Che cosa succede? Lui tira fuori le sue idee. Individui del tipo di Gandhi le fanno proprie, individui del tipo di Valabhai Patel e Bose e Jinnah e Nehru... e quell'altro imbecille di Karachi, Rustom Sidhwa, anche quello le fa proprie! E che combina? Pianta lì i suoi affari e abbandona la famiglia nelle mani del caso e della miseria. Si ficca in testa un berretto alla Gandhi, una camicia tessuta a mano e quella specie di pannolino trasparente che chiamano *dhoti*. Incomincia a entrare e uscire di prigione come uno che va dentro e fuori dal Mandi per trovare le ragazze! Dove crede di arrivare? Da nessuna parte! Se mai ci saranno dei frutti da raccogliere da tutto ciò, chi li raccoglierà? Certo non Sidhwa! Certo non Dadabhoy Navroji! Fanno la figura dei cretini, e la fanno fare anche a noi! Mordere la mano che ti dà da mangiare! Ve lo dico io, siamo stati traditi dai nostri, da quelli del nostro stesso sangue! Quei pazzi spaccheranno il paese in due. Una metà agli indù, l'altra ai musulmani. Sikh, bengalesi, tamil e Dio sa quanti altri vorranno anche loro la loro parte; e a voi non vi vorrà nessuno!»

«E dove ce ne andremo? Che cosa sarà di noi?» chiese Bobby allarmato, un po' sul serio e un po' per scherzo. La stessa domanda era stampata, con diverse sfumature di preoccupazione, su tutti i volti.

«Da nessuna parte, figli miei», disse Faredoon, abbandonandosi sui cuscini. Alzò le braccia scarne, dai polsi nodosi, in un gesto lento e controllato, e le appoggiò sulla testata del letto. Le lenzuola erano tutte aggrovigliate ai suoi piedi. Aveva addosso un paio di pantaloni larghi e flosci, e una *sudreh* dal collo a V e senza maniche. La sua pelle era d'un pallido bruno giallastro. I peli del petto e delle ascelle erano bianchi. Si vedevano pulsare le vene grosse, azzurre. All'improvviso i suoi occhi si velarono d'un intimo sguardo di trionfo e di ottimismo. Con voce soave disse: «Staremo qua dove siamo... lasciate che a comandare siano gli indù, i musulmani, i sikh, o chiunque altro ne abbia voglia. Che ce ne importa a noi? Il sole continuerà a sorgere, e continuerà a tramontare, nel loro culo...!»

I parsi sono una specie in estinzione. I 100.000 che oggi si contano in tutto il mondo, vanno diminuendo di anno in anno. Questo libro mi è stato ispirato dall'affetto che porto alla mia comunità e dal desiderio di testimoniare la forza morale e la carica vitale che hanno aiutato i parsi a superare tante prove fin dall'epoca della loro migrazione in India, dove si rifugiarono 1.300 anni orsono.

Colgo l'occasione per ringraziare Emilie Buchwald, che ha aperto a *The Crow Eaters* (*Il talento dei parsi*) nuove opportunità negli USA e che ha pubblicato con tanta convinzione ed entusiasmo i miei romanzi. Ringrazio Randy Scholes per i disegni delle splendide copertine sia di questo volume che di *Cracking India* (*La spartizione del cuore*), e Teresa Bonner che li ha sostenuti con la determinazione con cui solo i genitori sanno sostenere le proprie creature.

E il mio grazie va anche alla Milkweed e agli Amici della Milkweed, che collaborano con Emilie per far conoscere la poesia e la narrativa di qualità... La mia riconoscenza inoltre va ai cittadini del Minnesota, che rendono possibile il moltiplicarsi delle librerie e il fiorire di piccole case editrici!

Ringrazio Laurie Colwin e Phillip Noshir per la benevolenza sempre dimostratami. E infine un grazie a mio marito Noshir, ai miei fratelli Minoo e Feroze, e ai miei figli che non mi hanno fatto mancare il loro incoraggiamento.

Bapsi Sidhwa, 1992

Glossario
a cura di Marged Trumper

Allah-ho-Akbar, Dio è grande

Agni Puja, Venerazione del fuoco: sacrificio centrale del culto zoroastriano, in cui il fuoco è ritenuto strumento di giustizia (*Asha*) e viene detto il Fuoco di Ahura Mazda, in quanto principio vitale dell'Universo. Il sacrificio zoroastriano, con cui si invoca la protezione di Ahura Mazda, ha la stessa origine indoeuropea dei sacrifici vedici, di cui il fuoco è elemento fondamentale, in quanto principio di purificazione, di trasformazione ed elemento di unione tra la Terra e il Cielo. L'espressione *Agni Puja* è hindi e dunque è la definizione che gli indù danno del rito parsi. La comunità parsi è giunta in India per continuare a professare la religione zoroastriana, quando in Persia vi fu l'avvento dell'Islam

Ahura Mazda, Dio Saggio: è il dio venerato dagli zoroastriani, introdotto nella religione indo-iranica dal profeta Zoroastro o Zaratustra

almirah, armadio

anna, un sedicesimo di rupia: una moneta non più in uso, rimasta a indicare genericamente piccole quantità di denaro

Asha, nello zoroastrismo è una delle entità benefiche, collegate ad Ahura Mazda per filiazione, rappresenta l'ordine cosmico, o Giustizia Divina, che si compie al di là della volontà umana

atash, fuoco

Avesta, dal medio persiano *Abestag,* il cui probabile significato è "Elogio" (di Ahura Mazda): corpus dei testi sacri dello zoroastrismo, le cui varie parti risalgono a epoche successive

baba, letteralmente padre, nonno: titolo di rispetto per persona più anziana, solitamente rivolto a figure religiose carismatiche

babu, babuji, appellativo di rispetto attribuito a indiani di alta casta educati all'inglese e quindi impiegati nel governo britannico, poi passato a indicare uomini istruiti di classe superiore

-bai, suffisso di rispetto aggiunto ai nomi propri femminili

bania, sottocasta di mercanti, appartenente alla terza (Vaishya) delle quattro caste indiane

biri, sigaretta indiana artigianale, ottenuta avvolgendo del tabacco trinciato in una foglia

bolo, parla!

burqa, abito delle donne musulmane, che copre completamente il corpo, lasciando solo una fessura per gli occhi

chapati, schiacciata di pane non lievitato

charpai, charpoy, brandina di corda

chhokra, ragazzino, garzone

chundar pajama, pantaloni aderenti, stretti alle caviglie

Devi, dea, divinità femminile in generale, che indica le varie dee del pantheon indù, controparti femminili degli dei

dhoti, indumento maschile tipicamente indiano, che consiste in un telo bianco avvolto intorno ai fianchi, la cui estremità viene solitamente fatta passare tra le gambe

dinar, antica moneta d'oro

dirhem, moneta d'argento

Dungarwadi, Daxma, Torre del Silenzio, costruzione funeraria dei parsi: edificio circolare in pietra dove si espone il cadavere per lasciarlo divorare dagli avvoltoi. Difatti il cadavere non si può né bruciare, né seppellire, per non inquinare i tre elementi sacri: fuoco, terra, acqua. Le Torri del Silenzio sono inoltre delimitate da una cordicella sacra.

Gatha, canti: constano di cinque composizioni in 17 capitoli. Probabilmente la sezione più antica dell'Avesta, che viene attribuita a Zoroastro e contenuta nella divisione detta *Yasna* (sacrificio), il I libro dell'Avesta, che contiene la parte liturgica

gujarati, lingua nord-indiana dello stato confederale del Gujarat, di derivazione indoeuropea

gulmohar, Delonix Regia, albero dai fiori rossi

Hai Bhagwan!, Oh Dio!

hazur, appellativo di rispetto, che denota grande sottomissione da parte di chi lo usa

Huri, Urì, ancelle vergini del paradiso islamico

jain, chi professa il giainismo, religione fondata da Mahavira, detto Jina, ossia "vincitore" (sulle passioni) nel VI sec. a.C. circa. È una religione ascetica, nata come eterodossia dall'Induismo, che contrastava la religione brahmanica e negava l'esistenza dell'Anima Universale, sostenendo che ogni anima, una volta liberatasi dal ciclo delle rinascite, rimane a sé stante

janam patri, piano natale, oroscopo

jashan, celebrazione, festa di ringraziamento

-ji, jee, suffisso di cortesia, usato in contesto formale, posposto al nome proprio o al titolo della persona a cui ci si rivolge

kafir, infedele: termine usato dai musulmani in riferimento ai non musulmani

kamiz, camicia a maniche corte

kusti, filo sacro che i zoroastriani avvolgono tre volte attorno alla vita nel corso dell'iniziazione, per simboleggiare il triplice impegno di atto, parola e pensiero di bontà, e che poi devono sempre indossare

Laxmi, divinità femminile indù, apportatrice di fortuna: la protettrice della famiglia e moglie del dio Vishnu

lungi, ampio telo rettangolare indossato dagli uomini attorno alla vita: la lunghezza e il modo di ripiegarlo in vita variano a seconda delle usanze locali, e si può usare anche come turbante o scialle

mada-sara, matrimonio

mandi, mercato

mandir, tempio indù

mathabana, fazzoletto bianco usato come copricapo

matka, orcio per l'acqua

mela, fiera in occasione di una festività religiosa

memsahib, signora, moglie di un *sahib*

mobed, sacerdote del culto dei parsi

Navjote, nuova nascita: iniziazione allo zoroastrismo, durante la quale si riceve il filo sacro, per i parsi, che in tal modo aderiscono alla religione dei padri, essa avviene tra i 7 e i 15 anni

okra, tipo di verdura dell'Asia e del sud degli Stati Uniti, simile alla zucchina

paan, trito di noce di areca, calce e spezie varie, avvolto in una foglia di betel che, masticato, dà un leggero effetto inebriante

pagri, turbante

pakka sahib, signore distinto

pajama, ampi calzoni sorretti in vita da un laccio

pandit, saggio, appellativo e titolo dei brahmini che, in quanto appartenenti alla casta sacerdotale, sono detentori del sapere, dunque conoscono il sanscrito e studiano le sacre scritture

paratha, tipo di pane schiacciato, non lievitato, fritto nel *ghi,* o burro chiarificato

pir, precettore religioso musulmano, anche santo, figura carismatica tipica delle sette mistiche

purdah, parte della casa, per i musulmani, destinata alle donne e segregata dall'esterno, o anche il precetto stesso di segregazione della donna musulmana

pyal, payal, cavigliera di stoffa con campanellini applicati, indossata dalle ballerine

sadhu, santone itinerante che vive di elemosina

sahib, signore

sepoy, soldato indiano inquadrato nell'esercito inglese

seth, sethji, sotto casta di mercanti benestanti: si usa anche per indicare un uomo danaroso

shisham, Dalbergia sisso, albero indiano dal legno pregiato, di colore bruno-nero, simile al palissandro

sherbet, sorbetto di frutta, latte, bianco d'uovo e gelatina

shervani, tipico indumento maschile, lungo fin sotto il ginocchio e abbottonato sul davanti

sikh, membro della setta fondata dal guru Nanak nel XVI secolo, che rifiuta alcuni precetti indù, appropriandosi di alcuni dell'Islam. In seguito è divenuta una comunità di guerrieri, spesso impiegati nell'esercito

Sita, nel Ramayana, il famoso poema epico indiano, è la moglie fedele del re Rama, una delle incarnazioni del dio Vishnu

sudreh, veste di mussola bianca, fermata col cordone sacro, che si riceve nel corso della cerimonia di iniziazione

sufi, santo musulmano, appartenente a una setta mistica

swami, letteralmente "padrone, signore", in genere titolo onorifico di alcuni maestri spirituali indù

tabla, tipico strumento indiano a percussione, costituito da due tamburi, uno più grande e uno più piccolo, in grado di produrre ampie variazioni timbriche

thana, stazione di polizia

tonga, carretto a due ruote trainato da cavalli

Vahu Mana, Buon Pensiero, entità benigna, come Asha, collegata a Ahura Mazda per filiazione ma che, a differenza di Asha, non prescinde dall'uomo: viene identificata con la Provvidenza, che dunque giunge in suo aiuto

Vendidad, Videvdat, Legge contro i Demoni: terzo libro dell'Avesta, l'unico che ci è pervenuto integro, in cui Ahura Mazda risponde alle domande di Zaratustra, dettando pratiche di purificazione ed espiazione

-walla, suffisso che, posposto a un oggetto o a un verbo, indica la persona che con esso ha una relazione di possesso, origine, appartenenza, mansione, azione ecc.

LE TAVOLE D'ORO

Finito di stampare
nel mese di agosto 2000
per conto di Neri Pozza Editore, Vicenza
dalla Milanostampa di Farigliano (Cuneo)
Printed in Italy